LA RELIGION
DE MON PÈRE

Benoît Lacroix

LA RELIGION
DE MON PÈRE

Préface de Lucille Côté

1986
LES ÉDITIONS BELLARMIN
8100, boulevard Saint-Laurent
Montréal

Remerciements au Fonds de recherche Albert-le-Grand ainsi qu'à la Fondation Gérard-Dion de Québec pour leur subvention à la publication du présent ouvrage.

Données de catalogage avant publication (Canada)
Lacroix, Benoît, 1915–
    La religion de mon père
    Comprend un index.
    2-89007-594-X
    1. Québec (Province) — Vie religieuse. 2. Église catholique — Québec (Province) — Histoire. I. Titre.

BX1422.Q8L32   1985   209.714   C86-096024-2

Couverture : Pierre Peyskens

Dépôt légal — 4ᵉ trimestre 1985 — Bibliothèque nationale du Québec
Copyright © Les Éditions Bellarmin 1985
ISBN 2-89007-594-X

PRÉFACE

Vouloir cerner la religion populaire des Québécois pour l'évaluer de façon objective, est-ce un rêve ? Chercher à saisir les motivations qui ont multiplié les rites, les coutumes et les croyances religieuses de chez nous, est-ce une utopie ? Faire la lecture d'un phénomène qui a si longtemps marqué la mentalité de notre peuple, est-ce encore possible ? Si « les religions ont déjà forgé des civilisations, préservé des durées et nourri des espoirs », le rôle joué au Québec par la religion dite catholique est indéniable et considérable, même s'il est aujourd'hui très controversé.

La religion traditionnelle au Québec, pratiquée de façon uniforme de 1534 à 1960, a enveloppé, et jusque dans les moindres faits et gestes, tout ce qui s'appelle *vie* : vie politique, vie sociale, vie scolaire, vie familiale. Ainsi il est juste de dire de cette religion qu'elle est celle de nos origines et qu'il sera toujours difficile de nous définir sans elle.

Omniprésente, la religion de « nos pères » a-t-elle conduit l'homme à sa libération ou à sa servitude ? Le « Dieu merveilleux des Québécois » aurait-il été double, c'est-à-dire le Dieu juste prêché à l'église et le Dieu miséricordieux apprivoisé à la maison ? L'enseignement religieux austère de l'époque a-t-il empêché le peuple québécois d'aimer la fête religieuse avec sa fréquence, sa variété, puis les dimanches qui rythment le travail des semaines et les rassemblements paroissiaux ? L'Église catholique aurait-elle été pour le peuple francophone une alliée incontestable, la sauvegarde de la langue française et des traditions ? Doit-on considérer la religion populaire comme opium ou comme levain ? Le lien historique entre les origines catholiques du peuple québécois et l'Église désarmée des années 1960 oblige-t-il l'avenir ? La religion sera-t-elle partie prenante de notre enseignement en l'an 2000? Laquelle? Religion d'héritage? Religion révisée? Voilà des thèmes à inventorier, à scruter à travers le vécu religieux des Québécois.

La présente publication, qui traduit le climat religieux du Québec depuis les débuts de la Nouvelle-France à nos jours, apporte déjà quelques réponses à ces questions. Il s'agit d'études de Benoît Lacroix et de conférences prononcées devant divers publics, entre 1971 et 1984. Réclamée par de multiples requêtes, cette documentation exceptionnelle devient une source inépuisable pour le lecteur ou le chercheur intéressés à la compréhension des origines et de la sensibilité religieuse des Québécois. C'est le « joyau » que nous attendions depuis longtemps.

Et qui pouvait mieux que Benoît Lacroix répondre à nos vœux? Médiéviste, historien de la religion du peuple, conférencier international, professeur émérite, directeur-fondateur du Centre d'études des religions populaires à Montréal, organisateur de colloques interdisciplinaires sur l'étude des religions populaires, l'auteur a publié une quinzaine de volumes, dont *Religion populaire au Québec: typologie des sources, bibliographie sélective (1900–1980)*, Québec, Institut québécois de recherche sur la culture, 1985, 175 p. De plus, il a participé à de nombreux congrès, entre autres au congrès sur « La religion populaire » à Paris en 1977 : la conférence qu'il y donnait est parue aux Éditions du Centre national de la recherche scientifique. Le dominicain Benoît Lacroix se devait, pour conserver vivant l'héritage de notre foi, d'offrir à la culture québécoise et à son peuple la richesse d'une profession toute donnée à l'humanité d'ici. Nous le remercions pour ces textes qui reflètent notre mentalité religieuse et qui nous offrent un regard serein sur l'histoire d'un passé collectif dont le moins qu'on puisse dire est qu'il a largement contribué à modeler l'âme du peuple québécois.

Institut québécois de recherche
sur la culture   Lucille Côté, s.s.a.

1

LA RELIGION DE MON PÈRE

A. La religion de mon père [1]

En ce temps-là...

1928. Pie XI, *pape régnant*, tient tête au président Mussolini et à *l'Action française*. Le cardinal Gaspari est à la secrétairerie d'État. Son délégué, au Canada, est Son Excellence Monseigneur Andrea Cassulo, bon comme du pain chaud mais qui parle le français à l'italienne : « J'aime beaucoup les Canadien(ne)s » avait-il crié aux étudiants dans un moment d'enthousiasme. Ce qui lui avait valu des applaudissements inédits. Sur le trône épiscopal de Montréal, monseigneur Deschamps supplée aux absences de monseigneur Bruchési. Monseigneur Forbes est à Ottawa. Monseigneur Courchesne arrive à Rimouski. Québec s'honore une fois de plus d'avoir un cardinal en la personne haute en prestige et en taille de monseigneur Rouleau, un dominicain.

Au loin, très loin, vit Sa Majesté le roi George V, tandis qu'ici « au pays », le Premier ministre Mackenzie King propose, Bennett s'oppose, et de peine et de misère Ernest Lapointe, ministre de la Justice, veille sur les intérêts de la minorité canadienne-française. Au Provincial,

---

1. Extrait de *Communauté chrétienne (Religion populaire des Québécois)*, 16, 96 (nov-déc. 1977) : 553–578.

Taschereau gagne toujours ses élections. L'industrialisation est commencée, les capitaux étrangers entrent, le clergé s'alarme, monseigneur L.-A. Pâquet thomise, tandis que Lionel Groulx, prêtre, lance ses ultimatums à gauche et à droite. L'événement rural par excellence est l'arrivée progressive de la radio. Dès 1931, le peuple des campagnes aura son premier feuilleton quotidien : *Au coin du feu* de Robert Choquette.

La vie culturelle de ces milieux ruraux ? Après *Le catéchisme des provinces ecclésiastiques de Québec, Montréal et Ottawa*, version 1888, édition 1924, il y a dans beaucoup de foyers l'*Almanach du peuple*, un des grands succès de librairie de l'époque. Au collège de La Pocatière, en milieu rural, nous lisons *L'un des vôtres* du père Villeneuve, o.m.i., et *Pour le Christ-Roi* du père Dragon, s.j. Pour les plus intellectuels et les moins sportifs, rien de plus nourrissant pour le style et l'esprit que Louis Veuillot, Montalembert, Chateaubriand, Pierre l'Ermite et les « Classiques », bien sûr.

Allons au Troisième Rang. *L'Action catholique*, « organe officiel de l'Église diocésaine », offre des éditoriaux sages dans lesquels les événements sont moralisés à la manière médiévale. Pourquoi pas *Le Devoir*, alors activé par Bourassa et Héroux ? « C'est un journal de Montréal. » Mon père croit qu'il faut plutôt lire *Le Soleil*, journal *rouge* comme son député, *rouge* comme le comté. Pourtant *L'Événement* a l'avantage d'être la gazette du matin et d'arriver par le P'tit Train de 9 h 03. « Un journal de vendus. Des bleus. Fie-toé z'y pas ! » Nous devions en conclure implicitement qu'en politique il faut être d'un seul côté et que la vraie nation est celle du parti libéral. Cependant tout cet appareil de noms, de faits et de dates ne dérange guère l'habitant des Bas de Bellechasse. Sa vie est ailleurs. Au fin fond de son rang, première unité sociale de son pays, s'accorde et se résume son univers : « Tu vois, en face, l'Île d'Orléans, l'oncle Prudent y a vécu. L'autre bord des montagnes, c'est le Grand Nord... À gauche, le Pont de Fer du CNR qui te mènerait sûrement jusque dans l'Ouest canadien. Le fleuve, lui, i' va jusque dans les vieux pays. Au sud, La Durantaye, les Hauts, Saint-Raphaël, le chef-lieu, là où sont tous les *parlements*. Pis monte, monte encore, tu frappes les Lignes américaines. Après ça, on se perd... »

« J'ai pour mon dire... »

La paroisse reste sa grande communauté de référence. Pas le pays ni la province, *sa* paroisse : Saint-Michel-de-Bellechasse, avec ses trois rangs du nord et du sud, son village, son curé, ses deux chapelles,

Église Saint-Michel-de-Bellechasse, photo de Michel Laliberté, o.p.

le cimetière et le quai. « J'ai pour mon dire que c'est une des plus belles paroisses du comté fondée en 1678, s'il vous plaît ! » C'est vrai qu'avec son fleuve qui l'enlumine en été et qui lui donne en hiver comme un petit air de reposoir, avec ses montagnes qui ondulent et le gardent des bourrasques du nord, avec son quai dans toute sa longueur, les goélettes qui passent, le chenal pour les *Empress*, un presbytère historique, une église toujours bien peinte, des maisons propres, la chapelle de Lourdes, vraie réplique de celle de la France, paraît-il, et la chapelle Sainte-Anne pour les processions, il est difficile de trouver mieux quand on est déjà prédisposé à aimer les siens et sa terre. « Cherches-en dans le comté des paroisses aussi bien meublées. »

Dans la paroisse, il y a bien entendu monsieur le curé Bélanger qui anime et organise tout, sauf les élections. Celles-ci, premier événement temporel du canton, sont plutôt l'affaire de J.-N. Roy, maire et préfet du comté, gérant à la Sun Life, qui ne va jamais à la grand-messe mais qui fait d'excellentes affaires avec ses « Polices d'assurances », surtout quand les Pères prêchent fort sur les fins dernières.

En 1928, on compte 263 familles pour une population de 1 393 âmes. 1 393 âmes ! Mais le paysan des rangs a cette idée bien ancrée que les « âmes » du village sont d'un style bien spécial : des rentiers, des capitaines de goélettes, des pilotes au long cours, des visiteurs d'été, des marchands et quelques gens de métiers nécessaires à la vie de toute municipalité qui se respecte. « Tu sais, au village, ça ne travaille pas tellement et la municipalité ne pourrait pas vivre sans les concessions. Encore moins le curé. Faut jamais oublier cela si tu veux comprendre ta paroisse... »

De vrais Français de France !

Lui, il était arrivé dans le rang le soir même de ses noces qui avaient eu lieu en 1901, dans son village natal à Saint-Raphaël de Bellechasse. Il n'avait alors que 18 ans. Depuis il a toujours habité le même pays, Saint-Michel, qui est devenu le pays de ses enfants, de ses amis, de son député et de son curé. Quelle fierté lorsqu'il en parle aux visiteurs... et même aux gens de Saint-Raphaël. Saint-Michel-de-Bellechasse n'avait-il pas vu naître tant d'hommes et tant de femmes célèbres dont le ministre Auguste-Norbert Morin, deux évêques, un préfet apostolique, des curés, des religieux, des religieuses « à la pelletée » ? Les ministres Turgeon et Bourassa, « i' sont venus et ça savait la parole, ces gens-là ».

Quant à ses ancêtres Lacroix, ils seraient venus « de ben plus loin encore » : ils seraient venus de la Normandie et du Poitou. « Des vrais Français de France ! Des gros travaillants qui n'avaient pas peur de risquer leur vie... Pas des espèces de feluettes comme t'en entends à la radio et qui se font aller les babines pour ne rien dire.» Marié en 1802, Pierriche Lacroix, un aïeul, aurait défriché lui-même sa terre, «de la maudite terre à roches». Le grand-père Abraham, Bram I, comme on l'appelait, s'est marié en 1846 à Saint-Vallier. «Ça fait que son fils Bram II, mon père, a pu, le jour de mon mariage, me donner cette belle terre que je vais donner à mon garçon pour qu'il la donne un jour à ses enfants. Vendre un jour sa terre? Mais ça serait pire que vendre son âme au diable!»

Né en 1883

Il porte un nom romain déniché, comme par hasard, par ses parents en feuilletant le calendrier ecclésiastique. Né en 1883, à la Petite Cadie de la Deuxième-à-Saint-Raphaël de Bellechasse, Caïus Lacroix aurait eu 102 ans le 9 décembre 1985. Terrien avant tout, il raconte volontiers ce que son père lui a dit en mourant, il était l'aîné: «J'pars content, j'ai travaillé comme deux hommes, ma terre est belle maintenant. Faites-en autant, mes garçons.»

Cabaleur d'élections, libéral pratiquant, raconteur de peurs et crieur à la porte de l'église après la grand-messe, mon père était devenu dans les années 1928–1930, comme par enchantement, secrétaire de la Commission scolaire des Rangs. Pour garantir l'efficacité et la permanence de sa charge et pour mieux mener à terme ses petites intrigues de politicailleur, il avait appris par cœur, lui qui était peu instruit, tout le code municipal. Question de se donner de l'autorité auprès de ses compères et du député Boulanger. Effort amplement récompensé, car son ascendant sur les commissaires, les paroissiens, les députés, voire le ministre de l'Agriculture, tenait parfois du mystère.

Rien ne l'énervait. Surtout pas notre science et nos diplômes, encore moins nos discussions soi-disant théologiques. C'est que le frère aîné ayant, selon la coutume, «épousé» la terre, il avait été décidé de toute évidence que les autres enfants, garçons et filles, passeraient par les études. Prestige de l'instruction dans un milieu rural? Décision instinctive? Amour de la parole bien dite? De toute manière, il nous arrivait au retour du collège de vouloir tout dire et tout savoir. Ah! quelles ripostes nous attendaient: «De l'instruction, t'en as peut-être ben plus que moé, et j'sus pas sûr encore... Mais du raisonnement, t'apprendras jamais ça dans tes écoles... Finis ton cours et on verra».

Une question va comme de soi: cet homme, né de la terre et relié à tout ce qui est héritage et parole, serait-il religieux au sens traditionnel du mot? Qui le saura? Par quel sondage mystérieux deviner tout ce qui peut trotter dans la tête d'un habitant gai luron qui a sa science à lui et qui ne va en ville que pour voir son député ? J'estime, pour ma part, et j'espère avoir tort un jour, que jamais nos machines à calculer et autres détecteurs de chiffres à penser ne viendront à bout de la sagesse d'un habitant de Bellechasse.

« *J'ai un règne à vivre* »

Maintenant qu'il dort au cimetière, il nous semble que sa vie n'obéissait à rien de très théorique ; elle tenait plutôt à une intuition qui s'est affermie avec le temps et la tradition : « J'ai toujours pensé que la vie ne m'appartenait pas. Mais j'ai un règne à vivre : pour ça j'ai eu une femme, des enfants. Sans moé tu ne serais pas icitte ; le sais-tu au moins ? »

Quand on l'a longuement entendu parler, qu'on a enregistré sur bandes sonores certaines de ses paroles, de ses chansons et de ses discussions, les grandes lignes du discours oral se précisent dans le sens d'une conscience plus vive du temps : temps du travail plutôt que temps mort ; temps reçu plutôt que temps acquis ; temps à ménager plutôt que temps à tuer ; temps astral coupé de fêtes familiales et religieuses plutôt que temps linéaire « plate à n'en plus finir ». Une chose certaine est qu'on ne s'ennuyait pas avec lui : le temps filait comme un éclair.

Par contre, on aurait dit qu'il s'intéressait moins aux grands espaces qu'il avait devant lui qu'au temps qui lui paraissait davantage calculé, restreint, mesurable en périodes, années, mois, semaines, jours et heures, minutes et secondes. Nous ne lui demanderons pas d'avoir lu Piaget ou Eliade pour distinguer entre *temps profane* et *temps sacré*, entre *temps chronométré* et *temps psychique*. Mais il connaissait le temps de faucher et le temps d'engranger, le temps des foins et le temps du grain, le temps des fraises et le temps des bleuets, le temps de bûcher et le temps de corder, le temps d'entailler et le temps de faire bouillir, le temps de semer et le temps de herser. Pour se fixer, il se référera à un événement, à un « règne », à un passé immédiat : le règne de Laurier, le règne du curé Deschesne, l'année où « l'on a bâti la grange », « l'année où mon défunt père était sur les planches », « l'année où ma fille s'est mariée », « l'année où la grange à Médée a brûlé... »

Son calendrier

Cela dit, il est normal qu'il se fasse une religion davantage marquée par ses propres temps intérieurs. Il arrive à l'église avec *son* calendrier. Par exemple, si en plein février le vicaire Joncas prêche sur le grain jeté en terre, selon saint Marc, il s'interroge drôlement, s'amuse même : « I' sont ben en avance dans leurs semences en Haut ». Si, à la Sexagésime, le Curé s'aventure à le mener au déluge et à lui faire passer la mer Rouge à pied sec — il faut savoir qu'à ce moment-là le fleuve est gelé tout rond — il hoche la tête et sourit : « C'est pas si miraculeux que ça ! On fait mieux à Saint-Michel quand on traverse à l'Île à fret sur la glace. »

Au vrai, son année liturgique commence avec le temps des Fêtes, où on est *fous au coton*, pour se terminer avec le mois des Morts. Ses points de repère : les Avents, Noël, le jour de l'An, la Chandeleur, le mercredi des Cendres, la Semaine sainte, les Rogations, l'Ascension, le mois de Marie, le jour des Morts.

Le temps des Fêtes

Rien, rien ne remplace en son esprit, et pour sa famille, le temps des Fêtes préparé par un petit Carême qui s'appelle l'Avent : « Pas de sucreries, les enfants, pas de noces non plus » ; du poisson, des œufs, les vendredis et aux Quatre-Temps ; jeûne et abstinence même la veille de Noël qui durent jusqu'à *Minuit, chrétiens*. Impossible d'oublier avec le calendrier du Sacré Cœur qui est là au mur, près de l'armoire. Sur chaque quantième marqué par la saison maigre, veille un poisson à l'œil sournois. « Tu vois ben que c'est jeûne. R'garde le calendrier. Es-tu aveugle ?... »

Avec le temps des Fêtes, de Noël au Carnaval, s'organise dans un rythme captivant de célébrations et de veillées une vie trépidante faite de belles messes avec des solistes, puis des sermons plus courts parce que le Curé est fatigué, des repas massifs suivis de tous les *candies* inimaginables. Quand, en surplus du premier Vendredi du mois de janvier, arrivent presque en même temps le jour de l'An et l'Épiphanie, il nous faut descendre au village jusqu'à trois fois dans la semaine et avoir de la visite tout autant : « Plus il y a de dimanches, plus on fête ! »

Rien ne se fait en solo. À moins d'être parfait ivrogne, personne n'oserait s'isoler. Bien sûr, la messe de Minuit nous prend aux tripes : *Minuit, chrétiens !* un *Gloria* en cascade, des *Amen* à n'en plus finir, un *Alleluia* parfait, un sermon toujours beau, les deux messes, les cantiques, toute la paroisse qui communie... au moins quinze tablées... « Pauvre Curé, tout seul à nous donner à manger. Moé, avec mes cinq enfants, je trouve ça déjà long ! »

Le retour à la maison n'en est pas moins joyeux. À moins d'un froid à tout casser, nous reprenons en sleigh les cantiques de la nuit... et du jour.

Tout autre est le jour de l'An. Sa bénédiction un peu croche, comme il la prend au sérieux ! Il y tient. Presque trop. Nous venons à lui un par un, selon l'heure du lever et de la rentrée de l'étable. « Je te bénis, mon enfant, avec tout ce que tu voudras. Au nom du Père... » Trois heures plus tard, sur le perron de l'église, les habitants et le village fraternisent. Quelle tendresse chez ces rudes ! Ils trouvent toujours les mots qu'il faut. « J'te souhaite... tout ce que tu désires, la santé, le bonheur, un petit en juin, du bon caribou, une grosse coupe de bois... J'te souhaite des beaux petits veaux, que ta truie cochonne au plus vite d'au moins quinze gorets... J'te souhaite de gagner tes élections... puis le Paradis à la fin de tes jours. »

Au prône, monsieur le Curé donne les statistiques. Personne ne dort. « En cette année 1928, mes très chers frères, nous avons eu 1 118 communiants, 18 000 communions, 40 baptêmes, 4 mariages, 31 sépultures. Sur ces 31 sépultures il faut dire qu'il y a eu 4 enfants et 7 étrangers, des gens qui ne sont pas de notre paroisse. Recettes pour l'année : $14 145,77. Dépenses : $11 313,96. » Donc un surplus. Quel soulagement. Fierté de monsieur le Curé. Honneur des marguilliers dans le banc d'œuvre. Le sermon porte évidemment sur le bonheur familial, sur « notre belle paroisse », suivi d'une bénédiction et des vœux de monsieur le Curé qui amène la quête. Ses étrennes ? Après tout ce ministère de Noël, après tous ces chiffres, il a bien mérité de la patrie : « Pour une fois qu'i' travaille, faut le payer ! » « Tais-toé » avait rétorqué ma mère devant cette malice qui était plutôt une boutade, car nos parents avaient une profonde admiration pour leur curé Saluste Bélanger.

Au jour des Rois, tout recommence. À la Chandeleur, les cierges bénits apportés à la maison sont aussitôt mis dans le tiroir au cas où il y aurait de l'orage, du feu, de la maladie. « Une protection de plus, ça ne fait pas mourir son homme ! »

Carême et Jours saints

Les courtes mascarades de la soirée du Mardi gras font contraste avec le matin du mercredi des Cendres et les quarante jours qui suivent. L'hiver s'en mêle, des bancs de neige intraitables, des balises enfouies par la poudrerie, des maisons encloîtrées : « L'Carême, mes enfants, c'est du sérieux. »

Bien que d'un naturel plutôt fantaisiste et indiscipliné, il s'aligne. Avec quelle dévotion il reçoit les Cendres, fait ses Pâques et assiste à la Grande Retraite sur les vérités de la foi, sur l'enfer, le ciel, le mariage, les fréquentations. Soirées des hommes, soirées des femmes, soirées des garçons, soirées des filles, parfois regroupés selon le bon plaisir mystérieux du Père Prédicateur-en-chef. Le grand événement reste la confession : « Ouf ! mes Pâques sont faites... Et pas des pâques de renard ! » Allégé, débarrassé, comme un tombereau vidé de son engrais... plus besoin d'y penser. Finis les loups-garous ! Vienne la Sainte Semaine. Pour un paysan, le dimanche des Rameaux et ses longs offices sont presque plus prenants que la fête de Pâques. La veille, il est allé quérir des branches de sapin. Nous aurons dans la main autre chose que le chapelet : cette branche bénite, il faut la tenir, sans bouger si possible, tout le temps de la lecture de la Passion qui se fait en latin et le Curé prononce tous ses mots, que c'est long ! Fatigués, épuisés, affamés, rentrés à la maison vers les deux heures, nous ébranchons à nouveau nos rameaux pour les épingler ici et là aux crucifix, aux bénitiers de nos chambres et jusque dans la grange, le hangar, la remise.

Nous, les enfants, nous préférons le Jeudi saint. L'office est beau et c'est congé toute la journée. Au *Gloria*, les cloches partent pour Rome. Tout ce qu'il y a de cloches, clochettes et sonnettes à l'église s'agite tout à coup. Les servants de messe et le bedeau y mettent du poignet. L'orgue gronde de plus belle. Visiblement partagés entre la peur de rire à l'église (un péché sérieux, disait-on) et la joie évidente de leurs enfants, nos parents ne savent plus trop comment réagir.

Jeudi saint encore, la procession, le dais, le plus bel ostensoir de la région, le reposoir, des fleurs (même en hiver !). Durant la nuit qui suit, les gens du village se relaient pour veiller et prier devant le Très Saint Sacrement : « Nous autres, dans les rangs, on peut pas, on a notre bétail à soigner, et puis eux... ils ont rien à faire ».

Le lendemain, Vendredi saint, est le jour le plus triste de l'année. Notre voisin hésite même à nourrir son bétail. Tous les enfants jeûnent. Le Curé est triste. Noir à l'église, une messe étrange, pas de sermon, personne n'a envie de parler. De midi à trois heures, silence absolu à la maison. Au cas où les chemins seraient encore convenables, plusieurs sont demeurés au village pour le chemin de la croix.

Quel contraste le lendemain. L'office du Samedi saint dure de six heures à midi, et il est beau à ne pas manquer. Bénédiction du feu, de la lumière, de l'eau, bénédiction de tout ! Puis les fameuses litanies des Saints qu'il ne retrouvera qu'aux Quarante-Heures ; mon père les sait par cœur ; il les mime. « Tu sais y a ben du monde là-Haut qu'on n'a ni vu ni connu. » Il revient de l'église en chantant, parodiant, inventant :

« Sancte Magloire le Bedeau, ora pro nobis ! Sancta Alvina qui sait pas voter libéral, liberas nos, Domine... » Tous les Bleus de la paroisse y passent.

L'eau qu'il rapporte dans de petites bouteilles est largement distribuée dans les bénitiers des chambres à coucher.

> Eau bénite, je te prends
> Si la mort me surprend
> Tu seras mon sacrement.

À midi on peut faire gras ? « Pas encore, dit ma mère, au cas où l'horloge aurait pris de l'avant. » Il faut tenir jusqu'à Pâques. « Un sacrifice de plus, mes enfants, ça ne vous nuira pas. Pis que vous n'en ferez pas de sitôt... » Patience ! Patience ! *O filii et filiae* !

> Alléluia, l' Carême s'en va
> On n'mangera plus de soupe aux pois
> On va manger du bon bouillon gras
> Alléluia
> Alléluia (*ter*).

N'oublions pas que le Carême coïncide souvent avec les sucres et il peut devenir un temps de pénitences héroïques. « Que veux-tu, nos belles érables, i' attendront pas Pâques pour couler. » La tire et le sucre devront être soigneusement cachés dans les armoires du grenier, sinon on ne sait trop par quelle distraction — jeûne ou pas — ils pourraient être « objets de péché ».

De toute manière, est-ce bien Pâques qu'il fête ? n'est-ce pas plutôt la fin du Carême ? l'espérance d'une saison plus clémente ? la fonte des neiges ? Pour le moment rien ne semble imposer à son esprit de paysan la fête d'une résurrection : les chemins défoncent, la glace fêle, la débâcle s'amorce. Cette saison signifie bien mal la fête. « Si Jésus était ressuscité après les semences, quand mon avoine commence à tiger, ben là on aurait eu le temps de fêter un petit peu. J'en ai parlé à monsieur le Curé qui a dit que ça ne dépendait pas de lui que le Christ soit ressuscité à la fin de l'hiver plutôt qu'en mai, puis qu'à Rome on avait dit qu'il ne ressusciterait pas ni après ni avant. Ça fait que à Rome et en Haut i' vont ben être obligés de fêter un peu tout seuls... »

Les Rogations le mettent davantage à l'aise. Enfin une fête agricole. Arrivé tôt à l'église avec son enveloppe de grains à faire bénir, il est émerveillé de cette cérémonie pourtant si simple. Au retour ou au jour de son choix, il ira distribuer les grains sacrés dans ses champs d'avoine et de maïs en vue d'une récolte plus sûre.

Dimanche, c'est sacré !

Les saisons, les jours viennent, vont, passent, toujours du pareil au même, sauf ce jour merveilleux entre tous qui, lui, apporte le changement qui repose et donne à sa vie comme à sa terre l'impression que, lundi, elles recommenceront à œuvrer pour de bon : c'est dimanche !

Dimanche est le jour où on se lève plus tôt, où on ira au lit plus tard. Plus tôt, à cause du trajet à couvrir (8 km) en voiture, à jeun, pour la communion à ne pas manquer ; plus tard, à cause de la visite qui vient : « Comment se voisiner la semaine avec tout ce borda ? » En hiver, il est seul parfois à se rendre au village : les routes sont risquées, la tempête, le vent d'est ? Il est allé souvent à l'église en raquettes, 90 minutes à pied : il suit les balises, les pagées, les clôtures. Si le temps est trop sombre, il apporte son fanal : « Il y en a qui se perdent ».

Descendre au village, revoir la parenté, maquillonner, tendre les pièges dans les cavées, aller à l'église, communier, entendre la chorale, l'orgue, aller au Magasin Général par la porte d'en arrière, à la Banque par la porte d'en avant puisque monsieur le Maire a la permission du Curé pour mieux accommoder les gens des rangs, c'est la belle rupture, la magnifique rupture, le congé implicite et attendu pour changer d'air, oublier les tracas et demander aux saints de nous protéger. Jamais il n'oserait travailler le dimanche, pourtant il s'occupe de tout quand même. Ne lui demandons pas pour autant de distinguer entre le temporel et le spirituel, entre le jour du Seigneur et le jour des hommes : « J'ai le droit à mes idées. Le Bon Dieu aussi. Fais pas ton Jos connaissant. ... As-tu pensé que l'Bon Dieu i' était peut-être ben plus fin que toé ? Lui, il voit tout d'un coup sec. » Une chose est certaine : « Dimanche, c'est sacré » pour la terre, pour la famille, pour la paroisse, pour le Curé. Et qui ne s'amuserait pas un peu le dimanche, risquerait d'être anormal.

La journée d'un pratiquant
« Pas prieux mais r'ligieux »

Mon père croyait fermement en Dieu, à la Vierge de Lourdes, au Diable, aux âmes du Purgatoire, aux feux follets et beaucoup à son Bon Ange. « Mais j'ai comme des bouts de doute sur saint Joseph. Faut-i' que je m'en confesse ? »

La journée normale du croyant de son espèce gravite autour de certains rites, formules et dévotions à peu près les mêmes chez les habitants du canton. Tout commence par le signe de la croix : au lever,

Image de grand format des années 1940.

avant le bénédicité et après chaque repas, avant et après les prières du matin et du soir, sans oublier l'exceptionnel qui peut être une tornade, un orage électrique. Dans ce cas, le signe de la croix doit coïncider si possible avec le *flash* de l'éclair, sinon...

Non, il n'est pas encore question de prier debout, sauf pour l'angélus et les prières aux repas. Si debout on écoute l'Évangile et son député, c'est à genoux et avant tout à genoux que l'on prie Dieu, Marie, les anges, les saints. Les mains jointes ? Idéal de tout enfant bien éduqué. À supposer que la fatigue nous gagne à cause d'une journée au soleil à engranger le foin ? « À genoux, les garçons, une pénitence de plus ne vous fera pas de mal. » Qu'on fasse un mauvais coup ? « À genoux. » Prière et pénitence vont de pair. Le jour où il apprend qu'une cousine se vante de faire sa prière au lit : « La Vache ! qu'a attende donc de mourir pour prier couchée ! »

Jusqu'à la fin de sa vie, il est un des rares paroissiens à retenir le rite ancestral qui consiste à saluer en passant églises et croix de chemin. Même en hiver il n'hésite pas à se trouver tête nue. « Ça peut queuquefois guérir le rhume ! » Comme il aime rappeler les temps d'autrefois à la Petite Cadie. À l'angélus du midi toute la famille s'arrête pour réciter en latin : *Angelus... nuntiavit Mariae*. Les hommes se découvrent pour mieux prier.

Il adore marcher dans les processions. Quand l'été est enfin revenu, l'hiver empaillé, l'allée du village est belle, décorée de jolis pavillons colorés. Les Enfants de Marie, tout en blanc comme il se doit, tirent légèrement les cordons bleus des bannières, qui glissent entre leurs doigts. Tant de délicatesse l'émeut. Il faut dire que, pour la circonstance, nous sommes déguisés en anges, ce qui, provisoirement, pouvait le rassurer, lui qui la veille encore nous interpellait : « P'tits démons, tenez-vous tranquilles ! » Ajoutons, pour la Fête-Dieu, les trois cloches ébranlées par les meilleurs sonneurs de la paroisse, les cantiques, deux reposoirs et, pour la procession de l'Assomption en soirée, la marche des lanternes «japonaises». Non, rien n'est plus émouvant, je vous assure, que de le voir s'avancer haut et fier parmi cette foule qui chante, prie, regarde, s'ébahit, se reconnaît et se sourit. « En chœur tout le monde : *Cœur Sacré de Jésus, j'ai confiance en vous !... Ave, ave, ave, Maria ! Laudate, ... Laudate Mariam !* »

« Non je suis pas très dévotionneux »

Le rite familial par excellence, moralement obligatoire pour tous, peut-être plus obligatoire dans nos esprits que la messe du dimanche et celle du premier Vendredi du mois, est la prière du soir. À la cuisine, face au « portrait » de la Sainte Famille, épaulé par la Croix noire de Tempérance, le chapelet commence, suivi des commandements et des litanies. Un bon quinze minutes à trépigner. Lui, il en dort au moins les deux tiers. Notre plaisir est de le voir, à genoux au bout de la table,

cogner des clous, déraper, se replacer, ronfler : la prière de la fatigue.
Si, pour le réveiller, la maman lui demande de présider au chapelet,
tout peut alors arriver : qu'il saute une dizaine, en retarde une autre,
mélange les gros et les petits grains : *Gloria* et *Pater*, etc. La prière en
famille reste sûrement, durant les années 1930, un des rites traditionnels
les plus éloquents de la piété québécoise.

Même qu'à la maison, les dévotions habituelles, neuvaines,
triduums, prières *pour*, prières *contre*, sont reliées au chapelet en
famille, et parfois s'ajoutent en surplus quelques *Pater*. Jamais nous
n'aurons été témoins d'*Adoration nocturne*, ni de prières supplémentaires en dehors de la prière du soir. En cas de mortalité dans le rang,
d'un feu, d'un danger sérieux, la prière du soir reste le premier lieu reçu
des dévotions populaires au Québec.

Il est une autre pratique qui déborde le cadre familial et fait
l'unanimité à la maison, dans le rang comme au presbytère : la
dévotion aux âmes du Purgatoire. Ce culte est entretenu par les albums
familiaux, les cartes mortuaires et les deuils prolongés. Les Âmes, on
les prie, on les fait prier, jusqu'à leur promettre des sacrifices, des
messes basses et même des grand-messes. Quêtes, criées, troncs, « les
Âmes ont toujours besoin, tu verras ben quand tu seras au Purgatoire ».

Si, à l'école et à la croix du chemin, on chante que le mois de
Marie est *le mois le plus beau*, il reste que pour lui qui croit fermement à
la présence des ancêtres — « i' sont peut-être plus vivants que nous
autres » — le mois de novembre est le mois par excellence de la
dévotion qui le relie à l'au-delà. On dirait même que le ciel s'en mêle ;
les nuages se promènent au ras du bois comme s'il n'y avait plus qu'un
seul continent, en bas la terre et en haut le ciel bien soudés pour
l'éternité.

Non qu'il oublie le mois de la Bonne Sainte Anne. Mais qui va
faire ses foins ? « Je laisse faire ta mère qui prie pour qu'il fasse beau,
mais je sais que la Bonne Sainte Anne ne viendra pas faucher à ma
place. »

Sa dévotion à Notre-Dame de Lourdes tient-elle à Marie elle-
même, au mystère de sa conception privilégiée, à la chapelle ou à son
amour de la paroisse ? Je ne saurais le dire. Lui non plus probablement
ne pourrait distinguer. De toute manière, il est convaincu que cette
chapelle est une protection et un lieu merveilleux de procession ; même
il est arrivé, un 15 août, que « les nuages ont passé à côté pour nous
laisser faire notre procession. Sur l'Île i' mouillait à siaux. Ici, rien ».

Image de grand format des années 1910.

Revenant à la Bonne Sainte Anne, on dirait qu'elle se débrouille mieux à cause de Sainte-Anne-de-Beaupré, capitale de la piété populaire régionale. Aussi elle a commencé à faire des miracles avant Notre-Dame de Lourdes, elle en fait même davantage, parfois à date fixe, ainsi le 26 juillet, jour de sa fête. À tel point, raconte mon père, qu'aux premières heures du téléphone certains appelaient chez les Pères Rédemptoristes, directeurs du sanctuaire, pour savoir « à quelle heure les miracles aujourd'hui ? » Nous avions beaucoup ri : « Fais pas ton niaiseux, elle est plus capable que toé. Compte les béquilles, tu verras ben... si tu peux encore compter. »

À la fin de sa vie, il nous parlait quelquefois de l'archange saint Michel. Pourtant il n'était pas *béret blanc*. Loin de là. Son point de vue était-il que saint Michel est un ange, le patron de la paroisse en plus, avec sa statue juste en face de l'église ? « C'est pas pour rien qu'i' se tient là ! » Il avait une prédilection pour les anges qui faisaient volontiers partie de ses histoires de peurs et de loups-garous. On aurait dit, à l'entendre, qu'il y avait toujours dans les airs comme des forces invisibles sur qui compter en cas de danger. « Prie ton Bon Ange et il te laissera pas faire des folies. »

Des prières *privées*, en avait-il ? Si oui, elles étaient tellement secrètes que nous ne l'avons jamais su ni vu. D'ailleurs, il ne nous a encouragés à la prière qu'en priant avec nous au chapelet et à l'église. Bien plus, pendant que son épouse faisait son chemin de croix, qu'elle comptait les indulgences plénières à ses visites rituelles au temps des Portioncules, lui, il allait à la Banque.

Faisait-il sa prière du matin ? Où ? Quand ? Disait-il au moins ses trois Actes de Foi, d'Espérance et de Charité avec l'Offrande de sa journée ? Il prétendait faire sa prière en même temps que ses vaches, quand nous dormions... Petits, nous étions intrigués par le contraste évident entre les prières privées de ma mère et sa manière à lui de ne jamais l'imiter. Priait-elle pour lui ? À sa place ? Comment savoir ?

L'image que nous avons gardée de sa vie de pratiquant est celle d'un homme respectueux des rites, qui sait prier, mélangeant sans y penser travail et repos, rites et mots, toujours plus préoccupé de ce qu'il a à faire que des mystères glorieux, joyeux et douloureux. Son respect de Dieu est profond et son Dieu est un Dieu vivant. Non, il ne lui passerait jamais par la tête de le tutoyer. Pas en 1928 en tout cas. « Pour qui te prends-tu ? Tu ne m'as jamais tutoyé et tu es mieux de ne pas t'essayer non plus. D'où qu'ça vient que tu veux tutoyer Dieu ? Si j'étais à sa place... » Plus tard il récitera le « nouveau » *Pater* sans broncher, mais avec l'idée bien ancrée que ce « Tu » est plutôt celui de toute la paroisse que le sien.

Mon père était-il théologien ?

> J'aime les paysans : ils ne sont pas assez savants pour raisonner de travers.
>
> Montesquieu

À notre avis, la théologie de ce paysan entêté de la grâce et de la nature, amoureux autant de sa terre que de sa famille, tiendrait à quelques courtes réparties issues de conversations pittoresques que nous pouvions avoir avec lui quelques semaines encore avant sa mort au village Saint-Michel-de-Bellechasse, le 13 septembre 1967.

*« D'abord, mon garçon, le Bon D'Yeu
i' est sûrement plus intelligent que toé »*

Cette certitude à propos de Dieu, acquise, reçue plutôt du temps où à la Petite Cadie à Saint-Raphaël il marchait au catéchisme, veut en effet que Dieu « infiniment bon et infiniment aimable » soit surtout « infiniment capable ». Il en sait si long que « j'cré ben qu'il en sait plus long que le Pape... Mes enfants, que j'ai fait instruire, ont voulu m'embrouiller l'esprit, mais j'suis aussi fin qu'eux... Oui, le Bon D'Yeu c'est quelqu'un de ben capable et essaie pas de le mêler, lui ». Dieu ne peut pas se tromper, il ne s'est jamais trompé. Foi totale et irréversible. Toutes nos petites idées de collégiens à demi instruits et tous nos diplômes ne le dérangent pas. Il est certain, son Dieu, il l'atteint personnellement, et selon sa manière, beaucoup plus peut-être par sa foi première que par la pratique et les dévotions familiales qui soustendent sa vie quotidienne et la socialisent.

Si Dieu est si *capable*, il est normal qu'il agisse de façon *merveilleuse*. Qu'il ait, par exemple, envoyé « son grand garçon » sur la terre pour s'expliquer, que Marie soit sa mère tout en ne l'étant pas tout à fait, « ben qu'on n'a jamais vraiment su ce qui s'était passé », que l'Esprit de Dieu soit rempli d'idées comme la terre est remplie d'anges, cela va comme de soi. Le miracle ne l'effarouche pas. Il en faut. Dieu a droit à sa réputation... « Mais toé, mon garçon, t'en feras jamais des miracles parce que tu n'es pas plus fin que ton père qui en a jamais fait. »

Dieu a le premier mot. Il aura le dernier. Comme lui, d'ailleurs. De la même manière : en y mettant fermeté, finesse et humour.

Reste qu'« y a ben du mystère dans l'air ». D'abord, parce que ce paysan ne sait pas tout et, ensuite, parce que le champ du merveilleux déborde celui du crédible. Telle boutade lancée au hasard d'une conversation le déculpabilise ; tout à coup il sait couper court à un reproche de son épouse tellement plus rigide, tellement plus pieuse. Qui oublierait ses discussions au temps des sucres, alors que la loi du jeûne paraît plus inflexible que d'habitude ? « Qui fait couler mes érables ? Le Bon D'Yeu. Qui les entaille ? Moé... Manger du sucre à la cabane, c'est-i' la même chose qu'en manger à la maison devant les enfants ?... Du sucre, c'est quand même pas de la viande d'orignal ?... C'est-i' péché si mes érables coulent ?... J'cré que ta mère exagère un peu dans ses pénitences... On dirait qu'elle manque de confiance : le bon D'Yeu a-t-il besoin de tout ça ?... Elle prie pour deux, ça fait que moé je prie moins... I' faut pas toujours déranger le bon D'Yeu... »

« T'as pas écouté ? Le Curé l'a dit, dimanche en huit »

Une paroisse sans curé ne serait pas une paroisse, et pire qu'un clocher sans cloche. Quel respect à la maison pour le prêtre ! Oh ! pas d'illusions ! « Vous les prêtres, vous n'êtes pas mieux que nous autres, mais c'est que vous faites des choses plus belles. » Le meilleur ami de la paroisse serait, à son avis, le curé Saluste Bélanger. Un saint homme qui aime tout le monde, qui prévoit tout, conseille, protège, préside, rassemble les gens des rangs et du village, éteint les chicanes au Conseil de Fabrique, prie, fait prier, amène les gens au confessionnal, les fait communier. Un vrai paratonnerre ! « Ne parle pas contre notre Curé, ça te porterait malheur, mon garçon ! »

Ce n'est pas qu'il fréquente les prêtres et les sacristies, qu'il aime se confesser, mais un point est certain, cela lui vient des anciens. prétend-il : « Notre Curé, c'est notre Curé ; on doit le respecter. » Que nous trouvions que Monsieur Bélanger prêche trop longtemps : « C'est qu'il faut qu'i' en dise pour tout le monde. » Qu'une discussion chaude s'engage autour de la morale, de la boisson, de la danse, des baisers défendus et du permis dans les fréquentations, il tente aussitôt de nous calmer. Sa théorie sur le juron, par exemple, est significative du respect qu'il porte au prêtre et de la tendance normale du paysan de son espèce à raisonner avec du bon sens : « As-tu écouté le Curé dimanche ? Si tu sacres en y pensant, tu blasphèmes. Si tu y penses pas et que tu sacres quand même, tu sacres moins. Ça fait que moé quand j'dis *torrieu*, j'sacre pas. Mais si j'disais *maudit torrieu*, peut-être ben que j'sacrerais un petit brin plus. Ben j'dis pas *maudit* avant et j'ai l'âme blanche comme mon dernier petit veau... » Que nous osions insinuer que le

Curé ait pu se tromper, il s'insurge : « Quand tu sauras conter la religion aussi bien que lui la raconte, il y aura bien des goélettes qui auront passé sur le fleuve. »

Tout ceci ne l'empêche pas de savoir et de raconter à voix basse les histoires les plus grivoises de notre folklore sur les curés et leurs mœurs, soutenant à bon droit que les meilleurs arsenaux de ce matériau sont les presbytères au temps des grands concours de confessions interparoissiales. « Qui m'a raconté cette histoire ? Le Curé de La Durantaye, mais il la raconte mieux que moé. »

« Le Pape là-bas, i' doit connaître son affaire »

À la fin de sa vie, un point peut le mettre hors de lui, c'est la mesquinerie de ces jeunes instruits qui viennent lui faire la loi à la télévision, jusqu'à rire de la morale du Pape sur les empêchements de famille. « Petits morveux ! Sans notre Pape, i' seraient peut-être pas au monde. » Précisons que le culte du Pape dans les campagnes remonte bien avant la télévision. Une foule d'œuvres papales, le Denier de Saint-Pierre, l'Œuvre des Missions, et le souvenir des Zouaves pontificaux ont fait de ce personnage lointain, tout en blanc, comme un ange protecteur contre qui personne ne saurait discuter à moins de se retrouver pour de bon en mauvaise posture, soit en ce monde, soit en l'autre. « Moé j'en ai connu qui ont mal parlé contre le Pape, et i' sont morts dans l'année. »

En 1928, il s'agit de Pie XI qui n'a peur de personne, qui dit son idée et qui, selon mon père encore, aura toujours raison : « Personne ne peut venir à bout du Pape, pas même le D'Yable ». Aussi toute discussion qui dans un sens ou l'autre paraît mettre en doute une norme morale, le jeûne des bûcherons par exemple, se termine par une phrase qui en dit long sur ses hésitations et finalement sur sa soumission : « Le Pape là-bas, i' doit connaître son affaire ».

« Le D'Yable ? Aie pas peur : c'est un pisseux ! »

À la maison, rien ou presque rien n'invite tellement à la peur du péché. Les interdits sont rares. Ni mon père ni ma mère n'insistent, si bien qu'il semble que le mal ne viendra jamais de nous. Il viendra plutôt du dehors, du Diable. C'est le Diable qui provoque les chicanes, les procès et les vols, qui allume le feu à une église, qui fait brûler une goélette, déracine un sapin... « Mais il ne faut pas avoir peur, disait notre père, le D'Yable, c'est un pisseux ! Tu n'as qu'à l'attaquer et il prend l'bois aussi vite qu'un chevreux. »

À quel âge avons-nous entendu parler du pouvoir diabolique du mal et du péché sur chacun de nous ? Je l'ignore encore. Le Curé en parle un peu, plutôt pour nous amener au confessionnal. Mais quand les Pères de la Retraite arrivent, oh ! la la ! Ils appellent cela le « Grand Nettoyage » de la paroisse. Que nous sommes sales tout à coup ! Contrairement à la piété tout objective et joyeuse de mon père, il nous arrive d'être pris comme par des peurs magiques : comment éviter le péché, surtout le péché mortel ? Comment éviter aussi le désir du péché, la tentation même qui semble pire que le mauvais coup réussi ? Certains de ces grands prédicateurs, nous les retrouvons au Collège, à la rentrée : autre grand ménage, autres diables à fuir, autres péchés graves à dépister. Il faut bien honorer la parole de ces Pères prestigieux qui semblent si sûrs d'eux... et de nous. À la fin, nous sommes presque portés à craindre davantage les effets posthumes du péché, l'enfer surtout, que le Diable lui-même : crainte d'autant plus facile qu'à cause de tous nos bâtiments de bois nous avons déjà une peur folle du feu. Or le feu de l'enfer c'est le pire du pire.

Fort heureusement, la parole de mon père me revenait sans cesse à la mémoire : « Le D'Yable, c'est un pisseux ! » Chez les Dominicains, on a de nouveau respiré l'air vaste d'une théologie positive du salut et marché dans les grandes avenues de l'infinie miséricorde divine. Le Diable aurait-il pris le bois pour toujours ? Ouf !

« L'autre bord, là, on verra ben ! »

La mort ? Comme pour ses compères du Troisième Rang, la mort ne lui fait pas tellement peur. Il l'a apprivoisée depuis longtemps ; il la connaît, il l'a même pratiquée souvent en faisant boucherie. Bien sûr, « quand on meurt c'est pour la vie », mais c'est que la vie, justement, elle continue. Mourir c'est se soumettre une fois encore, une dernière fois, à la nature qui ressuscite sans cesse. Les saisons recommencent. Mort et renaissance vont ensemble. La résurrection ne l'étonne pas. De toute manière : « L'autre bord, là, on verra ben ».

Il ne sent pas tant le besoin de discuter de la mort que du jour où il partira : « Quand je partirai... », « quand je ne serai plus là », « quand le Bon D'Yeu voudra ben venir me chercher ». Puis le Paradis n'est pas sur terre : mieux vaut y aller ; lui ne viendra pas à nous. Chaque année, au jour de l'An, il nous le souhaite gentiment, ce Paradis « à la fin de vos jours », c'est comme s'il nous faisait un compliment : ainsi qu'on souhaite à quelqu'un meilleure santé et meilleures récoltes.

L'autre bord, *de l'autre bord*, il y a déjà ses grands-parents, ses ancêtres, ses amis, saint Pierre, les bons Rouges, sainte Anne. Le joli bonheur des retrouvailles ! Quand son épouse sort les cartes mortuaires et les photos des défunts, souvent la conversation reprend autour des ancêtres et de la généalogie des absents ; les souvenirs deviennent de plus en plus lointains mais précis avec l'âge ; l'éternité s'amorce. D'ailleurs, à chaque retraite paroissiale, il y a un beau sermon sur la Sainte Vierge et le Ciel, si beau parfois qu'il vendrait bien sa terre s'il était certain d'y aller tout de suite avec toute sa famille. « En tout cas, saint Pierre est là..., j'espère qu'il me reconnaîtra. Tu sais... depuis que j'ai perdu mes cheveux ! » Enfin, avec toutes ces histoires d'arrivées au Paradis et de revenants du Purgatoire qui circulent dans les campagnes de Bellechasse, il y a de quoi habituer à la mort celui qui déjà croit dur sur fer que la vie « c'est fait pour durer ».

On pourra se demander s'il a été bousculé ou même étourdi par les changements liturgiques, par la messe à la radio et à la télévision ? Étonné, oui. Mais les messes en français lui plaisent tellement qu'il accepte que des Bleus viennent lire l'épître. Il nous trouve parfois un peu énervés, nous les prêtres, à cause de tous nos « déménagements ». « Espèces de gesteux ! Excitez-vous pas ! C'est pas à vous autres à faire notre salut... Vous irez pas en Enfer à notre place. »

Et toutes ces homélies où l'on parle du Christ mort et ressuscité, où chaque parabole devient le prétexte pour commenter un événement local ? « Tu sais, même si je suis dur de comprenure, j'ai mon Bon Ange pour me souffler des idées et que peut-être j'pourrais comprendre un peu plus si tu m'en disais un peu plus. Tu répètes toujours la même chose ! »

L'habitué des changements de saisons et de pâturages s'accoutume mal à cette liturgie répétitive dite d'amour et de résurrection, qui, pour éviter les subtilités de la théologie traditionnelle, hésite à faire face aux grands mystères du bonheur, de la vie, de la mort, du péché, de Marie, des fins dernières : « Vous ne dites plus assez la Parole »...

À la fin de sa vie, veuf depuis vingt ans, on le voit prendre l'allée centrale du cimetière et marcher lentement entre les tombes : il va voir ses amis les morts, il va leur parler peut-être. Tout en regardant passer les bateaux, les pétroliers, les chalutiers et quelques chaloupes, il avance à petits pas. On dirait que déjà il appareille pour *l'autre côté*, qu'il identifie les lieux. « Quand le Bon D'Yeu voudra de moé, j'm'en viendrai icitte. » La mort est à côté de sa vie un peu comme le cimetière est à côté de l'église : inséparables, soudés par la même terre sablonneuse des rives.

Dès 1952, à la mort de son épouse, Rose-Anna, il prend la précaution d'usage de faire inscrire sur la pierre tombale des Lacroix, qui domine le lot familial, son nom de baptême, son nom de famille, l'année de sa naissance, 1883, et deux chiffres irréversibles : 19... « Chacun son tour... Mon règne est fini et ma terre est entre bonnes mains. » Il meurt au village, à l'hôpital Notre-Dame-de-Lourdes, le jour où, au Troisième Rang, son petit-fils Arthur achève les récoltes.

Réflexion pastorale sur la religion de mon père

Que dire de cette mentalité à peu près identique, du moins jusqu'en ces dernières décades, chez tous les habitants du Rang 3 ? Déjà si près du XXIᵉ siècle, il ne serait peut-être pas inutile que nous y cherchions quelques leçons pour l'avenir.

Les bons côtés de la médaille

Pensons d'abord *aux bons côtés de la médaille*, comme il dirait.

1. *Sa foi est globale, authentique, sans faille*, en ce sens qu'elle s'appuie tout de suite sur Dieu. Depuis qu'il a marché au catéchisme à la Petite Cadie, il n'a cessé de mijoter cet héritage dont il ne saurait douter, fruit d'un don reçu d'En Haut d'autant plus respectable qu'il lui est arrivé par la médiation des ancêtres. Avant d'être dans sa volonté et surtout dans sa conscience, on dirait que sa foi est dans sa mémoire, à la manière d'un récit déjà entendu, d'une date déjà fixée et impossible à changer, comme le fait d'avoir reçu sa terre de son père Bram II. « J'ai toujours eu pour mon dire que l'Bon D'Yeu avait parlé avant toé pis moé. Pense comme tu veux, habille-toé comme tu veux, tu ne changeras jamais une parole qui est venue au monde avant que tu arrives. » Non, nos considérations ethnologiques et nos raisonnements de petits instruits ne peuvent lui enlever de la caboche que Dieu a parlé le premier et qu'il s'est révélé à lui, Caïus Lacroix, à travers ses parents et ses curés. Aurait-il été moins certain sans son sens généalogique ? C'est probable.

D'autre part, le temps forcément rythmé de la vie rurale, la dépendance des saisons, suite irrévocable des jours et des nuits qui font les mois de sa terre, les beaux et les *méchants* temps qui s'imposent et l'attente parfois désespérée du printemps font de lui un croyant déjà soumis. Comment oserait-il accuser les nuages et les bordées de neige d'injustices sociales ? Son Dieu est si *capable* que rien ne peut arriver, rien n'arrivera sans que ce soit, un jour ou l'autre, pour son bien et, par là, pour le bien des siens. D'autres certitudes encore viennent d'ici et là : toute la paroisse est pratiquante, de la même manière, avec les mêmes mots. Les curés ne doutent pas d'eux-mêmes, ni les politiciens. Rien ne change vraiment autour de lui. Pourquoi s'interrogerait-il ? Nous n'oublierons pas la beauté du « pays » qui lui parle tellement. Il n'y aurait rien de plus beau à voir l'hiver, selon son dire, qu'un champ d'étoiles en bordure des Laurentides, ni rien de plus majestueux en été que sa belle avoine penchée au ras des pagées. De sa chère vieille France, qu'il aime de tout son cœur, lui vient une fois de plus un *credo*, son *credo*, le *Credo du Paysan*, qu'il chante été-hiver, à pleins poumons, à tout bout de champ, jusqu'au Trécarré de sa terre :

> Je crois en Toi, Maître de la nature
> Semant partout la vie et la fécondité
> ...
> Je crois en ta grandeur, je crois en ta bonté.

Antérieure à toute autoconscience, pour parler à la Feuerbach, et même à toute pratique religieuse, sa foi est avant tout une confiance aux êtres et aux choses. Mais il faut des rites, des prières, des dimanches, une paroisse. Pourrait-il croire sans sa femme, ses enfants et la municipalité ? sans ses dimanches surtout ? Oui, tous les dimanches que le Bon Dieu amène, il se rend à l'église Saint-Michel. Comme il a loué quatre places de banc pour une famille de sept personnes, c'est la famille qui est obligée à la messe. C'est-à-dire, lui le père, les garçons, le plus vieux, les autres après, qui veulent et qui peuvent. Chacun s'y rend un peu pour l'autre. Ce n'est que plus tard, en étudiant le Droit Canon, que j'ai appris que j'avais bien souvent « sauté » la messe, sauf que la famille, elle, n'y avait jamais manqué. Même en n'assistant pas à la messe dominicale pour une raison ou pour une autre : bordée de neige, faute de place, maladie, nous éprouvions comme un besoin viscéral d'y participer, si bien que ceux qui étaient descendus au village devaient, à leur retour, répondre à toutes les questions possibles : « Qui a chanté ? Qui a prêché ? Qui a servi ? Qui a fait la quête ? Les annonces ?... » Durant l'heure de la grand-messe, à la maison, grand silence et récitation du chapelet.

Foi communautaire, foi partagée, foi vécue par des rites collectifs. L'espérance obéit à la même spiritualité. Il songe moins à sa résurrection personnelle reportée à la fin des temps qu'à une sorte de familiarité immédiate entre les vivants et les morts. Les vivants feraient tout de suite pour les âmes du Purgatoire ce que les saints du Paradis font pour lui. L'Église douloureuse, l'Église glorieuse et l'Église militante ne forment au bout du rang qu'un même grand univers inséparable, sans quoi il n'aurait rien compris. « Si Dieu vit tout le temps, pourquoi eux ne vivraient-ils pas toujours ? »

Dieu lui a donné une vie, un pays, une famille et une si belle terre ! C'est sûrement pour que tout ça serve aussi de *l'autre bord*. Jamais il n'aurait pensé une seconde au bonheur éternel sans sa terre et ses amis autour de lui. Pour être heureux il faut être ensemble. Faire sa vie pour son seul salut personnel ne lui vient pas à l'esprit et son Paradis est surtout un rang d'amis. On naît avec les autres, on vit pour les autres, on se retrouvera avec les autres. Le salut en soi et pour soi n'existerait pas. Du moins, pas pour lui. Dieu n'aurait jamais eu une idée aussi saugrenue que de vouloir le sauver, lui, sans les siens : « Ou même qu'i' en manquerait un de ma famille au Paradis... ça ne se peut pas. Le Bon D'Yeu est quand même poli... Pis qu'y a de la place pour tout son monde En Haut. »

Bien entendu, les Bleus passeront par le Purgatoire, mais, à moins d'être ivrognes et courailleux, tous les gens de Saint-Michel-de-Belle-chasse iront « direct au ciel ». « Et les sacrés maudits protestants ? » Peut-être oui, « à cause que les catholiques prient pour eux et pis qu'i' sont peut-être ben pas aussi méchants qu'on dit ». Quelle langue parlera-t-on au ciel ? La réponse va de soi ; un être de son espèce ne peut concevoir une éternité muette. « On causera peut-être ben latin, comme à la messe, c'est la langue du Bon D'Yeu... Mais tout le monde se comprendra. Et toé, qu'est-ce que t'en penses ? Parle ! j't'ai pas fait instruire pour rien. »

2. Cette foi paysanne, dont on médit parfois dans les grandes écoles, est-elle si coutumière et si passive ? N'est-elle pas, à sa manière, vivante et personnelle, *axée sur Dieu en tant que Premier responsable des êtres et des saisons* ? Il est étonnant de constater que ce paysan soit si peu dualiste, qu'il n'éprouve pas tellement un besoin de merveilleux et de miraculeux, ni de surplus de dévotions, ni de salut mécanique à conquérir coûte que coûte. Bien identifié qu'il est à sa terre et déjà devant son Dieu rassuré par ce qu'il voit, peut-être est-ce d'abord l'univers et ses rites qui s'imposent à sa confiance, avant même l'héritage catholique qui le rend plus docile encore à la foi reçue. La nature lui révèle quotidiennement la présence providentielle et inlassable d'un Dieu tout-puissant, d'autant plus fort qu'il agit de loin, là-bas, là-haut... Spiritualité simplifiée, mais véridique et objective.

Et l'envers de la médaille ?

Il faut prendre les choses comme elles sont, disent souvent les paysans. Cette foi catholique transplantée de l'Europe avait aussi servi à justifier la conquête française en Amérique du Nord : elle risquera de demeurer utilitaire et au service de toutes les « croisades » ; elle sera doublement traditionnelle pour les Canadiens français, en ce sens qu'ils héritent du Moyen Âge et qu'ils seront bientôt coupés — dès 1760 — de leur Mère Patrie. À peine transmise, cette foi est en situation forcée de repli et non mûre pour s'engager telle quelle dans un processus critique normal. Après tout ce que nous avons appris, dès les XVIIe et XVIIIe siècles, du catholicisme français rural et populaire en Normandie, au Poitou, au Perche, la foi austère et hautement morale ne pouvait promettre d'autres réflexes chez les Québécois laissés à eux-mêmes que ceux de la conservation et de la suspicion déjà acquise pour tout ce qui est trop « France moderne » et trop « pareil aux protestants ». Chaque résistance a ses lois et ses limites.

Sans grande préoccupation idéologique, incapable de moraliser autrement qu'en catégories cléricales européennes, guidée par un clergé issu de sa propre communauté, la foi paysanne d'ici est d'une théologie plus que sommaire ; elle ressemble étrangement à un entêtement sacré de premier possédant qui ne veut rien céder de son héritage. Tel Menaud face à sa montagne.

Nous pourrions de même évoquer les misères propres aux religions agraires. Quand la nature impose ses rites à l'homme, celui-ci risque de n'avoir que des devoirs, jusqu'à oublier les progrès possibles tant intérieurs qu'extérieurs. Dans tous les pays du monde, les paysans représentent la fidélité au passé : les premiers à défricher deviennent, hélas ! les derniers à changer d'idées.

Les mérites et les joyeuses révélations de la « théologie paysanne » ne doivent pas nous faire oublier les limites d'une religion d'inspiration souvent fataliste. La sincérité est là, la bonne volonté aussi, mais *leur univers* risque de les entraîner à une croyance quasi instinctive en un Dieu qui serait avant tout et presque uniquement tout-puissant. Ne risquent-ils pas, ces habitants, d'isoler Celui qu'ils veulent pourtant honorer ?

Dieu est un Père, dit le christianisme intégral, et Jésus le révèle en tant que tel. Leur Dieu n'est-il pas plutôt le Yahvé des montagnes ? Dans ce pays trop grand, le fait de le laisser en haut, dans les nuages, le rend forcément plus lointain. Or, plus Dieu est loin, plus les médiations risquent de se multiplier. D'où les cultes des Saints, des Anges et des Âmes. Ce besoin de médiation immédiatement favorable donnera au clergé un « pouvoir » familier dont il abusera.

Si, en outre, Dieu au Paradis est capable de tout, s'il sait tout, s'il peut tout et s'il a parlé une fois pour toutes, ses mots peuvent être pris à la lettre et véhiculés sans explication. Au lieu d'une révélation vivante, voici une religion faite de lois indiscutables. L'absence d'esprit critique et de mouvement risque à la longue de desservir la foi. Même si de soi la foi catholique n'est ni discursive ni « raisonneuse », il est certain que, sans interrogations, elle peut vite se transformer en rites intouchables et souverains. Une vraie croyance appelle un savoir et une culture, sinon elle entraîne la superstition et des formes magiques.

De plus, la réduction de l'Évangile et de la Bible au schème oral catéchétique a produit la crise religieuse que l'on sait. Les réponses de mon père à ce propos sont peut-être ingénues, mais elles voilent une véritable timidité sur le contenu de sa croyance. Ses petits-enfants détecteront vite les faiblesses de cet héritage pourtant noble et chaleureux.

Puis, où est Jésus ? Toujours dans sa crèche à Bethléem, pour le temps des Fêtes ? Toujours sur sa croix, mort et martyr, un vendredi à trois heures ? Tous ces crucifix sur les murs, tous ces signes de croix en toute occasion, l'ont-ils ancré dans cette seule idée que Jésus est mort pour nos péchés, et bien mort ? Il croit à la résurrection comme il croit à la parole de son Curé. La croyance est là, mais la spiritualité de Pâques pour cette vie-ci, ce Jésus mort et ressuscité, toujours avec nous, ce paradis à construire tout de suite pour ceux qui nous suivront, tout cela risque d'être oublié.

Cette façon de penser la résurrection en termes communautaires est-elle la vraie ? L'appel de Dieu à la vie n'est-il pas d'abord individuel et personnel ? Le baptême ne rend-il pas chaque être particulier, choisi de Dieu, aimé personnellement et sauvé par lui ? Comment assurer la perfection du salut et le bonheur du Paradis ouvert à tout le monde sans d'abord favoriser l'individu ? Avant d'être communautaire, un bonheur n'est-il pas personnel et porté d'abord dans le cœur de chaque homme et de chaque femme ?

Avenir de la foi en milieu rural

La théologie populaire des Canadiens français, la seule qui, à quelques exceptions près, nous soit originale et nous caractérise en tant que nation, est encore si peu étudiée qu'il vaut mieux nous demander, en terminant cet essai, ce que sera l'avenir de la foi catholique dans les campagnes québécoises. Comment ces paysans éviteront-ils le matérialisme à ras de sol ? La désacralisation de la nouvelle civilisation mécanisée risque de les laisser, eux surtout, désarmés devant les idéologies nouvelles. Car tout change, et vite. Le Troisième Rang est en pleine mutation. Les Bleus et les Rouges sont redevenus tout simplement des « blancs » ouverts à toute couleur qui fait immédiatement leur affaire. La radio et la télévision ouvrent toutes sortes d'horizons inédits. Plusieurs de ces habitants sont instruits et le nombre des autodidactes ne cesse d'augmenter. La foi traditionnelle apparaît moins comme un héritage que comme un défi : le défi de l'avenir. Le curé reste un être essentiel à leur vie, mais en tant qu'ami et compagnon spirituel de voyage. Ils adaptent entre eux, et entre elles surtout, selon une conscience davantage émue par l'actualité télévisée que par les homélies dominicales, les normes qui arrivent du Pape. L'Église n'est plus l'unique point de référence ni le seul refuge. Tout au plus, elle est un guide, un appel à des valeurs qu'on ne trouve plus ailleurs : l'amour en profondeur, le respect de l'autre, le pardon, la vie de famille, la fidélité, les retrouvailles dans l'au-delà.

Dans un tel contexte, l'héritage des anciens risque-t-il d'être oublié ? Les jeunes ruraux du Troisième Rang à Saint-Michel-de-Bellechasse ont leurs tracteurs, leurs moissonneuses, leurs silos, leurs télévisions, leurs radios ; ils oublieront vite les rythmes de l'univers qui les entoure. Or, sachant que l'athéisme de l'Occident apparaît comme le fruit mûr d'un oubli progressif du cosmos, comment ces nouveaux agriculteurs resteront-ils religieux sans « leur » univers traditionnel de dépendance et de soumission aux forces élémentaires qui les mènent encore ? Pourront-ils vivre une autre forme de christianisme que celle de leurs grands-parents ? Non que la foi chrétienne rurale dépende en soi d'un bout de rang ou d'un petit nuage à l'horizon, mais, pour être vécue de façon authentique, elle a besoin de se raccorder moins à une culture de lettrés urbains qu'à une meilleure conscience du milieu naturel vécue au jour le jour. Que faire ? Quoi leur dire ? Les prêtres, comme notre siècle d'ailleurs, ne savent plus dominer les problèmes. Peu ont le temps et surtout le goût d'interroger les paysans et de se demander par quels chemins la foi des ancêtres peut et doit se prolonger dans un peuple en pleine crise intérieure. Simplement au plan de la liturgie dominicale, une saison de fêtes rurales est-elle réalisable avec ses temps forts, par exemple une fête des semences, des arbres, du bois, du blé d'Inde, des feuilles, des récoltes ? Les essais déjà tentés dans ce sens sont fort positifs. Oui, tout est possible le jour où l'on croit à l'impossible.

Pour notre part, nous croyons que le retour actuel des hommes de la ville, des jeunes en particulier, à la nature, aux espaces verts, à l'écologie, à l'instinct biologique même, est un signe positif d'une autre culture religieuse et d'une entente jamais connue au Québec entre le monde rural et le monde urbain. Une nouvelle sacralisation est en route, faite de mystique et d'adoration, soucieuse d'intériorité et de vécu naturel. De ce point de vue, le milieu paysan offre toujours du grand air pur et une belle sagesse face à la vie quotidienne. C'est la même voix des ancêtres, voix un peu sourde, il faut l'admettre, couverte par le bruit des machines, qui appelle désespérément les jeunes ruraux d'aujourd'hui à ne pas oublier d'accrocher leur charrue à une étoile.

B. À cause d'une conscience québécoise [2]

Qui sait ce qui se passe dans la tête d'un Québécois à jeun? Cette petite voix secrète de la conscience, claire ou obscure, branlante ou certaine, sur une chose à faire ou à ne pas faire, risque de n'être pas entendue si tout autour il y a beaucoup de bruit. Partout à la fois, dans notre folklore, nos journaux, nos affiches, dans nos histoires les plus drôles; chez Berthio, Vigneault, Deschamps, Lévesque, Miron; chez le député qui discourt, le curé qui prêche, l'ouvrier qui sacre, les habitants qui font des procès, les vieux qui rêvent de Super Loto, les enfants dans la ruelle qui jouent à la file indienne et la carmélite qui prie, la conscience québécoise laisse entrevoir dans les dires et les agirs quotidiens un certain mécanisme mental et des perceptions instinctives qui sont bel et bien du « sucre du pays ». Les gens simples, appelés étrangement les « petites gens », ont leurs réflexes, leurs haines, leurs amours, leurs désirs de grandeur et leurs préjugés. À la ferme, au village, à l'usine, à la maison et jusqu'au cimetière qui les attend, au-delà de tout parti et avant même qu'ils en portent le titre, ils sont un peuple dont la conscience antécédente reste assez ambivalente. Probablement parce qu'il vit davantage de sentiments que d'idéologies, ce peuple est reluqueux face à son passé, chatouilleux face au présent et toujours prêt à douter de l'avenir.

Conscience reluqueuse?

Malgré tous les efforts qu'il s'impose périodiquement pour s'en sortir en jouant à cache-cache avec les données immédiates de sa vérité

2. Extrait de *Maintenant*, nouvelle série, cahier 2 (juin 1975): 9.

intérieure, le jeune Québécois de la contre-culture, si avant-gardiste soit-il, paraît plutôt nostalgique. C'est lui maintenant qui emploie les vieux mots, qui parle de retour à la terre, qui se fait artisan ; il collectionne les antiquités, les vieux chandeliers, il photographie les anciennes églises, imite les chanteurs de cantiques, turlute et folklorise des alléluias. En juin 1975, il relit avec émotion *les Relations des Jésuites*, pleure sur les Indiens et les Esquimaux, voyage avec Cartier et Champlain. Ce passé, pourtant pas si lointain, l'exalte. *Je me souviens !*

Quelque trente ans à peine après le *Refus global*, vingt-cinq ans après *Parti pris* et les premiers exorcismes de la Révolution tranquille, la conscience romantique des Québécois reprend le terrain jadis occupé par la religion et s'affirme plus aisément en reluquant son passé qu'en portant sur l'avenir des extrapolations pratiques et définitives.

Conscience chatouilleuse ?

Serons-nous ainsi longtemps torturés entre les voix actives du cœur qui nous font dire : maintenant je suis Canadien français à part entière, donc Québécois, et les voix passives de la raison qui nous font hésiter à cause des autres ? Devant cette situation redoutable pour la vie intérieure d'un peuple toujours chatouilleux de son droit de premier occupant français de ce pays, nous sommes contraints pour le moment à vivre de frontières qui ne sont pas exactement les nôtres, puisqu'elles écartent d'autres minorités francophones. Avalés tout rond, retranchés subtilement dans le *statu quo* du pouvoir établi, habitués à nous définir à partir des autres, *contre* les autres plutôt, craignant d'être mal compris, accusant tour à tour les curés, les Français, les Anglais, les Américains, les Russes et bientôt les Chinois, nous redoutons le socialisme sans connaître ses possibilités de rendre une minorité économiquement adulte.

Ah ! que nous avons du mal à nous mettre en face de notre identité québécoise, à ne pas rêver en couleur d'un Cuba francophone, de fédérations imaginaires, quand déjà depuis 1950 des dizaines de jeunes nations, au passé moins long mais plus pénible que le nôtre, peuvent dire au monde, de leur propre voix, *leur* politique, *leurs* idéaux, *leur* besoin de fraternité en tant que collectivité autonome.

Est-ce vraiment la faute de la religion si la conscience québécoise est mal orientée ? L'éducation assez rigoriste et les relents d'une morale dépouillée de sa valeur mystique ont fait que nous avons eu terriblement peur : peur de nous-mêmes, peur du Père éternel, peur de l'au-delà, peur de la mort, *et cætera*. Maintenant, nous crânons, nous « faisons nos frais», nous jouons aux libérés, nous refusons les grands idéaux chrétiens : tels l'amour de fidélité, la paix à tout prix, le respect de la vie des petits et des vieux, la redistribution des richesses, la continuité de la vie, la victoire sur le temps par la résurrection. Bien que nous soyons, en général, assez osés et radicaux dans nos jugements, nous ne savons pas être ou vraiment athées ou vraiment religieux. Devant une conversion intérieure qui demande d'aller au bout de nos options, nous nous rebutons. Or, il est prouvé en ces matières que celui qui n'est pas fidèle à sa vérité intime risque de ne pas aller très loin.

N'exagérons pas. Une vision éclairée de l'histoire comparée des pays nous apprend que dans la situation de *reconquista* qui fut la nôtre durant ces derniers siècles, nos craintes et nos peurs nous ont aidés à vivre. Par toutes sortes de subtilités politiques, qui ont dérouté les théoriciens, nous avons détourné bien des obstacles et, connaissant bien l'adversaire, nous avons inventé notre propre liberté en affichant sans cesse notre volonté d'être un peuple autonome, sinon en droit du moins en fait.

Conscience douteuse ?

Est-ce notre vie de minorité cernée, est-ce notre goût du Nord, est-ce la proximité des Américains, ne serait-ce pas plutôt le lien sentimental et culturel avec la France qui nous a le mieux servis ? Il reste que nous sommes une des rares minorités du monde à vivre debout, dans la dignité, une libération pacifique à longue durée. La conscience canadienne-française n'a cessé de s'affirmer depuis 1763. Elle n'a pas attendu, pour se reconnaître, les comportements à retardement de ses politiciens. Ce pays est à nous, depuis longtemps, beaucoup plus par aspiration populaire que par conférences inter-provinciales. La réalité vécue a devancé les décisions politiques. C'est à juste titre que nous parlons de « Révolution tranquille ». Nous n'avons pas attendu les fusils, ni même 1970, ni les autres, ni de Gaulle, ni les Nations Unies, pour être des Québécois. Mûrs maintenant pour comprendre et épouser les préoccupations des petites nations aux prises elles aussi avec les multinationales et leurs manipulations, il nous reste à continuer notre marche vers l'avenir en précédant, une fois de plus, les décisions de la politique officielle et en nous faisant entendre autrement que par des voix intermédiaires.

Malgré tout ce qui a été accompli, il y aurait encore des gens qui, paraît-il, doutent d'être Québécois et éprouvent un besoin obsessif de le devenir. Ils veulent des textes, des traités, voire un parti politique qui les rendrait ce qu'ils sont pourtant déjà. D'autres, en leur conscience québécoise hésitante, sans doute nos « derniers martyrs canadiens », croiraient toujours à la Confédération de 1867, comme si elle était un acte définitif. Le pire qui puisse arriver contre l'unité acquise du peuple québécois est de trouver des partisans si zélés dans un groupe ou dans l'autre, qu'ils refusent à leur voisin le privilège d'être Québécois simplement parce qu'il ne le serait pas à leur manière à eux. Mais non ! « C'est dans l'homme intérieur qu'habite la vérité » et personne ne devrait avoir le droit d'exclure l'autre par partisanerie politique.

C'est vis-à-vis de la culture française et de sa langue que nous serions le plus culpabilisés. La moindre critique parisienne favorable nous éblouit ; le moindre reproche nous déçoit. Comment réagir plus objectivement sans renier ce dont nous avons absolument besoin, je veux dire : la culture française ? Pourtant il existe déjà une vie des lettres et des arts québécois ; nous avons un parler français d'ici valable, avec des mots anciens et des mots nouveaux, un parler vivant et non purement académique ; nous gardons un accent qui n'est pas si faux, puisqu'il est celui de nos origines médiévales. À propos de la langue encore, pourrait-on, pour les générations à venir, prévoir un processus qui nous libérerait à jamais de nos doutes, à savoir que nous parlerions et même écririons une langue impossible, un patois qui aurait à disparaître au prochain nordet ?

Pour une conscience libérée

Qu'est-ce qu'une conscience québécoise libérée ? C'est celle qui sait tenir tête à ses préjugés, à ses doutes comme à ses nostalgies de patrie perdue pour poser des jugements responsables vis-à-vis d'elle-même et des autres. Comment aussitôt éviter les replis racistes, les calculs autoritaires et un socialisme juvénile inadapté à notre condition particulière ? Est-il possible, enfin, au niveau de la conscience religieuse, de larguer les amarres et de vivre de son propre élan ?

La première libération vient du cœur. Au lieu de vouloir intenter un procès au passé, accusant celui-ci ou celui-là, il s'agirait d'aimer. Aimer, c'est s'accepter, s'affirmer tel qu'on est, se respecter, espérer en l'avenir, faire confiance à l'expérience qui a sans cesse besoin d'être renouvelée. Alors cesse la peur, puisque « l'amour chasse la peur ». De nouveaux rapports humains et d'autres pratiques sociales naissent pour aller au-delà des présentes divisions politiques et syndicales. Il faudrait, en outre, valoriser l'homme québécois de la rue et des champs au niveau très concret de sa vie quotidienne et familiale. De ce point de vue, le fédéralisme académique n'y peut rien, ou presque. Ni la seule politique de parti. Reliés par l'histoire et le sentiment à des origines européennes communes, voire à un même Moyen Âge, nous sommes, pour la majorité d'entre nous, d'une tradition religieuse et juridique originale. Dans ce cas, la conscience du Québécois ne sera vraiment libre et fière de ses options que si, autonome de fait même si elle ne l'est pas officiellement dans les textes, elle agit en faveur de ses immigrants. Alors elle parlera aux autres nations au nom de tout le Québec. Les médias électroniques lui permettront des dialogues outre-frontières d'ordre culturel, politique et économique, sans devoir demander à « monsieur le préfet d'étude » de la Constitution la permission de fréquenter son voisin.

À long terme encore, au niveau de l'éducation scolaire, notre conscience pourrait sûrement profiter de l'enseignement technique de la langue française médiévale qui a donné lieu à tant de parlers diversifiés. Nous retrouverions alors la fierté de nos mots, de notre accent et la joie des créations verbales ; nous apprendrions à distinguer une langue écrite et parlée d'un dialecte et d'un patois. La connaissance de notre langue à sa source plutôt qu'au confluent des usages toujours discutables nous permettra, plus facilement et dans une meilleure unanimité, de justifier, de filtrer, de choisir et d'aimer notre langue française québécoise.

Une troisième voie de libération a trait à la religion traditionnelle. Une fois évalué l'héritage, nous nous devons de revérifier, au double niveau de l'objectivité scientifique et de la culture d'Occident, les idéaux judéo-chrétiens qui ont façonné l'homme québécois traditionnel. « Le divin engendre la confiance » disait Héraclite. Profitons de la grande purification actuelle, douloureuse mais bienfaisante, par laquelle passe l'Église de nos ancêtres. Grâce à l'étude multidisciplinaire des phénomènes religieux populaires du Canada français, sans nous idéaliser mais sans nous renier, nous apprendrons les faits, nous nous aimerons mieux, nous rirons avec moins d'amertume.

Mais, « vrai comme je te dis » et « vrai comme de vrai », il existe déjà en Occident une nation nordique franco-canadienne, un peuple québécois, seul peuple français d'Amérique. Le temps risquerait peut-être de lui jouer quelques mauvais tours si, en remontant une fois de plus le fleuve de ses doutes et de ses bateaux-fantômes, il oubliait l'orientation normale de l'océan qui le mène aux autres pays. Allons, allons, sans zigâiller ni zigonner : « Filez, filez, ô mon navire ! » Celui qui va à la rencontre du soleil laisse son ombre derrière lui.

C. Histoire et religion traditionnelle des Québécois (1534-1980) [3]

Le présent essai risque d'être injuste et téméraire pour les Québécois qui ont fait ce pays. Comment évaluer les actions et les intentions de ces croyants catholiques qui n'ont presque pas écrit et qui ont rarement expliqué leur foi ? Qui a le droit de préjuger ? Nous nous méfions autant d'une historiographie purement critique que d'une historiographie trop apologétique. De plus, chiffres et statistiques ne révéleront jamais assez la qualité et les difficultés de la foi du peuple québécois du XVIe au XXe siècle. La pratique religieuse elle-même, si unique fut-elle jusqu'au milieu du siècle présent, n'est qu'une indication partielle et parfois illusoire. Cette religion de masse a été faite simultanément de croyances, d'agirs quotidiens et de rites privilégiés entremêlés de motivations de tout style ; le narrateur qui les distingue, pour expliquer ce dont il parle, risquerait d'égarer son lecteur.

Au fait, l'historien découpe, choisit un champ narratif à même une réalité qui le débordera toujours. Il ne saurait, cependant, réduire la réalité religieuse vécue, du moins dans le cas qui nous concerne, à de simples analyses de structures et de comportements extérieurs. Le catholicisme est un phénomène de longue durée qui défie sa propre structure. Il vit et survit depuis près de 2 000 ans. Son histoire québécoise, née depuis quelques siècles à peine, est déjà, en un sens, irréversible autant que durable.

L'Église *catholique* québécoise issue de l'Ancien Régime et forcément rattachée à ce qui lui reste après la conquête britannique — son passé et la *nostalgie de ses origines*, comme dirait Mircea Eliade — n'est pas facile à raconter. Les rapports entre le peuple, ses élites et le clergé se sont brouillés pour des raisons qui, souvent, avaient peu à voir avec les intentions initiales des fondateurs. L'image d'une religion désacralisée offerte depuis vingt ans par une certaine historiographie diplômée est bien différente de celle que rapporte le peuple. Or c'est ce dernier que nous avons observé et interrogé. Plutôt que de nous restreindre au seul débat traditionnel entre l'Église et l'État, nous avons préféré examiner la manière dont le même peuple véhicule ses propres valeurs qui, grâce à l'acquis des traditions reçues, assurent des renaissances toujours possibles.

---

3. Extrait de *Culture populaire et littérature au Québec*, René BOUCHARD, dir., coll. « Stanford French and Italian Studies », vol. 19 (Saratoga, Calif. Anma Libri, 1980) : 19–41.

En effet, il est reconnu aujourd'hui que le peuple fait l'histoire, même au moment où théoriciens et politiciens se donnent l'impression de la dominer. Nous aurons à le redire : la religion des Québécois s'est définie jusqu'en ces dernières années comme un phénomène de masse et comme une fidélité à toute épreuve à l'Église catholique romaine, sorte d'entêtement prolongé et seule façon possible pour un peuple vaincu de se retrouver et de préparer sa *reconquista*. Pour qui étudie les phénomènes religieux des autres pays, tels l'Irlande, l'Espagne, l'Italie et même Israël, la connaissance du catholicisme québécois de 1534 à 1980, de ses naïvetés premières comme de ses révisions de dernière heure, confirmera peut-être les hypothèses sur les conditions de durée des cultures populaires et sur l'avenir des peuples *religieux*.

Dans les propos qui suivent, nous essaierons d'abord de résumer et de comprendre ce que fut, de 1534 aux années 1950, cette religion *populaire* venue du catholicisme européen. Dans une seconde partie, largement ouverte à la prospective, nous verrons à cerner les faits et à déterminer les retombées de la crise religieuse au Québec en ces dernières années, soit de 1940 à 1980.

1. Une religion traditionnelle

Toute l'histoire de ce peuple québécois presque totalement catholique, au moins officiellement encore au milieu du XXᵉ siècle, ne saurait être résumée sans le rappel de quelques faits qui ont conditionné et qui en un sens conditionnent toujours, bien qu'à différents degrés, l'histoire *canadienne*.

1 — La Nouvelle-France, 1534–1760, fut et est restée, jusque vers les années 1960, l'héritière directe du Moyen Âge français.

2 — Pour des raisons faciles à comprendre — on défriche la terre avant d'y faire un jardin —, il n'y a pas eu au Québec, ni au Canada, cette mutation profonde appelée la Renaissance des XVᵉ et XVIᵉ siècles.

3 — De plus, le peuple canadien-français ne pouvait être favorable à la Réforme protestante ; celle-ci combattait le catholicisme papal et s'exprimait dans la langue des conquérants. D'ailleurs, à la même époque, en France, les rapports avec l'Angleterre étaient loin d'être tendres.

4 — Enfin, certains comportements plutôt audacieux, doublés de quelques réflexes de colonialistes, ont donné lieu à des attitudes *québécoises* vis-à-vis de la France, faites tour à tour de méfiance et d'amour courtois, d'admiration mitigée et de jalousie d'enfant frustré.

Ces réactions locales, déjà perceptibles au début de la colonisation, ont augmenté avec la Révolution française. Les événements de 1789 eurent si mauvaise presse ici et les récits des prêtres réfugiés furent tellement dramatisés que des réflexes d'indignation sont demeurés dans le peuple jusqu'à maintenant.

Quoi qu'il en soit, nous pressentons ce que sera le catholicisme québécois : une religion bien organisée, à tendance conservatrice, *médiévale* à bien des égards ; une religion traditionnelle et coutumière au sens ethnologique du mot ; une religion à caractère stoïque pour ne pas dire rigoriste, tournée avec force vers un avenir à vivre au jour le jour.

Une Nouvelle-France à l'Ancienne ?

Qui fonde la Nouvelle-France ? Des Français, bien sûr. L'Église qui s'y implante est française et d'abord française. Depuis l'arrivée, en 1615, des quatre franciscains récollets et jusqu'en 1772, alors que Londres accepte la nomination du premier évêque né au Canada, tout ce qui est rites et juridiction vient de France. Jésuites, ursulines, hospitalières, sulpiciens et futurs seigneurs débarquent au Canada avec leurs coutumes, leurs chartes et leurs droits français. Qui donne l'autorisation de venir ? Qui fixe le nombre des recrues et même la dot ? Le roi de France, premier responsable financier de ces aventures lointaines. Les supérieurs ecclésiastiques des congrégations d'ici vivent en France, d'où partent toutes les nominations importantes.

Ainsi que Richelieu et Colbert l'avaient voulu, le Canada sera, jusqu'en 1763, une vraie province de France avec son gouverneur, homologue de celui du Parlement français. Le roi est aussi accessible aux nouveaux colons canadiens qu'aux Français métropolitains. Quand, dès 1663, Louis XIV réaménage la Nouvelle-France, pays essentiellement peuplé de paysans et d'artisans, le clergé constitue déjà l'ordre social le mieux organisé de toute la colonie. Mais sans l'aide matérielle de la France, qui lui a fourni la majeure partie de son budget, l'Église catholique n'aurait pas tenu le coup.

D'où viennent ces Français ? À quel mental collectif leur religion se rattache-t-elle ? Les premiers débarqués au XVIIe siècle sont des Français d'origine provinciale, venus plus spécialement de la Normandie et du Perche. De 296 immigrants en 1640, ils passent à 964 en 1660 et à plus de 2 500 en 1680. Ils sont presque tous catholiques, gallicans ; en plus, moralistes, antianglais, antiprotestants, contre-réformistes.

La religion venue de la mère patrie est *populaire*. Il s'agit d'une religion de la majorité et d'une religion théocratique nourrie de prédications et d'indulgences avec des confréries nombreuses, alimentée de dévotions de toutes sortes et d'un fort culte des saints. Cette religion *provinciale* est celle du Moyen Âge. Les ancêtres de Jacques Cartier, fondateur officiel du Canada en 1534, et ceux de Champlain, fondateur de Québec en 1608, appartenaient de fait au Moyen Âge français ; tous ils possédaient naturellement la mystique des croisés. Champlain écrit au roi, en 1619 :

> Vous y verrez pareillement... combien grande est l'espérance que nous avons de tant de longs et pénibles travaux que depuis quinze ans nous soustenons, pour planter en ce pays l'estandart de la Croix, et leur enseigner la cognoissance de Dieu, gloire en son Sainct Nom, estant nostre désir d'augmenter la Charité envers ces misérables Créatures.

Maisonneuve, fondateur de Montréal en 1642, et ses compagnons ont eux aussi une piété médiévale accrue d'une ferveur de Contre-Réforme, qui oscille entre la mystique du sacrifice et la conversion des infidèles, en l'occurrence les Amérindiens. Au moment où le rêve français d'une colonie féodale et chrétienne en Amérique du Nord persiste, où nobles, paysans, bourgeois, seigneurs, colons et clercs agissent pour la gloire de Dieu et celle du roi, le commerce apparaît chez quelques-uns comme une raison de conquête. De toute façon, parmi les gestes posés à l'arrivée en terre nouvelle, il y a celui de planter une croix, de dire la messe ou de construire une chapelle exactement là où l'on descend. Mœurs de croisés. Un même héroïsme colonisateur et militant, qui conduisit jadis tant de pèlerins combatifs à Constantinople et à Jérusalem, mènera le père Marquette au Mississipi et le père Albanel à la Baie d'Hudson. Souci de convertir coûte que coûte. Goût du martyre aussi. Au fait, plusieurs récollets, des jésuites et d'autres évangélisateurs du Nouveau Monde mourront en héros pour la cause qui les hante. La tendance est au voyage, à la découverte et à la conversion des *autres*.

Un homme domine la vie spirituelle des colons depuis l'érection du Canada en vicariat apostolique en 1657 et la création d'un évêché en Nouvelle-France en 1674 : c'est l'évêque de Québec. Proposé par le roi, il reçoit ses bulles du pape, il porte le nom féodal de *monseigneur*. Son rôle n'est guère moins important que celui du gouverneur. Depuis monseigneur de Laval (+1708), l'évêque français de Québec participe à l'administration civile comme membre du Conseil supérieur ; quand la situation l'exige, il s'adresse directement à Versailles ; il prie et fait prier pour le roi ; il demande de lire les ordonnances de l'État au prône du dimanche. C'est lui qui établit les fêtes religieuses qui se multiplient à un rythme alarmant. Le successeur de monseigneur de Laval, monseigneur de Saint-Vallier (+1727), rédige à même les modèles français un rituel et un catéchisme qui marqueront pour plusieurs décades, dans un sens plus rigoriste, le catholicisme québécois.

Pour le peuple, l'évêque demeure un seigneur plutôt lointain et absent. Pendant son mandat, monseigneur de Laval passe 12 ans sur 30 en dehors de la colonie ; monseigneur de Saint-Vallier, 17 sur 39 ; monseigneur de Mornay, évêque de Québec de 1728 à 1733, n'est même pas venu au Canada. On ne dira jamais assez l'impact de ce pouvoir sacral malgré la distance et les absences ; quand viennent les oppositions, les révoltes, les rivalités normales entre sociétés closes, le poids de l'autorité épiscopale suffit à trancher les questions les plus épineuses ou à envenimer les querelles les plus pittoresques. Les discussions entre l'évêque de Québec et le gouverneur de la Nouvelle-France, par exemple, furent épiques.

Puisque le peuple n'a pas tellement affaire à son maître et suzerain lointain, monseigneur l'évêque, il doit composer avec son délégué habituel, celui qu'on persiste à appeler encore aujourd'hui de son nom médiéval : *monsieur l'abbé, monsieur le curé*. Le prestige local de monsieur le curé est parfois accompagné d'une indépendance d'esprit à toute épreuve. Les autorités civiles et religieuses s'en plaignent. Fondateur, souvent défricheur, *seigneur* incontesté de sa paroisse, le curé sait tout, prévoit tout ; il prend toutes les initiatives du chef religieux sûr de lui.

D'ailleurs, en Nouvelle-France, l'unité religieuse territoriale sera moins le diocèse que la paroisse. Dominée à tous égards par son curé — qui double son autorité d'un dévouement remarquable — la paroisse est la terre de référence du peuple québécois, avec son église au centre du village, comme au Moyen Âge, son cimetière et ses maisons dont le presbytère. À cause de l'isolement et de l'hiver, la paroisse risque de devenir un îlot bien protégé, voire une forteresse, que les idées de changement ne stimulent guère.

Entre temps, à Québec, à Montréal, presque tout ce qu'il y a de savoir : livres, objets d'art, œuvres théâtrales, arrive de France. On joue Le *Cid* à Québec en 1646, *Mithridate* en 1694. Il fallait le moraliste monseigneur de Saint-Vallier pour refuser, en 1699, *Tartuffe* qui n'en fut pas moins lu. Même sans imprimerie au Canada, ce qui s'y écrit est souvent de qualité. Plusieurs missionnaires, les jésuites en particulier, sont de remarquables écrivains. On sait comment Marie de l'Incarnation (+1616) représente un sommet de la littérature spirituelle de l'époque.

Mais qu'arrivera-t-il le jour où tout ce *French Power* de commerce et d'évangélisation sera soumis à la pire épreuve qui puisse surprendre un pays neuf : l'occupation de ses terres et la défaite militaire ?

Une soumission sans résignation (1760–1840)

Soumise à une double capitulation, celle de Québec en 1759 et celle de Montréal en 1760, la Nouvelle-France y laisse ses biens, son prestige et jusqu'à son nom. Les fonctionnaires, les officiers de l'armée, les soldats venus récemment, une vingtaine de prêtres et quelques bourgeois regagnent la France. Confisqués, spoliés, en partie ruinés, 60 000 habitants se retrouvent après la défaite dans un pays misérable. Le clergé et les quelques braves demeurés ici s'inquiètent à juste titre de l'avenir. Mort en juin 1760, monseigneur Pontbriand ne sera remplacé que six ans plus tard. Désormais, tout dépend de la bonne volonté des nouveaux gouverneurs. Aussi, le conquérant comprend que, séparée de la France et sans évêque, cette Église canadienne est plutôt inoffensive. Monseigneur Briand (+1794), successeur de monseigneur Pontbriand, sera nommé évêque de Québec en 1766, avec la permission de Londres. Évêque français encore. Le caractère même de sa nomination qui vient d'ailleurs, l'approbation par le roi protestant de Londres et sa fonction de médiateur auprès de l'occupant augmentent son autorité parmi le peuple. Mais que peut-il faire ?

Solidaire à part entière des catholiques francophones dont il veut protéger les coutumes religieuses et la langue qui s'y greffe, l'évêque prêche cependant l'obéissance à l'Angleterre ; il ne peut composer avec la France vaincue qui vient d'entrer dans une crise sans précédent. En effet, quelques années plus tard, Louis XVI sera assassiné, ainsi que la Reine. Fautes impardonnables. Le peuple québécois, resté fidèle à l'Ancien Régime, n'a jamais oublié ce crime de la France républicaine. Depuis, plusieurs évêques québécois, dont monseigneur Plessis (+1826) et surtout monseigneur Laflèche (+1898), préfèrent entre deux maux subir le moindre : plutôt que de partager les folies d'une France irrespectueuse, mieux vaut supporter cette Angleterre protestante qui vient d'accueillir 1 000 prêtres français chassés par la Révolution ; 26 d'entre eux traverseront l'Atlantique pour dire les malheurs de la France en colère et les bienfaits de la patrie d'accueil.

Il n'y a pas que les évêques et certains prêtres qui proclament les *bontés* de la tutelle anglaise lors de l'histoire mouvementée de la métropole. L'anglophilie devient une mode à laquelle ne seront pas étrangers, bien qu'à divers titres, le célèbre historien F.-X. Garneau (+1866), le nationaliste révolté Papineau (+1871), deux anticléricaux notoires, le romancier Philippe Aubert de Gaspé (+1871), l'intraitable journaliste Tardivel (+1905) et l'orateur conformiste A. Routhier (+1921).

S'il est si difficile aujourd'hui aux Canadiens français de comprendre et d'accepter d'une partie importante du clergé l'attitude de soumission officielle à Londres, c'est que nous avons du mal à revivre la théologie médiévale du serment et celle de l'obéissance à l'autorité légitime.

Le traité de 1763 comportait un serment d'allégeance. Ce texte «féodal» allait bien au-delà d'un simple traité de paix et d'une concession du vaincu face au vainqueur. Il s'agissait de la *parole donnée*. Or manquer à sa parole, surtout si elle est scellée par un serment, est déloyauté, félonie, péché civique et, pour un catholique, faute grave. Déjà, au XIIe siècle, on disait : «Jugé doit être comme traître maudit. Qui se parjure et son seigneur trahit.» Le peuple obéit, comme l'ont fait à plusieurs reprises et en pareilles circonstances d'autres habitants de pays occupés : un bon citoyen est loyal et fidèle à sa parole. Un serment a été fait en son nom. Il doit le tenir. C'est ainsi qu'en 1775 le peuple est invité par ses chefs religieux à ne pas s'opposer à l'Angleterre. De même en 1812 et en 1837. Cette théologie du respect de la parole sacralisée n'a rien à voir avec la théologie de la libération. Toute autorité légitimement constituée vient de Dieu, dit-on. Évêques et prêtres en sont convaincus. Assez bien conseillé, le vainqueur se montre souvent, pour des raisons politiques et militaires, conciliant et fort bon joueur. George III (+1820) laisse aux Canadiens français leurs coutumes quotidiennes et leurs pratiques religieuses. Rappelons que cette soumission sans résignation, qui exaspère les uns et endort les autres, contient en elle-même une pensée eschatologique qui empêche de trop dramatiser. La défaite serait-elle un moindre mal ? Certains évêques — ils sont l'exception — furent d'une naïveté évidente envers le vainqueur, mais leur risque, peut-être calculé, ne fut pas si négatif, quand nous pensons au réveil périodique du nationalisme québécois.

Il ne faudrait pas perdre de vue, et au-delà de toute dimension théologique et juridique de l'obéissance au roi légitime, la réaction du peuple en train de se retrouver. Même sans écoles convenables et sans ressources de l'État, les «nouveaux» Canadiens s'affirment. Coutumes et tradition orale soudent leur vie quotidienne au moment où, socialement et politiquement, ils sont loin de la France. Ils n'ont pas de pouvoir, ils sont pauvres, ils veulent en général tenir parole, mais avec combien de résistances.

Il est raconté dans la même tradition orale québécoise qu'un « Monseigneur canadien-français », obligé à proclamer les bienfaits de la langue anglaise, aurait dit à ses ouailles : « Oui, apprenons l'anglais, mais parlons-le mal ! » Vraie ou pas, la boutade démontre l'état d'esprit des Canadiens français face aux conquérants britanniques de 1760 : obéir, accepter, composer avec le nouveau régime, rarement capituler au fond de son cœur. C'est la seule manière de résister quand on se découvre isolé, écrasé et faible. La révolte ouverte, l'opposition explicite ? Impossible à penser dans les circonstances. Il reste la sujétion obligatoire et tactique. Au fait, sauf quelques élites laïques bien soignées par les anglophones et certains évêques autoritaires, les Canadiens français à la fois nationalistes et catholiques n'ont jamais accepté, sinon de jure, d'être sous la tutelle anglaise pas plus qu'ils n'auraient toujours supporté la tutelle française. L'esprit d'indépendance est une donnée essentielle de leur histoire.

Une autorité irréfutable (1840–1900)

Loin d'affaiblir le pouvoir épiscopal, la conquête anglaise l'aurait-elle favorisé ? Vénéré, respecté, craint, l'évêque est un seigneur, monseigneur. Il habite un palais, le palais épiscopal : il est traité en prince. Les gouverneurs anglais ont du flair ; ils connaissent le pouvoir moral et politique de cet homme irréfutable une fois accepté par la Couronne, mais nommé par le pape. Ils le fréquentent, ils le flattent ou le menacent au besoin ; ils iront jusqu'à utiliser les procédés des dénonciations étagées, tout en constatant que la soumission officielle du grand seigneur catholique n'est pas nécessairement celle de ses sujets. Les événements politiques de l'époque se chargeront de le prouver.

Le peuple canadien-français catholique aussi entretient des égards pour cet homme qui va à Londres, comme autrefois il allait au roi de France ; qui parle au gouverneur quand il veut ; qui interdit, excommunie et sait se faire écouter. L'entrée d'un évêque dans une paroisse rurale ressemblait — encore en 1950 — aux entrées royales dans les villes de l'Ancien Régime.

L'évêque peut-il s'appuyer sur son clergé ? Bien sûr. Ils sont 225 prêtres en 1830–1840. Mais les distances énormes entre les paroisses et l'hiver long et rigoureux font que le curé se retrouve pratiquement seul avec ses paroissiens. Premier maître chez lui, il conduit les vivants à l'église et les morts au paradis. Il sermonne, il discourt, il domine. Du haut de la chaire, ou subtilisé dans un confessionnal sombre, il ordonne. Peu de politiciens peuvent arrêter un curé qui a décidé que... Ce curé, peut-être peu instruit, est d'ordinaire dévoué et présent à la moindre urgence. Pendant que certains laïcs de la haute classe, juges, avocats, marchands, s'exercent à l'anticléricalisme *français*, lui garde la réputation de l'homme à tout faire, à tout savoir. Cette situation de prestige risque de le rendre omniprésent en tous les sens du mot, d'autant plus que la paroisse, unité sociologique par excellence, est le seul lieu où l'on se sent vraiment chez soi. Ainsi l'autorité du prêtre occupe presque tout l'univers du peuple québécois ; elle s'infiltre dans les consciences par des lois quelquefois arbitraires qui varieront d'une paroisse à l'autre.

Malheur à qui perd sa langue d'origine, diront les prêtres, car il perd un bien plus précieux : sa foi. Depuis des siècles, Dieu aurait uni la foi catholique et la langue française ! Le clergé se prépare alors à avoir le dernier mot, quand il répète, avec l'appui de laïcs catholiques, que la langue française, fille privilégiée de la langue latine, est sacrée. Attention donc aux mariages mixtes. Pauvre catholique qui épousera une protestante anglophone !

Les rapports cléricaux avec la mère patrie surtout après 1840, les voyages qui n'ont d'ailleurs pas cessé depuis 1760, se multiplient. Les Canadiens français redécouvrent la France avec son goût neuf de la liberté. Papineau s'y réfugie après la rébellion de 1837-1838 ; le poète-libraire Crémazie termine ses jours en Normandie ; Arthur Buies, cet écolier en rupture de ban, fréquente les lycées parisiens avant de revenir au Canada pour devenir journaliste. En même temps, plusieurs clercs et laïcs ne se gênent pas pour comparer, une fois de plus, l'histoire de la France à celle du Canada britannique et pour prêcher ouvertement à qui veut les entendre que Dieu a béni le Canada français en le préservant de l'influence de la France républicaine et voltairienne.

Au temps de Lionel Groulx (1900–1967)

Bientôt, un prêtre québécois se lèvera pour interroger l'histoire canadienne et l'histoire française depuis Clovis. Ce prêtre, formé à la méthode historique par un médiéviste de l'université de Fribourg (Suisse), est convaincu de la supériorité culturelle de la France et de la richesse de sa langue. Lionel Groulx pense qu'il n'existe qu'une seule race capable d'incarner, en Amérique capitaliste, l'idéal spirituel qui s'impose : la race française. Donc, vive le Canada français ! À Paris, en 1922, le même abbé Groulx dira à des Français ébahis et émus de retrouver des cousins québécois si bien conservés : « Ces difficultés de notre vie en Amérique feront, du reste, comprendre à la France, pourquoi nous lui demandons un peu de son appui moral, un peu de cette charité intellectuelle que la vieille mère patrie, toujours chevaleresque, prodigue si généreusement à de jeunes nations qui ne sont même pas de notre sang. Là-bas, aux côtés de nous, nous voyons opérer la solidarité espagnole. Pourquoi ne verrions-nous pas opérer la solidarité française ? »

À l'époque de Groulx, le Canada français, que l'on dit encore ignare et sans lettres, donne la preuve non équivoque d'une inépuisable littérature orale : cycles de légendes, de chansons, de contes sont adaptés, inventés sur place ou proposés par des voyageurs, des coureurs de bois et des forestiers. On y chante et on y raconte autant la France que le nouveau pays difficile à apprivoiser. Ennui et besoin d'évasion percent, ainsi qu'un anticléricalisme légèrement paillard. Dans ce folklore, la femme est une héroïne. Soumise, fidèle, elle donne des enfants à son mari et à son pays ; elle est courageuse et prête à tous les sacrifices pour survivre. Tel est le refrain de *Maria Chapdelaine* de Louis Hémon (+1916), repris en 1937 dans la célèbre épopée de F.-A. Savard, *Menaud, maître-draveur* : « Nous sommes venus il y a trois cents ans et nous sommes restés... Nous avions apporté d'outre-mer nos prières et nos chansons... Au pays du Québec, rien n'a changé... » Tout ceci nous rappelle qu'en 1831 Tocqueville écrivait à un ami, à propos des mêmes Canadiens français du Québec : « Ils sont aussi Français que nous... Nous nous sentons chez nous, et partout on nous reçoit en compatriotes, en fils de la vieille France. À mon avis, cette épithète est mal choisie : la vieille France, elle est au Canada, et la Nouvelle est chez nous. »

La religion des Canadiens français sera elle aussi, entre temps, de la même veine conservatrice : enracinée à la terre, rigoriste, faite d'héritage, de tradition et de transmission, mêlant souvent langue et foi, comme si l'une ne pouvait pas sans l'autre résister au vainqueur.

Une caste cléricale

La population québécoise atteint 1 650 000 habitants en 1901. Cette population, rurale dans une proportion de 70 %, est à 80 % française et 86 % catholique. Le taux de natalité est très élevé. À mesure qu'on avance vers les années 1950, l'urbanisation s'accélère à un rythme imprévisible. Beaucoup improvisent leurs nouveaux rôles de

« défricheurs ». Peu de préoccupations écologiques à l'horizon. Les Québécois veulent bien vivre et s'enrichir. Jusqu'en 1960, une caste, la caste des prêtres et des religieux, encadre presque toutes les activités du milieu.

On recense au Québec, en 1920, 3 263 clercs ; en 1940, 5 000, soit environ 550 fidèles par prêtre. Chaque année les ordinations sacerdotales dépassent la centaine : 155 en 1920 et 197 en 1940. Durant les années 1940-1950, l'Église partage les 2 000 paroisses en 18 diocèses. Ajoutons que les prêtres diocésains sont alors épaulés dans leur action par quelque 40 000 religieuses et 10 000 religieux. Grâce à des associations et à des mouvements d'action catholique, des dizaines de milliers de laïcs, *Milites Christi !* rodés par l'autorité cléricale, assurent une présence efficace dans divers milieux. La croisade continue.

Que font-ils, ces clercs et ces religieux ? Où sont-ils ? Ils sont partout. Comme au Moyen Âge, toutes les sphères de la vie sont touchées par eux. En 1945, le ministère paroissial en absorbe 45 %, puis 10 % vont dans l'aumônerie, 25 % dans l'enseignement, 20 % dans d'autres activités ; certains sont même engagés dans les travaux publics, voire les chemins de fer. Des chanoines et des monseigneurs affairés dirigent des œuvres de plus en plus variées. Universités, collèges, hôpitaux, hospices, sanatoriums, orphelinats, crèches et écoles, tout est administré par l'Église avec soin et efficacité grâce à un personnel généreux, à la foi peut-être peu éclairée mais d'un courage difficile à imiter. Entre temps un combat subtil autant que pittoresque s'engage entre le pouvoir clérical et les pouvoirs civils. Luttes souvent sournoises, jamais terminées, dont on ne sait qui en profite : le curé ou le maire, la fabrique ou la municipalité. Seuls les domaines technique et scientifique échapperont à la surveillance du clergé.

Par sa position de pouvoir, l'Église exerce sur les jeunes un attrait définitif. La carrière ecclésiastique présente tous les avantages et elle a, sur les professions libérales, le privilège de convier à l'accomplissement d'un plan de salut collectif. À l'appel missionnaire du pape Pie XI durant les années 1920, les Québécois donnent une réponse exceptionnelle. Plusieurs partent pour l'Afrique, l'Asie, l'Arctique. Ces Québécois, une fois sortis de leur milieu, deviennent d'extraordinaires animateurs de l'Évangile.

Sur place, les clercs et les religieux sont de moins en moins prêts à modifier leurs attitudes pastorales. Est-ce nostalgie, inadaptation, ignorance, erreur d'aiguillage ou simple effet d'un héritage médiéval ? Encore en 1940, le clergé veut que les terres soient l'unique richesse du pays. Prônes et sermons dénoncent la ville comme un lieu maléfique inventé par Lucifer et comme l'antithèse d'une société saine. On y trouverait l'ivrognerie, l'immodestie de la mode, l'infidélité conjugale, des danses et des spectacles douteux : de quoi corrompre à jamais la jeunesse québécoise. « Maîtres chez nous », slogan à la mode durant les années 30, signifie qu'on ouvre de nouvelles terres ; qu'on s'arrange entre nous dans la paroisse ; qu'à l'occasion on ré-achète des anglophones quelques pouces de la forêt expropriée. Bien plus, des prêtres, et non les moindres, se font prêtres-colonisateurs en plein Abitibi, allant jusqu'à oublier par fidélité au passé que ce sol riche en terres et forêts pouvait aussi contenir des ressources précieuses, tels l'or, le cuivre, le nickel et le plomb.

Dans ce contexte, l'Église prend l'ouvrier en pitié, développe à son égard des comportements paternalistes et dénonce la nouvelle société industrielle comme incapable de promouvoir la vertu. D'ailleurs, ne voit-on pas déjà des hommes et des femmes oublier leurs devoirs religieux, leurs rites familiaux, leur messe du dimanche ? Dans une religion qui fait un absolu de la pratique religieuse, l'essor vers les grandes agglomérations devient un grave défi pour le clergé traditionnaliste. L'Église québécoise pourra-t-elle s'adapter à la ville ?

Une religion de pratiquants

Issu du peuple qu'il sert et qui le vénère, directement solidaire des problèmes les plus divers, le clerc propose à ses *fidèles* une religion quelque peu à son image : active, légaliste, présente à tout, fidèle aux rites, aux prières domestiques du matin et du soir, à la célébration des fêtes, à la pratique des sacrements, surtout à celle de la confession et de la communion.

C'est un catholicisme essentiellement populaire, qui va de soi, et à bien des égards médiéval. Le crucifix est partout dans les écoles et les lieux publics, la croix est même au sommet de la grande ville de Montréal. Les saints sont l'objet de dévotions spéciales. On aime saint Joseph depuis 1624, la bonne sainte Anne depuis 1657, Notre-Dame du Cap depuis 1687. Une vraie vie de famille dans les dévotions les plus chères au peuple.

Des associations, des confréries et des mouvements plus ou moins spirituels naissent et renaissent dans les paroisses qui confient leurs activités à des patrons-protecteurs, soit à la Sainte Famille, au Sacré Cœur, au Christ Roi, etc. De vastes campagnes de propagande sont entreprises dans le but de combattre des conduites pernicieuses. Des croisades en faveur de l'eucharistie, de la prière, de la pureté, mobilisent les masses et captent leur attention des mois durant ; certaines débouchent sur la création de mouvements pour la tempérance, contre le blasphème, etc. La Ligue du Sacré Cœur, pour sa part, veille à la pureté des mœurs avec autant d'acharnement que l'épiscopat sur l'éducation et les écoles paroissiales. Des démonstrations collectives de piété prennent une ampleur jusqu'alors inconnue. Le faste et les larges déploiements selon la pompe romaine ne peuvent que frapper l'imagination populaire. Ainsi, le Congrès eucharistique international de Montréal ouvre, en 1910, l'ère des grandes manifestations qui proclament la foi québécoise à la face du monde. Ces rassemblements rassurent les clercs et rejoignent le besoin de visualiser d'un peuple épris de merveilleux et de spectacle. Jamais on n'aura « fait autant de religion au Québec ».

Il faut dire que, durant les années 1940, l'Église est trop sûre d'elle. Sans douter de son prestige, elle construit églises et séminaires ; elle s'installe dans la durée du pouvoir. Très attachée au pape, comme il se doit, elle se rappelle la France catholique en lisant Claudel, Mauriac, Daniel-Rops, Maritain, Gilson, Thibon et d'autres. Nos missionnaires parcourent toujours le monde ; plusieurs sont devenus évêques aux Antilles, en Afrique, en Asie, tandis qu'au Québec la vision médiévale de l'histoire se prolonge. C'est l'époque des grands combats contre le mal.

Dans les arts et les lettres, quelques noms de laïcs font oublier le conformisme reçu et le manque d'originalité de la culture religieuse du temps. Mentionnons le poète humilié Nelligan (+1941), le poète torturé Saint-Denys Garneau (+1943), sans oublier, bien sûr, leurs prédécesseurs prestigieux, F.-X. Garneau (+1866), premier historien national du Canada français, et l'admirable essayiste A. Buies (+1901). L'un des plus grands écrivains est sans conteste Alain Grandbois (+1975), qui publiera, entre les années 1933 et 1959, des œuvres en prose et de la poésie d'une élévation spirituelle étonnante au moment où, inquiet et craintif, il avoue sa peur de la mort et son incapacité de croire à la manière de ses parents.

Des prêtres nationalistes

Si nous nous en tenons aux clercs, le meilleur théologien du Canada français est monseigneur L.-A. Pâquet (+1942). Thomiste instruit, il est secondé dans son action intellectuelle par monseigneur Camille Roy (+1943), critique littéraire informé et complaisant, et bientôt par monseigneur É. Chartier (+1963), plus érudit. Le clergé fournira aussi, au milieu des années 1900–1960, deux écrivains d'une qualité humaine exceptionnelle : Lionel Groulx (+1967) et F.-A. Savard (+1982). Ardents nationalistes, mais selon des idéologies diverses, ils représentent les tendances de l'Église. Pour sa part, monseigneur Savard, déchiré entre son amour instinctif du Québec et ses souvenirs d'un Canada français élargi, désire un nouveau pays canadien. Le chanoine Groulx, lui, veut un État français en Amérique du Nord, quitte ensuite à discuter de sa forme. « Cet État français, nous l'aurons » proclame-t-il à qui veut l'entendre. « C'est l'heure de le dire, avec la certitude des forts : quoi que l'on fasse, nous durerons, nous survivrons et même nous grandirons » (16 sept. 1942).

Sur le plan de l'histoire globale de la culture québécoise, on parlera des années 1900–1950 comme étant la période de Groulx, tant cet homme polyvalent, actif, relié à la tradition, savant et cultivé a marqué et représenté son époque. L'épiscopat redoutera ce petit abbé en soutane militant toujours pour ou contre, mais il admirera sa ténacité et son courage. Informé et frondeur, prêt à tout réformer de la société traditionnelle à laquelle il souhaite plus d'authenticité et de réflexion en profondeur, Lionel Groulx a les audaces du croisé et il s'identifie à son « petit peuple », ce qui lui méritera peu à peu tous les honneurs possibles, dont celui de second historien national du Canada.

Déjà, en 1920, il voit l'importance de l'économie et de la politique pour une minorité menacée. Vite il opte pour la défense de la vie française en Amérique du Nord : « Pas une force au monde ne peut (arrêter) une nationalité qui garde son âme et son histoire. » Groulx n'a pourtant rien d'un sectaire. Il accepte l'Amérique en même temps qu'il veut le Québec, d'où le titre de la revue scientifique qu'il fonde en 1947 : *Revue d'histoire de l'Amérique française.* La confédération canadienne ? Elle a fait son temps. D'autant plus que le Québec s'y trouve sans cesse défavorisé par rapport à la communauté anglophone. À moins que le Canada ne devienne bilingue, le Québécois ne peut se retrouver chez lui. L'abbé Groulx formule tout haut ce que de nombreux Québécois disent tout bas depuis l'admission à l'Organisation des Nations unies de tant de jeunes nations. L'heure est aux rêves. Le Québec abrite un peuple, répète Groulx, pourquoi ne serait-il pas reconnu comme tel par les nations ?

Quelle sera l'attitude globale de l'Église catholique québécoise face à ces idées qui lui arrivent par la parole enflammée d'un de ses meilleurs prêtres et orateurs ? À cause de l'Évangile qui s'adresse à la conscience de l'homme responsable, l'Église n'a pas, en principe, à proposer une forme politique particulière ; elle entend plutôt promouvoir l'autonomie, le pluralisme, et respecter les choix divergents tout en demandant ouvertement que le peuple canadien-français soit reconnu comme peuple fondateur de ce pays. Loin d'être neutre, elle favorise les discussions et s'efforce d'éviter le piège d'une option politique unique. Animatrice des différentes ethnies catholiques, l'Église au Québec n'empêchera pas Groulx de parler en faveur de la « race » première, *sa* race.

Mort en 1967, après avoir beaucoup écrit et discouru, Lionel Groulx laisse les siens dans une incertitude presque consentie : celle de craindre les politiciens qui récupèrent périodiquement le nationalisme à des fins partisanes. Il a peut-être contribué indirectement à la création d'un parti québécois indépendant ; par ailleurs, il reconnaît que le pouvoir menace les meilleures idées. Jusqu'à la fin, il reste convaincu que la nation québécoise ne s'affirmera pas sans la fidélité à sa religion. Peu de militants nationalistes oseront le suivre sur tous ces points.

2. « La fin du Moyen Âge »

a. *Chiffres, dates et faits*

Quelques chiffres nous aideront à mesurer l'ampleur de la crise des quarante dernières années. En 1940, la population s'élève à 3 millions, en 1980 à 6 millions. En 1940, le Québec n'est plus rural qu'à 25 % et, en 1980, plus de 80 % de la population habite la ville.

Pour une religion à saveur rurale, faite de rites quotidiens et de soumissions presque complètes à la nature comme à ses horaires et à ses rythmes, l'improvisation urbaine, sa vie nocturne, ses impératifs du moment, sa puissance d'assimilation et surtout ses week-ends posent des défis personnels que peu de catholiques québécois sont en mesure de relever. Au point de départ, la paroisse urbaine s'inspire faiblement de la communauté rurale traditionnelle. La mobilité crée de nouvelles associations qui font oublier les anciennes solidarités. Des groupes informels naissent ici et là, qui supplantent la famille et s'inventent des façons de vivre. Le rituel religieux familial disparaît.

Dans les années 1950–1960, le Québec délaisse le thomisme pour le freudisme, l'agnosticisme et le marxisme vulgarisé. Les doutes remplacent la foi traditionnelle. « Feu l'unanimité ! » Finie la *priest-ridden province*, dont se moquaient quelques Torontois ! Celle qu'on a peut-être trop vite appelée la dernière société théocratique de l'Occident se dissout. La société québécoise se décléricalise à une vitesse telle que tous en sont surpris et parfois inquiets. Peu à peu le phénomène religieux traditionnel devient objet du patrimoine et il serait facilement mis au musée des souvenirs si des croyants plus alertes n'invoquaient l'urgence de sauvegarder vivante la culture religieuse québécoise.

Entre 1965 et 1975, l'école régionale remplace l'école paroissiale ; maintenant l'éducation échappe à l'emprise du curé. Les parents se trouvent désemparés devant la rapidité des changements et l'acuité de la crise. Une immense curiosité universaliste et interraciale s'empare des jeunes qui redoutent les institutions trop en place et ne veulent plus se laisser engager dans une religion définie.

Il a fallu à peine une décade pour que le clergé québécois perde sa crédibilité. Le jour où il n'est plus efficace, il paraît inutile. Entre temps des prêtres et des religieux, souvent prestigieux, se sont sécularisés ; certains ont retrouvé, en tant que laïcs professionnels, le goût du pouvoir que le milieu clérical ne pouvait plus leur offrir. Les vocations sacerdotales ont diminué de 75 % en l'espace de vingt ans : de 135 en 1960, elles sont passées à la vingtaine en 1980.

Les médias disent et redisent, à qui veut les entendre, que la religion est une question privée. Les *lignes ouvertes* à la radio et par la suite à la télévision offrent à chaque « cas de conscience » toutes les hypothèses et toutes les solutions possibles. Plusieurs estiment que « la religion entretient peu de liens avec la vie, qu'elle est une superstructure de l'existence et qu'en conséquence l'Église institutionnelle est inapte à répondre à leurs vraies interrogations ». La distance est si grande entre certains laïcs de plus en plus cultivés et cette Église *médiévale* qu'on voit difficilement le jour où les deux s'entendront.

Une telle crise était-elle à prévoir ? Bien oui. Déjà, en 1948, le cri prophétique du *Refus global* avait alerté une minorité. Deux ans plus tard, en 1950, de jeunes laïcs chrétiens militants, rattachés à la revue au titre provocateur de *Cité libre*, proclamaient ouvertement que le pouvoir politique valait la puissance cléricale, que la religion devait être une affaire de choix et non de tradition, qu'un certain socialisme ferait mieux que le nationalisme verbal de l'abbé Groulx. L'un des fervents antinationalistes québécois fut P.-E. Trudeau qui deviendra, dix-huit ans plus tard, premier ministre du Canada. Signe des temps encore en 1960, des catholiques s'engagent dans le *Mouvement laïque de la langue française* et revendiquent des écoles neutres et non confessionnelles. *Parti pris*, revue semi-socialiste lancée en 1963, situe le catholicisme comme l'idéologie d'une classe en train d'être dépossédée, alors qu'en même temps, de 1960 à 1965, presque tous les corps sociaux, associations professionnelles et ouvrières s'ouvrent à la voie large du pluralisme. Plus ou moins maladroitement selon les cas, plusieurs groupes cherchent à se débarrasser de l'Église traditionnelle.

S'il fallait en plus choisir les dates et les faits précis qui, au niveau des grandes décisions, ont le mieux signifié la fin du Moyen Âge québécois, nous parlerions volontiers de 1940, année où le suffrage féminin a été voté au Parlement de Québec malgré les subtiles oppositions de quelques clercs célèbres. Trois ans plus tard, le même Parlement optait pour la fréquentation scolaire obligatoire et forçait ainsi le peuple à s'instruire davantage. Faits plus déterminants : en 1958, on assiste à la création du ministère du Bien-être social et de la Jeunesse ; en 1961, à l'acceptation de la loi de l'assurance-hospitalisation ; puis en 1964, à la mise en place du ministère de l'Éducation. Ainsi le changement est radical et s'attaque aux habitudes acquises ; il va à l'essentiel des structures socio-politiques ; il oublie la paroisse, destitue les clercs et atteint la vie intime des gens. Maintenant les Québécois s'enrichiront et danseront au rythme de l'Amérique du Nord. Les politicologues ont parlé de *Révolution tranquille* ; l'expression est, on ne peut plus, exacte. L'accélération, imprévisible en 1940, a transformé en quelques années l'Église du Québec et dans son corps et dans son âme. Encore aujourd'hui, on s'interroge sur les conséquences et la brutalité d'un pareil phénomène.

b. Une révolution d'origine cléricale ?

Cette *Révolution tranquille* aurait-elle été amorcée par les clercs eux-mêmes ? Involontairement, on s'en doute, ils en ont assuré les premiers élans. Les quelques peintres et artistes québécois, à la remorque du mouvement surréaliste de Paris, avaient eu, en 1948, le pressentiment d'un changement prochain, mais ils étaient trop isolés du peuple et trop intransigeants en un sens pour accomplir adroitement ce que le clergé allait réussir. Il en fut ainsi pour la Renaissance et la Réforme : Wycliffe, Érasme, Luther et Calvin, chacun à leur manière, ne furent-ils pas des clercs ?

Sait-on qu'un clerc québécois, qui n'a pourtant rien d'un réformateur en titre, le père Émile Legault, c.s.c., avait dès 1937 osé proposer aux jeunes le théâtre, la scène, comme moyen d'éducation morale du peuple ? On se souvient que le père Noël Mailloux, o.p., fut le premier à enseigner Freud à l'Université catholique de Montréal dès 1942. Un autre clerc, le père G.-Henri Lévesque, o.p., introduisit l'étude des sciences humaines à l'intérieur de l'Université très cléricale de Laval en 1947 ; il demandait aussi la laïcisation des coopératives, ce qui lui entraîna des dénonciations redoutables. En 1947 également, nul autre que Lionel Groulx, prêtre, écrivait un dur réquisitoire sur le catholicisme québécois. Trois ans plus tard, le 14 février 1950, les évêques canadiens publiaient une lettre pastorale dans laquelle le problème ouvrier supplantait effectivement les préoccupations rurales traditionnelles. Quelques années après, deux prêtres de Québec s'élevaient contre la manipulation de l'électorat et invitaient les laïcs à réagir sur-le-champ. Entre temps, l'archevêque de Montréal était démis de ses fonctions pour avoir, dit-on, mal conduit sa barque et trop parlé en faveur d'une grève ouvrière. Rome même ne soupçonnait pas ce qui se préparait dans son Église du Québec jadis si soumise et si prête à épouser toutes les croisades catholiques du moment.

La mort du premier ministre Duplessis, en 1959, déclenche un déblocage verbal sans précédent. Le dossier amusant des *Insolences du Frère Untel* s'attaque à la manière dont l'éducation est reliée à la religion au Québec. L'auteur, Jean-Paul Desbiens, est frère mariste enseignant. Le père Henri Bradet, o.p., fonde la revue *Maintenant* qui s'acharne avec humour et précision à démasquer les retards de la catholicité québécoise. Laïcs et clercs feront désormais front commun pour dénoncer le pire. La Commission Parent qui prépare les fondements à la création du ministère de l'Éducation est présidée par un clerc, ancien recteur de l'Université Laval.

Au fait, et sans lui attribuer un mérite exclusif, la *Révolution tranquille* n'eût pas été aussi entière et aussi « gentille » sans la participation active des clercs qui en provoquèrent la nécessité. Si l'Église catholique n'avait pas subitement accepté de remettre l'administration d'œuvres importantes aux gouvernements et organismes laïques qui ne cessaient de la solliciter, il aurait fallu beaucoup d'efforts supplémentaires pour réussir ce virage dangereux. Le clergé était trop près du peuple pour ne pas comprendre son besoin de libération.

N'oublions pas, cependant, que durant les mêmes années 1960 s'amorce à Rome, capitale du catholicisme international, une autre révolution tranquille sous l'autorité bienveillante et rassurante de Jean XXIII. Pluralisme et œcuménisme deviennent à la mode. Convoqués à Rome pour le concile Vatican II, plusieurs évêques partent inquiets et désemparés, mais ils en reviennent paisibles et sereins. Face à tout le branle-bas québécois, face à l'accusation de tous les maux, ces évêques ne diront rien, ne condamneront personne. Ils s'efforceront de comprendre ce qui arrive à la catholicité d'ici. Désormais les marginaux, les athées, les agnostiques, comme les défavorisés et les pauvres, font partie de leur univers mental et toute la nation québécoise devient objet de leurs services, sans esprit de croisade, sans désir de conversion. En effet, l'Église québécoise reconnaissait que sa *sécularisation* avait commencé au moment où, par souci de suppléance, elle avait pris charge d'œuvres qui n'étaient pas de son ressort. Richesse et pouvoir ne sont-ils pas les signes d'une décadence spirituelle inévitable ?

Pourtant, bien que flagellée et souffrante, l'Église québécoise n'est pas aussi vaincue qu'on le pense. Elle se transforme, se purifie à mesure dans un sens favorable à l'essor du Canada français. Moins à la manière de la France qu'à la façon nord-américaine, elle propose depuis quelques années des attitudes évangéliques évidentes. Elle a perdu son prestige traditionnel, tandis qu'une génération nouvelle, étrangère à l'anticléricalisme émotif des parents, écoute, hésite, cherche. Maintenant libérée de ses servitudes légalistes et d'une puissance temporelle, elle peut être populaire. Grâce à une autorité plus discrète, elle s'offre un rôle plus efficace. Elle sait que les religions *ouvertes*, tel le catholicisme, constituent une fenêtre sur l'univers. Il restera à mesurer l'importance culturelle et historique de ce catholicisme qui aura duré pratiquement trois siècles sur un vaste continent à majorité protestante. Peu d'institutions auront démontré une telle force de cohésion.

L'Église catholique a-t-elle vraiment sauvé les Québécois, la langue française et les traditions, comme on le répète dans certains manuels d'histoire ? Elle a sûrement réussi à conserver le peuple canadien-français *from coast to coast* et favorisé l'essor de la nation québécoise. Il faut reconnaître qu'elle a eu quelquefois affaire à un conquérant habile, bon calculateur, compréhensif à ses heures. Mais, contrairement à ce qu'on a souvent dit, le lien entre la foi et la langue ne fut pas si fatal. C'est le peuple qui s'est sauvé lui-même par une résistance quasi instinctive de premier occupant. Habituée depuis toujours à résister à tout ce qui s'oppose directement à ses idéaux, l'Église fut pour lui une alliée étonnante.

c. Trois questions pour demain

Depuis ses origines, l'Église n'a en effet jamais lâché prise. Sa volonté de puissance n'a eu d'égale que sa force de résistance. L'erreur des ecclésiastiques de tous les pays a été de devenir, un jour, trop utiles temporellement à la société. Il en faut si peu pour changer une Église incarnée en corps politique. Après Clovis, il y eut Charlemagne, avec la chrétienté impériale, qui offrit à l'Église mille raisons de se mêler de tout. Le réseau des traditions chrétiennes, fortement abîmé, n'en garde pas moins la capacité de durer et de se renouveler. Après une période *mérovingienne*, l'Église purifiée du Québec cache-t-elle assez de vitalité pour s'imposer au peuple dispersé ? C'est une première interrogation.

Autre point. Le lien historique et comme tel irréfutable — on ne peut empêcher les faits d'avoir existé, même si on les renie — entre le caractère catholique du Canada français et l'évolution politique des Québécois oblige-t-il l'avenir ? Collectivement marqué par la religion catholique, le Québec ne pourra jamais s'expliquer sans elle. D'autre part, il n'y a pas de nécessité absolue entre *être Québécois* et *être catholique*. Notons que la civilisation québécoise, pour s'identifier, ne sera ni la première ni la dernière à se référer au christianisme. L'Occident reste essentiellement chrétien jusque dans ses négations. Comment les Québécois de l'an 2000 feront-ils la paix avec leur passé religieux sans perdre l'acquis de leurs parents ? et comment pourront-ils se donner en même temps une foi mieux éclairée ? Faut-il penser que l'Église catholique prendra, au Québec, une place semblable à celle qu'elle occupe présentement en France ? Témoin d'un passé chrétien remarquable dans une société qui n'est plus chrétienne, l'Église voudra-t-elle vivre, dans les villes surtout, comme n'importe quel organisme humain, en négociant à mesure sa survivance dans la future société québécoise ?

Évidemment l'avenir d'une religion — Freud l'a déjà noté — est empreint d'un caractère de grandeur que nos raisonnements humains ne sauraient toujours éclairer. « Opium du peuple » ou « sel de la terre », la religion des Québécois visera, d'ici l'an 2000, la libération des consciences en faveur d'un engagement vis-à-vis de la vie et du bonheur du pays. L'Église catholique composera coûte que coûte — et pourquoi pas ? — avec ce qu'elle appelait autrefois le matérialisme, l'urbanisme, l'industrialisme, les phénomènes de masse, pour redevenir, mais dans un sens plus démocratique, la religion d'un peuple identifié. Quel peuple ? demanderez-vous. Voilà un tout autre problème. Au rythme d'une histoire de longue durée qui tiendrait compte autant de ses origines médiévales que de la Révolution tranquille de ces dernières années, nous pourrions dire que le Canada reste encore, pour la nation tout court et pour l'Église, un projet à circonscrire plutôt qu'à définir, tandis que le Québec semble déjà un fait populaire acquis.

Les pages qui précèdent doivent beaucoup aux travaux de É. DELARUELLE (+1975), surtout au tome XIV de *l'Histoire de l'Église*, sous la direction de A. FLICHE et V. MARTIN (Paris, Bloud et Gay, 1964) ; à *La piété populaire au moyen âge*, Paris, Bibliothèque nationale, 1977, 473p. ; de même à Nive VOISINE, *Histoire de l'Église catholique au Québec (1608-1970)*, Montréal, Fides, 1971 (importante bibliographie, p. 95-110).

Voir *Communauté chrétienne (Religion populaire des Québécois)*, 16, 96 (nov.-déc.) Montréal, Institut de pastorale, 1977 ; J.-P. MONTMINY et S. CRYSDALE, *La religion au Canada, bibliographie annotée... (1945-1970), Religion in Canada, annotated inventory... (1945-1972)*, coll. « Histoire et sociologie de la culture », n° 8, Québec, Les Presses de l'Université Laval, 1974, 189p. ; Raymond BRODEUR, « L'histoire de l'Église du Québec : état et orientation des travaux québécois », *Revue d'histoire de l'Église de France*, 67, 178 (janv.–juin 1981) : 91-110.

Image de grand format des années 1900.

2

LE « DIEU MERVEILLEUX
DES QUÉBÉCOIS »

A. Dieu dans la religion populaire
franco-québécoise
Sondages et perspectives [1]

Par enquêtes, sondages et moyens audio-visuels, plutôt que par des études en règle avec échantillonnages calculés, nous cherchons, depuis quelques mois, à savoir la manière dont notre peuple se représente Dieu. Notre intention est de percevoir, à travers des signes jamais regroupés en preuves, comment les gens de chez nous ont voulu et ont pu *voir* Dieu partout. Aussi nous plaçons-nous à trois niveaux d'information, selon le schème présocratique : *primo*, ce qui a été vu ; *secundo*, ce qui a été entendu et *tertio*, ce qui a été écrit.

Expressions visuelles de Dieu

Du point de vue visuel, nous nous sommes mis en face de beaucoup d'images pieuses ; les statues, les sculptures et les grands tableaux sont plus rares. L'image la plus courante tient évidemment à

1. Extrait de *Communauté chrétienne*, 10, 58-59 (juill.–oct. 1971) : 236–247.

une longue hérédité médiévale latine et même byzantine : Dieu, père ou grand-père, émerge d'une nuée dans l'hémisphère céleste ; il est au sommet de l'espace. On dirait qu'il veut sortir du dessin. Il paraît inflexible comme un Christ Pantocrator. Barbu, parfois nimbé, abondamment habillé, il appartient de droit — il suffit de le regarder — à la sphère supérieure. Même notre « beau Dieu » à nous, comme les Français ont celui d'Amiens, sculpté en bois polychrome et que nous pouvons voir au Musée du Québec[2], garde, avec son visage de bonté, l'aspect souverain des plus anciennes icônes.

En outre, nous avons été à même de constater l'importance des représentations de la Trinité dans notre culte traditionnel. Images et tableaux montrent le Fils au centre du dessin. Le Père s'y trouve, mais plus haut, encore dans les nuages et dans beaucoup de nuages ; il est isolé au milieu d'anges qui se balancent ou qui lui tournent le dos. Quant à l'Esprit Saint, représenté par une colombe, il est comme emprisonné entre le Père et le Fils et souvent dévalorisé par une situation de troisième plan. Voilà qui exprime assez bien la théologie plutôt floue de l'Occident à propos du Saint Esprit.

Cette imagerie traditionnelle, importée surtout de France et d'Italie, entre dans les maisons et les écoles du village et du rang. Distribuée comme récompense par le maître, la maîtresse, la Sœur, le Frère ou un prêtre visiteur, l'image de la Trinité se trouve parfois collée sous une statue du Sacré Cœur ou de la Vierge. C'est la confusion la plus totale !

Une lithographie de 1892, déposée encore au Musée du Québec, nous montre deux trinités : celle du ciel et celle de la terre. La première est formée du Père, du Fils et du Saint Esprit : c'est la Trinité du culte officiel que nous retrouvons dans nos célèbres catéchismes en images, imprimés à Paris par la Maison de la Bonne Presse et méthodiquement distribués dans les écoles du Québec jusqu'aux années 1950. L'autre trinité, celle de la terre, fait davantage partie du culte domestique : c'est Jésus, Marie et Joseph.

Même si cette imagerie est à peu près disparue vers 1970 et que les distributeurs d'images sont devenus des marchands de jouets et de disques, il ne faudrait pas oublier pour autant que notre devise est *Je me souviens*. Les requêtes éternelles du peuple pour exprimer le besoin de visualiser leur Dieu, au moins par un dessin, durent. Sans représentation, Dieu devient comme absent. De toute manière l'être humain a

---

2. Musée du Québec (A-62-33-S). Bois polychrome, n. 271/2, L. 76.

besoin d'images, ce qui explique le goût du dessin sacré chez les enfants.

Une autre représentation de Dieu, plus ambiguë dans l'esprit populaire, est celle du crucifix vers qui on apprend à se tourner très tôt comme vers le Bon Dieu ou vers le « Petit-Jésus-qui-est-le-Bon-Dieu ». Le crucifix est partout, dans chaque pièce de la maison et jusque dans les bâtiments annexes. Il chasse, en général, l'image du Père et montre le Fils mort. Les conversations qui l'entourent sont significatives d'une divinité mal perçue, puisqu'il s'agit le plus souvent du « Bon-Dieu-qui-est-mort-pour-nos-péchés ». La pensée de la résurrection paraît lointaine. En un sens, Dieu le Père n'a jamais eu de chance dans notre catholicisme ancestral. Ni Jésus adulte. Quant au Saint Esprit, n'en parlons pas trop !

Le témoignage de la tradition orale

Nous nous devions de consulter la tradition orale. Ses plus anciens « documents » sont répertoriés aux archives de folklore de l'Université Laval et au Musée national de l'Homme, à Ottawa. Les témoignages sont nombreux et non équivoques. Il faut choisir. Prenons les *contes*, par exemple. Dieu est là. On l'appelle l'Éternel, le Tout-Puissant. Magicien à ses heures, mais surtout justicier public, il est le Bon Génie qui récompense les bons et punit les méchants. Son grand adversaire omniprésent et subtil est le diable, le seul personnage dont on parle autant que du Bon Dieu.

Dans les contes encore, Dieu apparaît comme un seigneur à qui il faut plaire, ou comme un roi à qui il ne faut pas déplaire. Il est content ou il est menaçant : « Dieu te guette », « Dieu t'a rejoint » ou « Dieu le saura » ; « Dieu a parlé et ton heure a sonné ». Présence envahissante.

Dans les cantiques, depuis les célèbres *Cantiques de l'âme dévote* du XVIIᵉ siècle[3], on adore Dieu *Majesté suprême, Astre divin*, etc. Comment ces mots officiels ont-ils marqué la sensibilité populaire ? C'est difficile à savoir. Il vaudrait mieux peut-être interroger la chanson traditionnelle. Déjà, à la lecture du recueil de Conrad Laforte[4], on est étonné du caractère *intime* de la représentation de Dieu propre à nos gens. Le Dieu de nos chansons n'obéit pas à la

---

3. Cf. Laurent DURAND, *Cantiques de Marseilles* [sic]. Une « nouvelle édition augmentée », à Paris, date de 1854. La 4ᵉ édition était de 1688.

4. *Le Catalogue de la chanson folklorique française*, coll. « Les Archives de folklore », Québec, Les Presses de l'Université Laval, 1977–1983, 6 vol.

théologie classique de nos chants d'Église. Dans la chanson, Dieu est vite localisé. Il est en haut, en bas, au Paradis ou de l'autre bord. Il commande, il ordonne même la vocation religieuse ou le mariage ; il bénit, il maudit, il châtie. Pourtant, c'est le Bon Dieu. Homme du peuple et homme d'Église, le chanteur lui prête volontiers des intentions immédiates et parfois des agissements qui feraient rougir nos moralistes les plus libéraux. C'est ainsi que son Dieu — et nous rejoignons la tradition médiévale — protège les amants, prépare les unions les plus scabreuses ; il apporte de l'argent, beaucoup d'argent, dont il ne sait pas toujours la provenance ; il invite à boire, à manger. C'est un Dieu familier, si l'on peut dire, qui s'accommoderait assez bien des *petites légèretés humaines.*

Signalons, pour les intéressés à l'évocation de Dieu dans les milieux maritimes, l'importance du folklore acadien où se trouvent tant de Québécois. Quelle foi ! Leur Dieu est celui du cosmos ; Dieu à la fois redoutable et fort, maître du vent et de la marée, Dieu des tempêtes et des naufrages. Il agit à distance ou par des intermédiaires. Contre les vaisseaux-fantômes, contre des fées mal apprivoisées et un golfe souvent sournois, alors que les hommes en mer jurent, les femmes à la maison prient le Tout-Puissant et tout finit par se taire : la mer, les hommes et... les femmes [5].

Une tradition orale qui a tant parlé de Dieu ne peut que rester vivante, parfois malgré elle. Tout ce que les chansonniers et les diseurs rapportent aujourd'hui de dictons et d'expressions est énorme. L'a-t-on jamais remarqué ? Dans les conversations quotidiennes, dans les salons les plus tumultueux, on entend entre deux verres : « Mon Dieu ! Mon Dieu ! À la grâce de Dieu ! Je ne suis pas le Bon Dieu ! Dieu merci ! Dieu sait si... ! Grand Dieu ! Le Bon Dieu le veut ! Le Bon Dieu te le rendra ! » Langage courant, mots courts, peu de réflexion. Le peuple ignore les savantes distinctions entre le sacré et le profane et il mêle Dieu à toutes les causes. Les plus dévots diront qu'on peut « faire de la peine au Bon Dieu » comme on peut « lui faire plaisir ». D'autres parleront de « porter le Bon Dieu au malade » ; de « donner son cœur à Dieu » ; de payer « la part de Dieu ». À Montréal, on aura connu le célèbre *Bon Dieu en Taxi* du père Paul Aquin, Dieu allant d'un parc de stationnement à un autre, précédé de quelques motocyclettes policières. On dit, sans trop y penser, la « Maison du Bon Dieu où il faut se taire à

---

5. *V.g.* C. JOLICŒUR, *Le vaisseau-fantôme : légende étiologique*, coll. « Archives de folklore », n° 11, Québec, Les Presses de l'Université Laval, 1970, 337p.

cause que c'est défendu de parler devant le Bon Dieu » ; on véhicule de même une toponymie significative, par exemple l'Hôtel-Dieu.

Drôle de théologie, mais théologie quand même, qui n'est certes pas celle des universités. Elle reflète une certaine sensibilité et l'intuition que Dieu est un être surtout bon et essentiellement présent partout.

La liste des mots populaires serait interminable, si nous ne voulions pas rendre compte tout de suite d'une enquête que nous avons dirigée, mais qui a été effectivement assurée par une cinquantaine de jeunes étudiants de Montréal et de Saint-Hyacinthe. La question était unique : « Qui est Dieu pour toi (vous) aujourd'hui ? » Les réponses sont venues de plus de cent personnes, allant de 101 ans à 4 ans. Les plus hésitants à s'exprimer sur Dieu furent, notons-le, les gens plus âgés ; nous aurions dit qu'ils étaient plus sensibles au mystère.

« Qui est Dieu pour vous ? »

101 ans : Dieu, c'est tout pour moi.

99 ans : Dieu ? c'est difficile à dire.

95 ans : Je ne sais pas encore.

92 ans : Dieu : l'Être suprême.

85 ans : C'est l'auteur du monde. Mon bienfaiteur. Je veux croire en lui.

80 ans : L'Être suprême. Un juge miséricordieux. Tout ce qui est beau, il l'a fait.

70 ans : (une religieuse) Je ne peux pas vous répondre. C'est lui qui m'a appelée.

65 ans : (une malade) C'est mon soutien. J'ai confiance. C'est un intime.

60 ans : C'est lui qui a créé le monde. Il est au-dessus du monde.

55 ans : L'Amour avec un grand A.

50 ans : (femme) Je lui dis tout. Je ne serai pas déçue. C'est tout... C'est les pauvres, les enfants.

48 ans : C'est notre Père. Il est parfait. Il nous connaît mieux que nous.

40 ans : (femme) C'est bien des choses, un ami, un père. C'est mes joies, mes peines. C'est un maître. Il a souffert pour nous aimer. Il est juste ; il aime tout le monde, il nous éprouve pour nous donner l'éternité.

33 ans : Un être supérieur, suprême.

30 ans : (femme) Un être au-dessus, une âme, le contraire du diable.

30 ans : (agnostique) Dieu : le truc des femmes catholiques pour fuir les hommes. L'insaisissable. De la pure fantaisie.

25 ans : Dieu, c'est la vie.

25 ans : (une religieuse) Un être très loin, très près.

21 ans : (étudiante) Je le cherche.

20 ans : (filles de bureau) L'Être qui nous permet de travailler, de vivre et d'aimer... Quelqu'un que je voudrais connaître. Un symbole pour des principes.

20 ans : C'est le Christ avec nous. Dieu? il anime la platitude de nos vies.

19 ans : (fille) Quelqu'un qu'on ne voit pas ; à qui on ne peut pas parler.

18 ans : Il est au-dessus de la nature.

16 ans : (garçon) Un Être au-dessus de moi.

13 ans : (fille) Il m'a donné la vie. Un Être pas sévère, compréhensif.

Chez les enfants [6], les réponses varient beaucoup plus. Les uns répètent, d'autres interprètent, plusieurs imaginent. Laissons tomber volontiers ce qui relève proprement de la catéchèse officielle et notons que, dans la plupart des cas, l'image d'un Dieu grand-père ou d'un Dieu policier est maintenant disparue. Les plus petits ont « leur » théologie qui n'est pas si difficile à comprendre...

- Dieu s'appelle Seigneur, mais c'est le même que Jésus.
- Dieu est le Seigneur. On l'entend souffler, des fois.
- Dieu est né avant moi : c'est mon ange gardien.
- On ne le voit pas.
- C'est celui qu'on ne connaît pas.
- Je ne me souviens plus.
- C'est Jésus qui fait pousser les pommes et les poires qu'on mange. Et il nous donne du pain aussi.
- Dieu est sur la croix et il descend quand il est fatigué.
- Dieu est dans le ciel : maman me l'a dit.
- C'est le bébé à Marie.
- C'est un petit garçon.
- Dieu m'apporte du chocolat quand je dors et, à mon frère, il a donné un petit train.
- C'est celui à qui on fait sa prière le soir.

Réponses simples, celles de tous les enfants chrétiens du monde. Il était bon de les rappeler pour montrer l'importance de la tradition

---

6. On pourrait consulter à ce sujet : Marie GÉRIN-LAJOIE, *La notion de Dieu chez l'enfant d'âge pré-scolaire*, thèse de licence en psychologie, Université de Montréal, 1962, 140p. ; pour son aspect documentaire : Bernard MAILHIOT, « Et Dieu se fit Enfant : réactions d'enfants et de groupes à l'âge pré-scolaire », dans *Cahiers de psychologie religieuse*, 2, Bruxelles, Éd. *Lumen Vitae*, 1961, p. 115–127. À propos des enfants d'autres milieux, J.-P. DECONCHY, « L'idée de Dieu entre 7 et 16 ans. Base sémantique et résonnance psychologique », dans *Lumen Vitae*, 19 (1964) : 277–290.

orale encore vivante, quand il s'agit de la représentation de Dieu. Faut-il ajouter que cette tradition, portée à *charrier*, comme toute tradition, aura nécessairement besoin, un jour ou l'autre, d'un texte pour la conduire au vrai Dieu, père et ami de l'humanité ?

Le témoignage de la littérature traditionnelle

Pouvons-nous, à travers l'imprimé, bien que l'imprimerie ne soit venue au Québec qu'au XVIIIe siècle et que nous ayons eu jusqu'en ces dernières années un nombre imposant d'illettrés, percevoir la représentation populaire traditionnelle de Dieu ? Nous disons bien : *populaire* et *traditionnelle*. Les théologiens et les philosophes, peu nombreux à écrire, n'ont proposé au peuple qu'un Dieu du livre : Dieu infini, Dieu traduit par des énoncés reçus, venant le plus souvent du latin. Les preuves de l'existence de Dieu, qui circulent dans les collèges et les séminaires, restent lettre morte dans la vie courante. D'autre part, les livres mystiques se font rares.

Notons que les premiers textes importés en Nouvelle-France associaient Dieu et le Roi. Peu à peu, surtout après 1760, l'interprétation des faits a été plutôt ambivalente : les uns voyaient la conquête comme un châtiment, les autres y trouvaient la bonté divine qui nous épargnait les misères de la Révolution française. Certains ont douté de l'amour de Dieu pour les hérétiques protestants, tout au plus ils les ont faits les instruments de la Providence pour éprouver les *bons* catholiques.

Le peuple ignore ces subtilités, comme il ignore les analyses de la théologie académique. Il est intéressant de remarquer que même chez nos meilleurs écrivains ecclésiastiques, tels les historiens J.-Amédée Gosselin, Henri Têtu et Lionel Groulx, nous trouvons comme deux registres de langue et de pensée pour parler de Dieu. Dans les sermons, les retraites, les conférences spirituelles, apparaît la plus stricte doctrine de l'Église, alors que dans la vie privée le vocabulaire évoque un Dieu familier. Le chanoine Groulx, par exemple, utilise dans sa prédication les nominatifs et adjectifs les plus officiels, alors que dans l'intimité les mots renvoient à un Dieu simple. Je dirais notre vrai Dieu !

Ce sont plutôt les journaux, les annales, les almanachs, les bulletins paroissiaux et diocésains qu'il faudra dépouiller et étudier pour retracer, à partir de la source imprimée *populaire*, la manière dont le peuple ordinaire voit Dieu dans la vie de tous les jours. Tout est à faire. Méfions-nous de l'idéologie qui précède la recherche et du danger d'utiliser l'exemple ou l'échantillonnage comme preuve. Pour parler de divinité le mystère s'impose ; la marge entre le signe et le signifié est illimitée.

Il serait bon de consulter les romanciers et les poètes de chez nous. De préférence les romanciers, car les poètes, plutôt prophètes que témoins, ne représentent pas toujours l'âme populaire. Ils furent, cependant, avec les artistes, les premiers à s'attaquer aux faux dieux de la religion traditionnelle. À ce sujet, l'enquête d'Axel Maugey révèle une présence permanente de la *déité* parmi nous [7].

Les romanciers, par exemple Philippe Aubert de Gaspé, Ringuet, Roger Lemelin, relient Dieu à la vie quotidienne. Les renseignements qu'ils donnent sont révélateurs. Ainsi *les Anciens Canadiens, Trente arpents, Au pied de la pente douce*, etc., montrent la mère, première catéchète du foyer. Dieu y est identifié : ou c'est le petit Jésus, dans *Maria Chapdelaine* ; ou c'est un père, plutôt un grand-père fort sérieux, dans *Bonheur d'occasion* et *Rue Deschambault*.

> Dans notre cuisine, au-dessus de la machine à coudre de maman, il y avait Dieu justement, je veux dire le Père. Au bas de l'image se trouvait la Sainte Famille ; Jésus était jeune ; Marie et Joseph assis ; ils avaient l'air de gens comme nous, contents d'être tous trois ensemble ; et, parfois, je m'imaginais que la chaleur de notre gros poêle les réjouissait eux aussi. Mais Dieu le Père se tenait seul dans un nuage. Étaient-ce ses sourcils froncés qui lui donnaient cette expression de toujours vouloir nous prendre en faute [8] ? »

Dans *Bonheur d'occasion*, la maman invite à prier beaucoup parce que Dieu est distrait : il faut le rappeler à l'ordre.

D'autres romanciers, tels Robert Charbonneau et André Langevin, parlent d'un Dieu terrible, si terrible qu'il est au-delà de toute paternité.

On reste loin du mot naïf et tendre de cette bonne enseignante qui, un jour, mit son école en prière en disant : « Prions, mes enfants, pour que Dieu n'ait pas trop de misère aujourd'hui, le monde est si méchant ! »

*
*   *

---

7. Voir l'article d'Axel MAUGEY, *Communauté chrétienne*, 10, 58-59 (juill.-oct. 1971): 248–261.

8. « Le Titanic », dans *Rue Deschambault*, Montréal, Beauchemin, 1955, p. 81.

Notre lecteur comprendra les limites de cet exposé. Qui sait ce qui se passe dans le cœur de l'homme à la recherche de son Dieu ? Qui connaît la manière dont Dieu se présente lui-même à l'homme ? Ce que nous savons de nos ancêtres dans la foi est extérieur. De toute façon, jamais ne leur serait venue l'idée de renier Dieu. Nier, c'est l'affaire *des gens qui ont de la grosse instruction.*

Encore aujourd'hui, et malgré les prodiges de la catéchèse, le peuple québécois risque de se représenter Dieu d'une double manière : Dieu à l'église, Dieu académique, Dieu lointain, celui de la murale de la chapelle du Sacré-Cœur à l'église Notre-Dame de Montréal [9] ou celui de la peinture conservée à la maison mère des Sœurs Grises [10] ; puis Dieu à la maison, Dieu de la famille, Dieu accommodé et accommodant, compréhensif et capable de pardonner. Comme disait tendrement un blasphémateur expérimenté de Bellechasse : « Le Bon Dieu, au fond, c'est un bon diable. »

Il n'y a peut-être que la vie intérieure, voire la souffrance et la méditation, pour permettre à l'image extérieure et aux mots aussi de faire leur chemin *au-dedans de nous*, en purifiant à mesure, les niant au besoin, les représentations du Seigneur. Ainsi le dernier des croyants a autant de chance que le premier des théologiens.

B. Le « Dieu merveilleux » des Québécois [11]

Comment parler du Dieu merveilleux des Québécois sans connaître au préalable les vies individuelles souvent vécues dans la difficulté et l'épreuve et sans tenir compte surtout de l'insondable cœur humain ?

---

9. Murale détruite par le feu depuis. Cf. J. Russel HARPER, *Painting in Canada. A History*, Québec, Les Presses de l'Université Laval, 1966, p. 239-240, traduction française, 2ᵉ éd., 1970.

10. Cf. peinture du *Père Éternel*, exécutée en 1741 à la demande de Mère d'Youville. Ce tableau fut sauvé de l'incendie de 1765 et il est conservé à 1190, rue Guy, Montréal.

11. Extrait de *Le Merveilleux. Deuxième colloque sur les religions populaires 1971*, Fernand DUMONT, Jean-Paul MONTMINY et Michel STEIN, dir., coll. « Histoire et sociologie de la culture », nᵒ 4 (Québec, Les Presses de l'Université Laval, 1973) : 67-81.

L'image de Dieu appartient, en outre, comme celle du bonheur, à l'expérience et aux rêves des hommes. Il nous faudrait poursuivre longtemps encore nos enquêtes auprès des masses avant de pouvoir raconter convenablement l'expérience religieuse des Canadiens québécois francophones.

Déjà nous savons que les représentations de Dieu ont été multiples à travers les siècles [12]. Quelle distance entre le triangle trinitaire, l'œil fixe, la main tendue, et le Créateur majestueux de Michel-Ange ! Même avec les travaux des historiens de l'art, depuis Didron jusqu'à Réau et Émile Mâle, avec les études spécialisées des théologiens et des penseurs comme Tillich, Ricœur, Robinson et autres, Dieu reste mystérieux et déborde les cadres de toute analyse textuelle et empirique [13].

Pour en venir plus immédiatement au *Dieu merveilleux des Québécois*, constatons en premier que le thème est neuf [14]. Les considérations plutôt rapides d'un Ernest Gagnon et d'un Jean Le Moyne [15] ont ouvert la voie aux études documentées et riches en perspective de

---

12. Voir les indications bibliographiques et les rapides résumés de la *New Catholic Encyclopedia*, VI, p. 535–576.

13. Les revues spécialisées réussissent difficilement à mettre leur bibliographie à jour, tellement le Dieu des chrétiens fait « problème ». Ceci est probablement dû au fait que « notre Dieu », contrairement à Mahomet par exemple, peut être incarné dans un « fils », vérifié « en son Esprit ».

14. L'histoire du Canada français, comme celle du Québec qui en est l'origine, commence chronologiquement au XVIe siècle, au moment où celle du Moyen Âge s'achève. Même ce XVIe siècle, dont les Canadiens francophones dépendent plus immédiatement, est plus médiéval qu'on ne le croit. Issus de familles françaises européennes, les premiers colons d'ici ont été écartés de deux événements mondiaux qui ont quelque peu brisé la ligne de l'histoire : la Réforme protestante qui délaisse la papauté et la Révolution française qui abolit la monarchie. Ainsi, il semble que les francophones d'Amérique seraient des héritiers directs du Moyen Âge français. C'est ce que confirme l'étude du folklore et des institutions du Québec traditionnel. On voudra bien se rappeler aussi que la première imprimerie canadienne ne date que de 1764, tandis que l'instruction n'est devenue obligatoire au Québec qu'en 1943 (*sic* !).

15. Ernest GAGNON, s.j., *l'Homme d'ici*, coll. « Constantes », 3, Montréal, éditions HMH, 1963, p. 179–190 ; Jean LE MOYNE, *Convergences*, coll. « Convergences », Montréal, éditions HMH, 1961, p. 46–66.

Colette Moreux [16], Louis Rousseau [17], Raymond Lemieux [18], etc. Beaucoup d'enquêtes furent introduites surtout dans les milieux scolaires [19].

Nous écrivons *Dieu merveilleux* sans oublier que notre Dieu est un et trois. S'il s'agissait du *Christ merveilleux québécois*, nous irions tout de suite aux images pieuses et dévotes, aux crucifix, aux crèches en vente encore chez Eaton, chez Pollack et ailleurs. Il y aurait peut-être à vérifier, en plus, la figuration de l'Esprit Saint par une colombe.

Notre étude porte sur les représentations du Dieu unique identifié tantôt comme l'Être souverain, tantôt comme le Père. Pour cette recherche, nous utiliserons les sources qui renvoient aux trois étapes traditionnelles du savoir humain : la source visuelle, le savoir oral et finalement la source écrite qui confirme, récupère ou simplement survient pour conserver l'information audio-visuelle, lieu par excellence des cultures populaires.

1. Sources visuelles

a. Dieu autrefois

Dieu étant partout, selon la réponse des petits et des grands catéchismes du Québec, il est normal que l'homme de la Nouvelle-France se retrouvant, à cause de son histoire, tour à tour Français

---

16. Colette MOREUX, *Fin d'une religion ? : monographie d'une paroisse canadienne-française*, Montréal, Les Presses de l'Université de Montréal, 1969, xli, 485p. ; « Le dieu de la Québécoise », *Maintenant*, 62 (févr. 1967) : 66–68.

17. « Une image globale des représentations de Dieu dans la théologie de Québec au XVIIIᵉ siècle », dans *Église et théologie*, 2, 2 (mai 1971) : 185–195 ; R. A. JONES, *l'Idéologie de l'« Action catholique », 1917–1939*. Thèse de doctorat ès lettres (Université Laval, 1971, p. 95 et suivantes) qui démontre comment, dans ce journalisme officiel, Dieu apparaît le juge suprême des peuples ; il châtie, il peut aussi à l'occasion et même à la dernière minute tout arranger, arrêter les guerres s'il le faut. Cette thèse a été publiée plus tard (1974) en un livre intitulé *L'idéologie de l'« Action catholique » 1917–1939*, coll. « Histoire et sociologie de la culture », 9, Québec, Les Presses de l'Université Laval, 359p.

18. Raymond LEMIEUX, « Dieu de pouvoir et Dieu de fête », *Église et théologie*, p. 242–257.

19. Marie GÉRIN-LAJOIE, *La notion de Dieu chez l'enfant d'âge pré-scolaire*, thèse de licence en psychologie, Université de Montréal, 1962, 140p. ; Bernard MAILHIOT, « Et Dieu se fit Enfant : réactions d'enfants et de groupes à l'âge pré-scolaire », dans *Cahiers de psychologie religieuse*, 2, Bruxelles, Éd. *Lumen Vitae*, 1961, p. 115–127.

français, Canadien français, puis Québécois, Acadien, Ontarien, Loui-
sianais ou Français de l'Ouest, cherche à retracer ici et là le Dieu de ses
pères en même temps qu'il veut le montrer par signes et faits.

Un des premiers bateaux arrivés d'Europe, en 1611, s'appelle *la
Grâce de Dieu*[20]. Que n'a-t-on pas fait ou dit au début de notre colonie
française *pour la plus grande gloire de Dieu...* et du Roi? On sait la
dévotion chère à Marguerite d'Youville pour le « Père Éternel », objet
de sa grande confiance. À l'occasion de la guérison du cofondateur de
son institut, le sulpicien Louis Normant, elle fit exécuter en France une
peinture du *Père Éternel*. Ce tableau de 1741, sauvé de l'incendie de
1765, se trouve chez les Sœurs Grises, à Montréal. Une lettre de
sœur Marie Doucette[21] rappelle la « très large diffusion d'images
du même Père Éternel. Les requêtes nous parviennent encore ».
Comment le représente-t-on? Un Dieu merveilleusement fort, stoïque,
assis, aux mains largement étendues; il a la tête haute et fière
et les yeux baissés; sur un fond de nuées colorées apparaît un triangle
lumineux. Nous sommes dans la tradition médiévale du *Père Éternel*, à
laquelle le langage courant de nos compatriotes se réfère encore
aujourd'hui. Il faudrait alors identifier tous les *Pères Éternels* du
Québec, ceux de son Musée officiel, les sculptures en bois polychrome,
les ouvrages magnifiques des Levasseur, des Baillairgé, sans oublier cet
inimitable *Père Éternel* (vers 1768) provenant de l'église Saint-Vallier
de Bellechasse[22]. À chaque œuvre il y a ambivalence entre la bienveillance miséricordieuse du visage et la stature hiératique qui l'ennoblit.

Là où Dieu apparaît moins merveilleux, à notre avis, c'est dans les
catéchismes illustrés[23] de la Bonne Presse, vers les années 1930. Lourd,

---

20. Cf. Pierre BIARD, *Les Relations des Jésuites*, tome 1, Éditions Thwaites,
    1610–1613, p. 144.
21. Datée du 20 avril 1971.
22. Cf. MUSÉE DU QUÉBEC, *Sculpture traditionnelle du Québec*, Québec,
    Éditeur officiel du Québec, 1971, p. 114, aussi p. 44-45.
23. Les éditions de ces *Catéchisme en images* de la Bonne Presse sont
    nombreuses; elles jouissent de la recommandation des autorités scolaires.
    Les plus célèbres de ces catéchismes comptent jusqu'à 68 gravures sur
    bois, accompagnées d'une explication, au moins les deux tiers de ces
    images renvoient à l'Ancien Testament; cf. image II (*Catéchisme en
    images*): Dieu le Père est un grand-père aux yeux fixes, il tient dans ses
    mains la croix sur laquelle se trouve son Fils (notons que le thème de
    Dieu le Père portant son Fils en croix est celui d'un célèbre médaillon
    d'un vitrail de Saint-Denys et de l'évangéliaire de Perpignan (É. MÂLE,
    l'Art religieux du XIIᵉ siècle en France, Paris, A. Colin, 1947, p. 182 et
    suivantes); image III (p. 11): le Créateur méditatif préside à la création
    des six jours avec des gestes de magicien tout-puissant.

trop lourd sera l'héritage. Il suffit de considérer l'imagerie qui en découle dans les catéchismes de Victorin Germain, de Lucien Pagé et de leurs héritiers[24]. On présente Dieu debout ou assis, nimbé ou enveloppé dans les nuages. Personnage sévère qui tient les Tables de la Loi dans ses mains ou les porte sur ses genoux ; le Créateur du monde observe et légifère. Parfois, seul un œil isolé dans un triangle lumineux est dessiné, tandis qu'à distance on voit des anges agenouillés. Pour tous, le *Père Éternel* est un vieillard, sorte de Crésus qui vient demander des comptes.

Nos ancêtres ont-ils vu Dieu aussi souvent qu'ils ont vu le diable : par apparitions, dans leurs rêves, en imagination ? Il semble que non. Rappelons qu'au Québec traditionnel on parlait plus des apparitions que de la résurrection. Le désir de voir Dieu n'a jamais manqué, encore moins celui de le visualiser, mais aucune expérience visuelle individuelle de Dieu n'a été rapportée. Ce sont les âmes, les saints, parfois le Christ, surtout le Christ enfant, qui retiennent l'attention.

b. Mais aujourd'hui ?

L'imagerie traditionnelle pratiquement disparue des écoles et des maisons demeure cependant présente à bien des esprits. Le besoin intime d'un être protecteur et la volonté de croire à un Dieu réel, vivant, quotidien, familier, sont tenaces. C'est au nom de Dieu, un Dieu « qui se mêle de nos affaires », que nous aurons vu circuler dans les années 1960, à Montréal, un service mobile du culte nommé *Le Bon Dieu en Taxi* et qu'aujourd'hui encore nos quêtes d'église s'appellent *la part de Dieu*. Nous nous éloignons très vite du merveilleux.

Quant aux pentecôtistes et aux charismatiques qui se multiplient, il est évident qu'ils désirent plutôt une expérience *merveilleuse*, partagée et collective, qui s'exprime par des mots, des silences, des regards concertés, des yeux levés ou dirigés vers le haut. Ce goût de visualiser l'Invisible rejoint probablement leurs désirs mystiques.

À l'école catholique renouvelée, il est désormais question du Père, être amical. Il serait intéressant de savoir comment, par gestes et dessins, les enfants se représentent ce Dieu paternel vers qui ils marchent. Entre temps, certains continuent à blasphémer le Dieu en image de leur enfance. *Chez Dieu*, boîte psychédélique jadis logée au

---

24. Victorin GERMAIN, *Catéchisme pittoresque à l'usage des commençants, de leurs parents et de leurs maîtres*, 1re éd., Québec, 1931, 180 gravures ; le *Catéchisme* de Lucien PAGÉ, c.s.v., connaît plusieurs éditions après 1936, Dieu y est représenté sous le signe de l'œil.

sous-sol de l'hôtel Iroquois, place Jacques-Cartier, à Montréal, était doucement blasphématoire. Le besoin du merveilleux et de l'insolite demeure. On peut dire que notre peuple n'a jamais perdu de vue son Dieu devant qui il est tout aussi prêt à s'émerveiller qu'à injurier.

2. Sources orales [25]

a. La référence aux mots

Les croyants de la *religion traditionnelle* ont parlé et parlent encore plus qu'ils ne lisent et n'écrivent. Leur Dieu, ils le montrent du doigt en pointant l'index vers le haut, mais leurs mots signifient qu'ils le croient partout en même temps, en bas aussi bien qu'au paradis.

Faudrait-il aussitôt interroger les contes ? Les folkloristes nous invitent à considérer plutôt les légendes, sans oublier les souvenirs, les prônes, les leçons de catéchisme et les sermons des retraites ; à noter au passage les blasphèmes et les « sacrures » propres au milieu, vocabulaire particulièrement significatif d'une divinité à la fois étonnante et quotidienne.

Les tournures populaires vont bon train. Ainsi, connaître son catéchisme : questions et réponses toutes ensemble, parfois les chiffres d'appel, *c'est savoir son Bon Dieu par cœur*. Qui n'entend dire encore aujourd'hui : « Pour l'amour de Dieu ! Grand Dieu de grand Dieu ! Le Bon Dieu est content. Si le Bon Dieu peut venir le chercher. Je ne suis pas le Bon Dieu. C'est un homme du Bon Dieu. » En somme, on se réfère à l'Être qui voit tout, détermine tout, qui prend soin de tout et dont on est assuré à l'avance qu'il aura toujours raison. Ces appels à la Providence, à « Dieu qui sait ce qu'il fait », sont des signes d'un *Dieu merveilleux*. D'autres expressions comme « ne craindre ni Dieu ni diable ; dire un Pater et un Avé pour que Dieu n'en arrache pas trop avec les méchants ; que le Bon Dieu me coupe le cou si ce n'est pas vrai » laissent penser à des rites magiques.

Si nous ouvrons, par ailleurs, nos recueils de cantiques depuis celui de Marseille [26], au début du XVIIIe siècle, jusqu'à celui des *300*

---

25. On consultera avec profit, à propos du langage québécois sur Dieu, la *Communauté chrétienne*, 10, 58-59 (juill.–oct. 1971).

26. Il s'agit toujours des célèbres *cantiques de Marseilles* dont on retrouve des exemplaires ainsi que des versions chantées au Canada français jusqu'au début du XXe siècle : Laurent DURAND, *Cantiques de l'âme dévote, dits de Marseilles... accommodés à des airs vulgaires*. L'édition dont on se sert au Québec date de 1723 ; elle fut distribuée par le Sr F. Mesplet ; réimprimée par la suite.

cantiques, nous trouvons un Dieu très sérieux : Dieu tout-puissant, Astre divin, Majesté suprême, Dieu souverain... Il faudrait interroger la chanson populaire traditionnelle [27] pour retrouver la même action de Dieu localisée : Dieu voit vite, il est partout, en haut, en bas, ici, là, à gauche, à droite ; il bénit, il condamne, il châtie ; il endosse subtilement les situations les plus anormales et, comme au Moyen Âge, il protège les amants, il apporte l'argent, guérit à distance et donne du vin aux infortunés.

Dans le folklore maritime, Dieu reste un vrai magicien, en dépit de son grand adversaire le diable presque aussi omniprésent que lui. Il est redoutable et fort, maître de la marée, du tonnerre et des orages du Golfe, mais quand même familier et à la portée de toutes les imaginations. À l'occasion, surtout si sainte Anne, la Sainte Vierge ou d'autres saints familiers s'en mêlent, il devient conciliant jusqu'à permettre les meilleurs miracles. Il est d'autant plus merveilleux qu'il laisse accomplir aux saints ce qu'il pourrait faire lui-même.

b. Que dire de la tradition orale contemporaine ?

On aura parlé en vain de la mort de Dieu. Pour plusieurs, malgré toutes les théories, Dieu est encore l'être merveilleux qui nous aime sans répit et qui nous aimera durant toute la vie en attendant de nous recevoir en paradis. Comment les jeunes du nouvel enseignement pastoral scolaire réagiront-ils ? À leur tour iront-ils imiter certains de leurs aînés jusqu'à la négation pure ? Subiront-ils l'influence du langage courant du peuple qui reste, surtout chez les plus âgés et les gens de la campagne, très croyant bien que devenu plus interrogateur ? Il semble que, pour le Québécois, Dieu est toujours le *Dieu merveilleux* qui peut faire un miracle, qui peut changer d'idée à partir d'une prière, d'une expiation, d'une conversion.

Observons, enfin, chez quelques-uns de nos chansonniers, le retour à l'acclamation traditionnelle liturgique : *Hosanna* ! *Alleluia* ! La tendance normale de l'opinion publique, et propre à toute tradition orale, est de permettre l'amplification et la surenchère. Dieu sera peut-être un Dieu merveilleux aussi longtemps que les hommes en parleront.

3. Sources écrites

La documentation écrite, même si elle n'a pas encore fait l'objet d'une longue étude, exigerait beaucoup de nuances, quand il s'agit du

---

27. Cf. Conrad LAFORTE, *Le Catalogue de la chanson folklorique française*, Québec, Les Presses de l'Université Laval, 1977–1983, 6 vol.

Dieu merveilleux des Québécois. Nous en trouvons la preuve en relisant tour à tour historiens, romanciers, poètes, puis les rituels et les homélies *écrites*, sans oublier les livres d'hagiographie, les journaux, certains discours imprimés de nos politiciens, les annales, les courriers du cœur, les almanachs populaires, les consultations astrologiques, etc. Nous ne pouvons ici que fournir quelques remarques à partir d'un choix restreint d'exemples.

Ainsi le *Rituel* de monseigneur de Saint-Vallier[28], qui pendant plus d'un siècle entoura nos prédications dominicales et nos rites religieux, représente un Dieu plutôt majestueux, officiellement merveilleux, créateur du ciel et de la terre, architecte du monde où chaque créature prend sa place et joue un rôle. Il conviendrait de relire les prônes éminemment sages mais tout inspirés du *Rituel* du même monseigneur de Saint-Vallier pour deviner l'atmosphère des XVIIIe et XIXe siècles : c'est le Dieu fort, éblouissant et tout-puissant, aussi présent que le soleil tout en ne paraissant pas toujours proche ; il ne cesse pourtant d'accompagner les siens.

Un autre exemple. L'orateur préféré des fêtes religieuses et civiles à la fin du XIXe siècle, le juge Adolphe-Basile Routhier, se laisse aller à des appels émus à la Providence, à des imageries romantiques et à des souvenirs religieux : « Ah, si au-delà de toutes les choses visibles et invisibles, au sommet de toutes les grandeurs mystérieuses que la Création nous révèle, au centre de tous les mondes en mouvement, vous placez la personne auguste d'un Dieu ; si, dans cet amoncellement illimité de matières en travail, vous mettez l'Esprit infini, c'est comme si vous allumiez un soleil au milieu de la nuit... [29] » Le ton est courant. Dieu est merveilleux, mais non dans un sens *populaire*. C'est le Dieu de la poésie romantique.

Si nous interrogions l'hagiographie ? L'écrivain tend à montrer avec évidence que Dieu prépare l'apostolat de ses saints. Tout se passe sous le divin regard. Parfois Dieu se met en colère et sa providence provoque une série d'événements qui, à l'occasion, engagent le cosmos.

---

28. *Rituel du diocèse de Québec publié par l'ordre de Monseigneur de Saint-Vallier, évêque de Québec*, 1re édition, Paris, Langlois, 1703, 604p. ; voir *Dictionnaire biographique du Canada*, tome 2, p. 342-349.

29. « Dieu dans l'enseignement », *Conférences et discours*, Montréal, Beauchemin, 1913, p. 69. Ce discours a été prononcé à l'été 1896, au collège de Saint-Boniface, Manitoba.

Notons que le frère André, de la Congrégation de Sainte-Croix [30], aime arranger ses affaires avec *son* Dieu, un Dieu intime et quotidien, sûrement moins spectaculaire que « celui » de la plupart de ses biographes.

À la mort d'une carmélite, la notice biographique fait souvent appel à la nature et à l'environnement. Une fois de plus, le même Dieu familier, attentif, merveilleux, sait tout prévoir, son soleil, ses nuages, son univers [31].

D'autre part, si nous relisons nos romans, comme *Bonheur d'occasion* de Gabrielle Roy, ou tel texte d'André Langevin, de Robert Charbonneau, nous avons l'image défavorable d'un Dieu justicier prêt à juger et à blâmer. Nos élites n'ont pas, en général, la même attitude devant Dieu que le peuple.

*

*   *

Il semble que le Québécois traditionnel n'ait pas tellement mis d'opposition et de distinction entre le sacré et le profane, entre la transcendance et l'immanence de Dieu. Son Dieu est merveilleux en ce sens que sa « sainte volonté » s'accomplit aussi bien sur la terre qu'au ciel. Son Dieu est partout, présent à tout. La foi et la prière réaffirment quotidiennement cette confiance qui se traduit dans la vie personnelle par diverses formes de représentations assez maladroites, mais rarement dépourvues de merveilleux et de mystère. Peut-on demander davantage à un peuple défricheur et héritier d'un long passé de croyances hétéroclites ?

Le *Dieu merveilleux* des Québécois n'est pas uniforme dans toutes les couches de la société, bien qu'il soit présenté sous le modèle d'un grand-père idéal. On semble osciller entre deux perceptions : d'une part, un Dieu d'Église, Dieu très haut, Dieu des catéchismes et des prônes, Dieu créateur du ciel et de la terre, éternel, souverain et tout-puissant, comme le roi ; d'autre part, un Dieu plus quotidien, plus domestique, qui n'a rien de terrible, le *Père Éternel* des sculpteurs

---

30. *V.g.* Marcel PLAMONDON, *Le Frère André, l'homme merveilleux qui fonda l'Oratoire du Mont-Royal*, coll. « Le trésor de la jeunesse », Montréal, Fides, 1955, 64p. ; voir aussi les biographies de Henri-Paul BERGERON, de É. CATTA et autres.

31. Cf. *Chroniques du Carmel de Montréal*, 3 oct. 1963 ; 40 pages sur la vie et la mort de mère Saint-Antoine-de-Padoue (1869–1963).

Sacré Cœur et lampions.

Levasseur et Baillairgé. Mais ni dans l'un ni dans l'autre cas Dieu ne nous paraît anonyme et simplement cosmique. Il porte dans sa main le globe terrestre, symbole de l'univers ; c'est un Dieu qui bénit, qui préside, qui s'exprime soit par le châtiment des uns, soit par la récompense des autres ; cependant tous sont à la recherche des signes visibles de sa présence et des dictées de sa volonté immédiate.

Le mystère demeure autant que la confiance est grande, mais la spéculation est superficielle. Pour parler de son *Bon Dieu* comme d'un Dieu vivant, le Québécois ordinaire se sert de l'image de l'homme parfait, de celle du bon roi juste et miséricordieux. « Le Bon Dieu, c'est un homme bien fiable... Le Bon Dieu, c'est un bon diable ! » Pendant que les grands, les prêtres surtout, évoquent la justice de Dieu et son pouvoir absolu, pendant que la tradition missionnaire encourage les explorateurs à travailler pour la gloire de Dieu et l'avancement de son règne, les petits, eux, continuent à faire confiance à ce *Dieu merveilleux* et à entretenir vis-à-vis de leur Seigneur comme un besoin d'expiation qui frise la culpabilité plutôt que le regret. Nous pouvons nous demander, une fois de plus, s'il n'y a pas eu deux « Dieu » québécois : le Dieu juste du dimanche et des grandes retraites, et le Dieu miséricordieux de la maison. L'école, elle, semble faire appel à l'un et à l'autre, laissant ainsi le Québécois dans une double et difficile allégeance.

Quel rapport, en fin de compte, le Québécois traditionnel a-t-il entretenu avec son Dieu ? S'agit-il d'un rapport maître-esclave, suzerain-vassal, riche-pauvre, ou plutôt d'un rapport filial doublé, à l'occasion, d'une crainte instinctive ? Le même *Bon Dieu* ne serait-il pas à l'image du bon roi ou du bon millionnaire plutôt qu'à celle du père de Jésus ? La réponse est loin d'être simple. Concluons, pour le moment, que Dieu est perçu favorablement par le peuple en dépit de l'influence de certains de ses prêtres qui estiment que la crainte de Dieu, fût-il un Dieu merveilleux, est le commencement de la sagesse.

C. Je veux voir Dieu [32]

Que s'est-il passé dans les églises et les chapelles catholiques depuis ces toutes dernières années, qui ne soit déjà connu ? Le bilan est assez positif. Pourtant la sensibilité du peuple reste sur sa faim. Une

---

32. Extrait de *Communauté chrétienne*, 18, 107 (sept.-oct. 1979) : 465–468.

trop grande familiarité avec le sacré le trouble, tout comme la désacralisation des lieux saints, l'absence des silences liturgiques, les grands espaces vides, les cérémonies improvisées et jusqu'à ces mises en scène de textes et de chants qui déroutent parfois plus qu'ils ne nourrissent l'âme en désir de voir Dieu. La facilité engendre la facilité.

Bien sûr, les grands textes bibliques sont rendus plus accessibles, la Parole de Dieu est devenue parole d'aujourd'hui, mais que de commentaires et d'ajouts trop longs pour être toujours vrais! À l'ambon, à gauche, à droite, au micro A, au micro B, au micro C, il y a toujours quelqu'un qui a envie de parler et qui parle... Sans oublier la chorale déboulée du jubé à la balustrade, avec sa batterie, sa soprano et quoi encore? Images, statues, bannières, chemins de croix, ostensoirs, reposoirs, tout est parti. Le grand autel est devenu un balcon vide, un vrai iceberg. Le visuel a cédé la place à l'oral.

Reste à voir qui? quoi? Quelques fleurs, les belles de la chorale, parfois une procession d'entrée, mais si courte qu'elle est arrivée avant de partir. Où sont les tapisseries, les créations de l'artisanat québécois? Qui consulte et visite les artistes du visuel? Qui va rencontrer les peintres, les décorateurs, les sculpteurs pour leur proposer un peu de sacré? Qui connaît les calices, les lampes du sanctuaire du potier-céramiste Brodbeck, de Pierrefonds, pour n'en nommer qu'un seul? Si Jésus revenait, accorderait-il autant de suprématie à l'oral, lui qui dans sa prédication a fait si souvent appel au visuel?

Non, il ne s'agit pas de revenir en arrière. Nous voulons plutôt interroger l'âme essentiellement religieuse de nos gens. Nos ancêtres avaient-ils tellement tort de multiplier les images saintes, les niches, les reposoirs et d'y ajouter, au besoin, leurs revenants, leurs âmes du Purgatoire? Qui ne savait, alors, en entrant à l'église, que le rouge était la couleur réservée à la liturgie des martyrs, que le noir était le signe du deuil, que le vert accompagnait les dimanches d'après la Pentecôte et que le blanc était pour les plus beaux jours de fête? Statues rosées, peintures, fresques, tableaux au mur, à la voûte même, autels surchargés d'anges et de croix, tout parlait aux yeux avant même que monsieur le Curé n'ait fait son signe de la croix. Si ce n'était pas trop inconvenant, nous pourrions rappeler que nos meilleurs jurons, les plus fréquents, ont trait au visuel: tabernacle, ostensoir, hostie, calice, saint ciboire, calvaire, *et cætera*. Et pourquoi ce peuple accepte-t-il aujourd'hui de payer si cher ses rites visuels collectifs, ceux de Terre des Hommes, des Jeux olympiques, des Floralies? Pourquoi se crée-t-il des superfranco-fêtes, tandis qu'ici et là reviennent verrières, médaillons et pendentifs?

Parce que la théologie savante s'est quelque peu désintéressée du visuel, des extases, des apparitions, des visions, des phénomènes de voyance et des sciences occultes, cela ne veut pas dire que tous ces espaces sacrés traditionnels sont démodés. Au contraire, chassez le surnaturel et il revient au galop. La vague de retour risque d'être plus forte que celle du repli.

On peut toujours expliquer cet engouement pour le visuel dans la religion traditionnelle par le fait que le latin se prêtait peu à de longs discours et que nos gens étaient moins instruits qu'aujourd'hui, mais la question demeure : qu'en est-il pastoralement ?

Sait-on que la vue est un des supports les plus efficaces de la connaissance humaine ? L'œil déclenche des réflexes et oriente la pensée dans un espace plus large, paraît-il, que le simple espace sonore. « Une image vaut mille mots. » « Les yeux sont des témoins plus précis que les oreilles » disaient les présocratiques. Les spiritualistes les plus radicaux ont attaché une grande importance à la vocation des yeux dans leur expérience de Dieu. Voyants, illuminés, saints et saintes de toute espèce parlent de leur Dieu par images, formes et couleurs. La nuit des sens reste une épreuve que bien peu sont appelés à supporter. Il est normal de voir. « Montre-nous le Père » disait déjà Philippe à Jésus qui lui répondit aussitôt de le regarder lui, le Fils. « Bienheureux les purs, ils verront Dieu. » *Je veux voir Dieu*, tel est aussi le titre du célèbre livre de Marie-Eugène-de-l'Enfant-Jésus, o.c.d. D'ailleurs, le désir de voir Dieu est un des thèmes majeurs de la spiritualité judéo-chrétienne. Priver le peuple de regards médiateurs, c'est ralentir l'élan de sa foi et réduire l'aire religieuse de son univers mental.

Le peuple est insatiable. La télévision et l'image ne cessent de rallumer sa passion visuelle. Il veut tout voir, comme le savant veut tout savoir. La messe télévisée est souvent préférée à la messe paroissiale, l'Évangile en papier connaît les meilleurs succès. Pourquoi alors le pasteur n'aurait-il pas vis-à-vis de ces champs de connaissance visuelle les mêmes attentions que l'historien des cultures populaires ?

Qu'on offre au peuple du visuel sacré, des processions, des célébrations, des fêtes, il aimera cela à la manière des gens du Moyen Âge qui bâtissaient des cathédrales et des abbayes avec verrières et rosaces pour l'honneur et la gloire de Dieu, qui proposaient des Passions interminables sur les parvis de leurs églises pour raviver la foi collective. N'est-ce pas assez significatif qu'après avoir été *snobés* — et on ne veut pas se souvenir par qui — les grands pèlerinages ont repris leur ferveur ? Le peuple de Dieu veut voir encore plus qu'il ne veut entendre. Les Témoins de Jéhovah et, dernièrement, les charismatiques ont compris l'importance du grand spectacle bien rodé que l'œil ne peut pas manquer.

Ah! nous savons bien le danger de ne vouloir croire que sur preuves visuelles ou orales. La foi en Dieu est avant tout adhésion personnelle à un royaume intérieur. D'accord, Jésus a averti l'apôtre Thomas qu'il eût été mieux de croire sans voir, mais il n'a pas négligé pour autant de lui montrer le lieu de ses plaies et le tracé de ses cicatrices. Appelés à voir Dieu face à face, mais plus tard, il nous faut bien pour le moment vivre de clairs-obscurs et de signes sacrés intermédiaires. Alors, nous nous comprenons bien?

Le dialogue avec Dieu peut se passer de beaucoup de signes, mais il ne peut pas survivre ici-bas sans eux. Cependant, ni l'oral ni le visuel ne sauraient épuiser toute notre activité religieuse. L'homme, au masculin et au féminin, est un être qui depuis toujours aime voir à qui il a affaire. Dieu l'a voulu ainsi. Et il faut prendre au sérieux son besoin de voir Dieu. Peut-être appartiendra-t-il aux plus jeunes, qui n'ont pas connu les révolutions tranquilles du plein et du vide, d'inventer un nouvel équilibre entre l'espace sacré visuel et l'espace sacré sonore jusqu'à redonner aux yeux leurs droits de premiers occupants dans le champ de la connaissance de Dieu.

Selon l'aimable suggestion de saint Paul aux Thessaloniciens, il revient au pasteur de tout voir et de tout entendre, comme s'il était ethnologue. « Vérifiez tout : ce qui est bon, retenez-le. »

D. Imaginaire, merveilleux et sacré avec J.-C. Falardeau [33]

Au moment où nous rédigeons ces pages, à deux décades près de l'an deux mille, Freud a déjà réhabilité le rêve, Breton l'instinct, Durand l'imaginaire, Mabille le merveilleux, Todorov le fantastique; Otto, Bataille, Caillois, les historiens Eliade et Dumézil ont réévalué depuis longtemps le sacré et le religieux. Jean-Charles Falardeau écoute ces « maîtres » avec un talent critique dont nous voudrions rendre compte ici pour mieux nous interroger avec lui sur d'autres

---

33. Extrait de *Recherches sociographiques : imaginaire social et représentations collectives*, 23, 1-2 (janv.–août 1982) : 109–124.

perspectives possibles de l'étude du phénomène religieux dans le milieu canadien-français [34].

Rappeler ce qui, à notre point de vue, constitue l'essentiel du message de notre distingué compatriote dans ces matières pourtant ardues, vérifier dans la mesure du possible les avenues que nous ouvrent déjà plusieurs de ses intuitions sur l'imaginaire et le merveilleux, voilà une entreprise pour le moins audacieuse.

Au premier abord, il est difficile d'imaginer que cet homme raffiné et distingué au possible, sociologue en plus et conduit comme tel à scruter des systèmes de valeurs fermes et à inspecter le champ bien concret des structures sociales de la paroisse, du village, de la famille, puisse un jour rêver de merveilleux et d'espaces spirituels inédits. Prêtons-nous à ce frère amical, vénéré et admiré depuis plus de quarante ans, des considérations que seule une amitié excessive pourrait justifier? Quand on s'est longtemps occupé de l'univers religieux de ses ancêtres médiévaux et de sa *translatio studii* en Amérique française [35], n'est-ce pas témérité et gratuité pure que toutes ces préoccupations retrouvées dans une problématique moderne? Pourtant, ce n'est pas l'amour obsessif du Moyen Âge qui nous rapproche de Falardeau : ce sont plutôt les effets de l'héritage religieux en milieu nord-américain. Les mêmes quêtes spirituelles et les mêmes hésitations face aux changements culturels de notre temps nous conduisent à relire J.-C. Falardeau [36]. L'académisme universitaire, l'aventure du surréalisme, l'affaire Borduas vingt ans plus tard, l'intervention courageuse de notre ami Robert Élie [37], des amitiés

---

34. Une première orientation bibliographique sur l'imagination, l'imaginaire, les symboles et les mythes, dans J.-C. FALARDEAU, *Imaginaire social et littérature*, Montréal, Hurtubise HMH, 1974, p. 144-145. À compléter avec l'article de P. KAUFMANN, dans *Encyclopaedia Universalis*, 8, 1970, p. 733–739. Aussi, avec « Le sacré », de André DUMAS, *ibid.*, 14, 1972, p. 579–581.

35. En arrière-plan du présent essai, notre étude « Histoire et religion traditionnelle des Québécois, 1534–1980 », *Stanford French Review* (U.S.A.), 4, 1-2 (1980) : 19–41.

36. Pour nous, et parmi d'autres textes importants à noter, fut décisive à tous égards l'étude intitulée « Les recherches religieuses au Canada français », dans *Situation de la recherche sur le Canada français*, Fernand DUMONT et Yves MARTIN, dir., Québec, Les Presses de l'Université Laval, p. 209–228 (importantes bibliographies).

37. Voir « Notule sur un texte de Robert Élie », *Revue dominicaine*, 55 (nov. 1949) : 236-237. À resituer dans le contexte de l'époque avec l'étude de François-Marc GAGNON (voir note 60).

parallèles, tout ceci, nous l'avons partagé chacun à notre façon et sans même en discuter entre nous. Nous nous étions à divers degrés consacrés au service des étudiants. Il nous est aussi arrivé d'occuper successivement la même chaire de civilisation franco-québécoise à l'Université française de Caen. Dans de telles circonstances, il est presque normal que nos imaginations se soient souvent croisées. Où et quand? Mais quelque part, ne fût-ce que dans cet univers intérieur judéo-chrétien qui a enveloppé nos enfances respectives. Autant de prétextes qui nous amènent aujourd'hui à rejoindre Falardeau sur le terrain qu'il habite et défriche avec un acharnement digne de son sens du bien savoir et du bien faire.

L'occasion nous est offerte de penser *sacré*, *mystère*, *imaginaire*, *merveilleux* en compagnie d'un pionnier de la sociologie religieuse en Amérique française. Stimulus d'autant plus efficace que nous avons eu, au moins à trois reprises, l'occasion d'entendre les propos de notre collègue avant qu'il ne les livrât à l'impression. La première fois, en avril 1962, ce fut à l'occasion du colloque de la revue *Recherches sociographiques*; la seconde fois, le 17 octobre 1971, à l'Institut supérieur des sciences humaines de l'Université Laval, lors du deuxième colloque sur les religions populaires. En 1973, le même J.-C. Falardeau proposait aux membres de l'Académie québécoise des Sciences morales et politiques, à Montréal, une communication intitulée *Problématique d'une sociologie du roman* et publiée, en 1974, dans *Imaginaire social et littérature* sous le titre déjà plus signifiant : « Le Roman et l'Imaginaire ».

Nous le revoyons encore assis à la table de conférence, sérieux et digne, ferme dans ses mots, bien aligné sur son texte ; nous l'entendons dire dans une langue froidement impeccable des paroles qui nous rassurent et nous interrogent tous. Sans qu'il le sache toujours, J.-C. Falardeau aura, par ses travaux autant que par la direction de ses recherches en matières religieuses, profondément influencé le Canada français depuis plus de vingt ans. Ses nombreuses études de sociologie et sa participation à l'évaluation périodique des croyances, rituels et agirs du plus grand nombre, ce que nous appelons provisoirement *la religion populaire*, restent de première importance. En somme, c'est presque un acte de piété, entendu au sens médiéval, que nous accomplissons en rendant hommage à celui dont nous avons si souvent relu les textes et pillé les bibliographies.

Notre propos exact est de considérer tour à tour l'imaginaire, le merveilleux et le sacré [38] pour mieux entrevoir, si possible, et toujours

---

38. Qu'on se réfère pour ces mots aux dictionnaires courants de la langue philosophique de André LALANDE, Paul FOULQUIÉ, Régis JOLIVET, etc.

en compagnie de M. Falardeau, l'accès aux mystères qui définissent le sacré judéo-chrétien dans lequel la majorité de nos compatriotes canadiens-français ont vécu jusqu'à la limite de la pensée magique.

1. Du social à l'imaginaire

a. L'imaginaire : réalité ou fiction ?[39]

L'imaginaire fait partie de toutes les sociétés, de la plus archaïque à la plus civilisée : « Nous savons que l'homme vit et survit encore grâce à l'imagination. Notre monde rationnel continue à baigner dans une magie diffuse. » Chacun de nous a la faculté ou le pouvoir, et certains plus que d'autres, de former des images et de les combiner en vue de son propre discours. Ces images ne renvoient pas nécessairement au réel : elles peuvent n'être parfois que l'idéalisation, la projection ou même la profanation d'une réalité hypothétique. L'imaginaire est réel ou fictif. Fictif, il peut conduire au délire. Sartre voit dans l'imaginaire une certaine façon qu'a l'objet de paraître à la conscience ou, si l'on préfère, une certaine façon qu'a la conscience de se donner un *objet*, qui pourrait aller jusqu'à l'absence et même l'illusion. D'autres, de l'école réaliste, acceptent l'imaginaire comme un état naturel quoique provisoire : l'état d'un être en quête d'idées et d'action. Récupéré par la sagesse populaire, l'imaginaire apparaîtra comme l'effet d'un esprit créateur et libéré ou comme la menace à éviter si l'on ne veut pas enchaîner sa raison et l'entraîner à la démission totale.

La tendance fut longtemps d'opposer imaginaire et rationnel, comme on opposerait vice et vertu. « Méfie-toi de ton imagination », la « folle du logis » ; « ça ne te mènera nulle part d'imaginer que... » ; « tu as des imaginations ». Le malade imaginaire ! Mais, en ces derniers temps, et on peut l'écrire maintenant sans trahir, on est peu à peu revenu à la *raison* : Freud, Breton, Bachelard, Durand, Sartre et d'autres, Caillois en particulier, ont célébré l'imagination et conséquemment l'imaginaire, le merveilleux, voire le sacré.

Dans notre exposé, nous nous inspirons surtout de Jean-Charles FALAR-DEAU, *Imaginaire social et littérature*, coll. « Reconnaissances », Montréal, Hurtubise HMH, 1974, 152p.

39. *Imaginaire social...*, p. 108 et suiv. Au niveau philosophique, un remarquable article de M. NEUMAN, « Towards an integrated theory of imagination », *International Philosophical Quarterly*, 18, 1 (1978) : 251–275.

b. L'imaginaire et la réalité spirituelle

Aujourd'hui, les *grands* textes de Falardeau sur l'imaginaire, réel ou fictif, se retrouvent dans l'opuscule de 150 pages, denses et réfléchies comme tout ce qu'il a écrit, dédié tout particulièrement à *nos* étudiants de Normandie. Avec les maîtres qui l'inspirent, *Imaginaire social et littérature* proclame que le champ de l'impossible est plus vaste que celui du possible, que l'invisible est aussi réel que le visible, sinon davantage, et que ce que nous voyons fait souvent écran au meilleur de l'existence humaine. L'insolite, le fantastique, le tragique, l'illusion, le surnaturel, sont des mondes à ne pas dédaigner, même si leur connaissance paraît compromise au départ par toutes sortes de subjectivités et de pouvoirs. Dans un dialogue ouvert et noble avec des interlocuteurs dont plusieurs rejettent vigoureusement toute appartenance religieuse, J.-C. Falardeau se montre intelligent et subtil : il sait reconnaître son bien là où il se trouve, il n'hésite pas à formuler ses propres choix. L'imaginaire est un univers extraordinaire et magnifique de symboles et de thèmes, univers des espaces, des rythmes et des conduites, univers du jeu, du rêve et des rôles sociaux. N'allons pas opposer ce que la nature unit, ni inférioriser l'une — l'imagination par exemple — pour mieux grandir l'autre, la raison ou même la conscience. L'être humain ne saurait se réaliser sans rêveries [40].

c. L'histoire raconte...

Il y a aussi l'argument de l'histoire, *magistra vitae*. Qui oserait aujourd'hui mettre en doute la réalité du surréalisme, de la psychanalyse, des sciences de la conscience? De son maître vénéré Léon Gérin, Falardeau a appris que la dimension historique est une dimension essentielle. Il convient d'interroger l'histoire telle qu'elle arrive, fût-elle à nos yeux fiction ou illusion. Contrairement à Philippe Soupault ou même à André Breton prêts à refuser un certain passé,

---

40. *Ibid.*, p. 109 : « Il n'y a pas, dit Bachelard, de rupture essentielle entre imaginer et percevoir ; il y a continuité du perçu et de l'imaginé. Mais l'imagination est encore plus dynamique. Non seulement elle nous permet d'anticiper et de préparer le réalisable, mais en projetant ses fantaisies dans le jeu, la fiction, la rêverie, elle nous aide à distancer sinon à rompre nos attaches avec le "réel". Il y a une imagination du réel ; il y a une réalité de l'imaginaire. C'est surtout en regard de celle-ci que Gilbert Durand, au terme de ses enquêtes, se croit justifié d'attribuer à l'imagination une fonction générale d'"euphémisation", c'est-à-dire une fonction de "dynamisme prospectif qui, à travers toutes les structures du projet imaginaire, tente d'améliorer la situation de l'homme dans le monde". »

Falardeau, lui, est partisan de l'approche historique globale [41] ; il ne peut pas, il ne veut pas personnellement se déshériter, et encore moins *coloniser* ses options en imitant servilement les attitudes parfois contradictoires de ses prestigieux *maîtres* français.

Mieux vaut relire l'histoire de l'imaginaire comme une « série de phases alternantes ». Pendant longtemps on a privilégié la raison aux dépens de l'imagination. Le romantisme a tenté, à sa manière, de corriger la situation. Au XXe siècle, nouveau recul : la technique est au pouvoir, la science moderne se constitue en réagissant contre « l'élément affectif de l'imagination » (Bachelard). Entre temps, le surréalisme revient à la charge pour venger les misères faites à l'imaginaire en lui accordant tous les mérites. À ce surréalisme proclamé surtout par André Breton, Falardeau va accorder des titres de noblesse, comme peu d'intellectuels québécois l'ont osé à l'époque, en interrogeant un lieu qui lui paraît excellent à considérer à tous égards : le roman.

d. L'imaginaire du roman

Les terres de l'imaginaire sont si variées et l'histoire de la fertilité romanesque si convaincante qu'il suffit d'un ou deux sondages pratiqués avec discernement pour découvrir l'intégration des divers éléments de la culture. Falardeau multiplie les lectures et les approches. Lui qui s'était d'abord dédié à l'étude de la paroisse et de la famille comme unités sociales privilégiées trouve ici une autre *institution* qui lui révélera la richesse même de la vie de ceux qui l'entourent. Et, nous aurions dû l'écrire plus tôt, Falardeau est tout autant homme de lettres que sociologue [42].

---

41. *Ibid.*, p. 108 et 135. Déjà, en 1962, dans *Situation de la recherche sur le Canada français*, p. 218 : « Or, c'est à partir de ce phénomène culturel global que doivent se formuler encore maintenant et pour un long temps à venir les hypothèses des recherches psychologiques, anthropologiques et sociologiques qui ambitionneront d'étudier les composantes religieuses de la société canadienne-française. Ces recherches, en particulier celles de la psychologie sociale, ne déboucheront sur les conditionnements profonds des mentalités et des conduites religieuses que si elles s'intéressent d'abord et principalement aux phénomènes sociaux globaux. Il y a une indissolubilité historique de la culture canadienne-française et de la religion catholique ». (Voir note 64.)

42. « Je le soupçonne, aujourd'hui, d'entretenir une passion plus vive pour la littérature que pour la sociologie, mais ce n'est là qu'un déplacement d'accent, car Jean-Charles Falardeau n'a jamais dissocié l'une de l'autre. » (Gilles MARCOTTE, préface à *Imaginaire social...*, p. 13.)

C'est que le roman est un lieu d'imaginaire social sans pareil. L'univers créé par le roman est parfois de la plus haute fantaisie, qu'il soit merveilleux, fantastique, étrange. Produit de jeux de l'imagination qui sollicitent l'évasion du lecteur et répondent à ses vœux de vies possibles au-delà de l'existence concrète [43], le roman est tout autant le reflet d'une réalité sociale que l'image d'une société rêvée, « transposée, recomposée, transfigurée, refigurée, transcendée » [44]. À mesure qu'il écrit, le romancier est conduit à vaincre la réalité qui le hante. « Libération des forces imaginantes », l'écriture devient, face à la vie concrète, « acceptation, cri, révolte, sublimation ou mythologie ». Le meilleur roman est celui qui exprime avec la meilleure cohérence la vision d'un monde imaginaire, fruit d'une hypothèse parfois inconsciente, informulée, déséquilibrée. Le lecteur, complice, et souvent à un degré aussi intense que le romancier, profite de l'œuvre pour *imaginer* à son tour une réalité sociale différente de celle que l'écrivain lui offre.

Dans le roman, Falardeau trouve « les vœux contrariés de l'imaginaire dans la vie individuelle ou collective », « une évocation des vies possibles dans la société, une dramatisation de ce que feraient les hommes s'ils allaient jusqu'au bout de leurs fantaisies, de leurs rêves et de leurs désirs » [45]. À cause des lois, des contrôles ou même des censures nécessaires au fonctionnement pratique du groupe, celui-ci est frustré par la réalité qu'il vit. Le romancier reçoit cette réalité, il la transpose jusqu'à vouloir, à sa manière bien limitée il faut le dire, exaucer les vœux de la société captive [46].

Lecteur assidu de Proust, Faulkner, Joyce, Virginia Woolf, J.-C. Falardeau a déjà trouvé dans ses auteurs préférés le rêve, la gratuité en même temps que l'invention, l'explicitation, la diffusion d'une réalité souvent inexplorée qu'il souhaite à ses compatriotes. Dans l'univers *romancé* qui est à la fois société réelle, société imaginée et société rêvée, il cherche le sens profond à trouver à même le tissu social qui le porte. J.-C. Falardeau a une telle estime pour le romancier

---

43. *Imaginaire social...*, p. 114-115. Autre résumé, encore plus explicite, dans *Littérature et société canadiennes-françaises*, Fernand DUMONT et Jean-Charles FALARDEAU, dir., Québec, Les Presses de l'Université Laval, 1964, p. 123.

44. À relire, dans *Littérature et société canadiennes-françaises*, l'excellente page 123.

45. *Imaginaire social...*, p. 113.

46. *Ibid.*, p. 84 : « Le grand écrivain est celui qui réussit à créer un univers imaginaire cohérent dont la structure correspond à celle vers laquelle tend le groupe... »

créateur qu'il lui attribuerait volontiers les qualités du visionnaire et du prophète.

En soi, la création romanesque l'attire. Il y a davantage : toute la société québécoise a besoin de s'identifier. La sociologie en tant que telle se consacre à cette tâche qu'elle ne réussira pas seule. Ce que les symboles sociaux ne révèlent pas toujours, l'univers des romanciers le dira peut-être. Dans une conférence, le 15 février 1968 à la Faculté des lettres de l'Université de Montréal, notre collègue indique déjà ses grandes préoccupations de continuité culturelle :

> Une interrogation de notre roman demeure un accès privilégié vers une conscience plus claire de l'évolution de la société et de la culture canadiennes-françaises. Une sociologie du roman, sans prétendre épuiser l'objet littéraire, peut être attentive aux constellations thématiques qui le structurent, aux constantes qui ont perpétué ces constellations, aux éclatements qui les ont transformées. Par là, elle est révélatrice des continuités et des discontinuités de la culture et elle débouche sur un plus vaste palier où peuvent être saisies les similitudes, les dissemblances et les compénétrations de culture à culture [47].

Imaginaire social et littérature est justement cet effort de récupération à travers diverses œuvres de Laberge, Grignon, Harvey, Langevin, Godbout, Ferron, Languirand, Bessette, Thériault, Giroux, Élie et d'autres romanciers du milieu. Chaque romancier révèle l'univers d'un peuple en quête d'une nouvelle identité évaluée, au niveau des idéologies sous-jacentes, par Jeanne Lapointe, Robert Charbonneau, Fernand Dumont, Jean-Louis Major, Réjean Robidoux, Georges-André Vachon, Gilles Marcotte, Jack Warwick, d'autres encore.

Observateur généreux et honnête, J.-C. Falardeau s'intéresse au roman parce qu'il est cultivé jusqu'à la moelle des os et qu'il ne veut rien perdre du réel. Les espiègleries de l'imagination le hantent. Loin d'être la folle du logis, l'imagination romanesque serait plutôt comme la conscience libérée de ses propres devoirs. Vision optimiste et positive qui l'amènera à étudier bientôt le merveilleux et le sacré dans le roman, surtout depuis qu'il fréquente Breton, Mabille, Bachelard, Schulz, Caillois.

---

47. *L'évolution du héros dans le roman québécois*, Montréal, Les Presses de l'Université de Montréal, 1968, p. 7-8.

2. De l'imaginaire au merveilleux

a. Qu'est-ce que le merveilleux?

L'antiquité latine et médiévale écrit: *mirabilia, memorabilia, prodigia, miracula.* «... Nombreux sont les parents immédiats ou lointains de la famille de mots français dérivés du latin *mirari*, depuis *admirer* en passant par *miracle* jusqu'à *miroir*[48].» Aujourd'hui que nous parlons volontiers de science-fiction, de fantastique, de parapsychologie, de bioénergie, de dédoublement, *merveilleux* signifie plutôt l'*exceptionnel*, le non évident, l'étrange des puissances occultes. Ce monde « aux frontières de l'impossible » contredit souvent le réel le plus ordinaire et le plus quotidien: de là tout le prestige accordé à des personnes, à des événements, à des situations, à la *nouvelle*, à tout ce qui pourrait défier l'habitude.

Dans une œuvre littéraire, par exemple, le merveilleux suscite une impression d'étonnement et de dépaysement; il renvoie en général à des faits invraisemblables, à l'intervention d'êtres surnaturels ou fantastiques. Avec Todorov, Falardeau est prêt à associer au merveilleux l'étrange, l'imaginaire, le fantastique de même que le lien étonnant qui existe entre l'homme et les bêtes.

Sans nous aventurer dans le dédale des signifiants et des signifiés, retenons pour le moment la richesse des réalités subjectives que tous ces mots, *merveilleux* en particulier, laissent pressentir. Que je délie « l'écheveau des contraintes mentales ou sociales », que je redevienne « sensible aux illuminations des repaires de l'enfance », que j'écoute les « tensions extrêmes de l'être » et les « signaux du surréel », des phénomènes imprévisibles s'ensuivent et mon esprit s'émeut:

> Dire d'un être, d'un objet, d'un événement qu'ils sont merveilleux est une appréciation subjective. Le jugement ou l'évaluation qui les définit comme merveilleux tient à une attitude, à une visée qui est de moi, ou du groupe auquel j'appartiens, ou de la culture de la société dans laquelle je suis né. Ce que j'estime merveilleux m'apparaît dans une « aura » qui ne tient pas tant à l'objet qu'à mes propres dispositions. D'où la profonde vérité de la fable du Tao: l'image merveilleuse fournit une médiation appropriée à l'illimitation du désir[49].

---

48. On voudra bien ici se reporter aux notes parues dans *Imaginaire social...*, p. 131–142.

49. *Ibid.*, p. 133.

b. Comment naît le merveilleux ?

« La raison pour laquelle nous disons merveilleux a son origine dans le conflit permanent qui oppose les désirs du cœur aux moyens dont on dispose pour les satisfaire. Est *merveilleux* ce qui dessine l'horizon des vœux profonds, des désirs ou des passions, en leur offrant la possibilité d'une réalisation à l'encontre des probabilités du cours ordinaire des choses [50]. » Que le merveilleux soit perçu comme *subjectif*, cela ne veut pas dire qu'il est pour autant irréel et sans histoire. Tel l'imaginaire, il est d'abord un fait spirituel en même temps qu'une interrogation face aux mystères des origines et des finalités :

> La littérature orale ou écrite, domaine privilégié de l'expression du sens merveilleux, nous incite à reconnaître que celui-ci, tout en provoquant l'étonnement ou la fascination, sollicite certaines inquiétudes fonda-mentales... Mystère des origines ancestrales, mystère des désirs archaïques refoulés [51]...

De plus, et nous y reviendrons à propos du sacré, le *merveilleux* a subi les lois historiques du refus et de la renaissance au moment où chacun croyait pouvoir s'en passer. Étranges coïncidences et unité de l'expérience spirituelle ?

> Au XIXᵉ siècle, le merveilleux, pourchassé par le positivisme, se réfugie dans l'art et le rêve. Pour les Romantiques, comme l'a brillamment illustré Albert Béguin, dès ici-bas l'âme appartient à deux mondes, celui de la pesanteur et de l'ombre, celui de la lumière. La vie est irréaliste. Il y a primauté de l'imaginaire sur le réel. « Le merveilleux, écrit Baudelaire, nous enveloppe et nous abreuve comme l'atmosphère mais nous ne le voyons pas. » Alice, en manœuvrant la logique de façon subversive, parvient à dépasser les frontières du sens commun et se construit un monde merveilleux « au-delà du miroir » [52].

Subjectif et historique, vision globale du monde et des rapports que nous accordons aux réalités quotidiennes, le merveilleux véhicule déjà toute une culture :

> ... il s'est manifesté, selon les époques, par une prodigieuse diversité de formes qu'ont inventées et perpétuées soit les arts dits populaires, soit les arts plus savants, y compris la littérature. Il a acquis des stylisations esthétiques. Il a donné naissance à ce qu'on a dit être la plus haute catégorie esthétique. C'est à ce niveau que l'étudient les spécialistes du folklore, de la poésie, du théâtre, de la danse, etc.[53]

---

50. *Ibid.*
51. *Ibid.*, p. 140.
52. *Ibid.*, p. 135.
53. *Ibid.*, p. 135.

Les Grecs avaient raison : l'imagination émerveillée est peut-être imprévisible dans ses attitudes, elle n'en reste pas moins indispensable à l'homme qui pense et qui agit.

c. Le merveilleux et ses interprétations

Attendons-nous, dès lors, à une abondance de significations, à toutes sortes de registres et de jeux du merveilleux : je peux parler d'un paysage, d'une musique ou d'un être merveilleux. « Je peux aussi promouvoir le merveilleux au "statut de genre" et le faire devenir périlleusement abstrait. »

Dans cet univers multidimensionnel d'ambiguïtés, merveilleux, fabuleux, magique, miraculeux hier, deviendront peut-être aujourd'hui ordinaire, naturel, normal.

> Les métamorphoses de Lucius d'Apulée, ou les enchantements dans lesquels l'attirait la déesse Isis n'étaient déjà plus merveilleux aux yeux d'un grand nombre de ses contemporains de Rome... Le spectacle des îles côtières de l'Amérique du nord émerveillait le narrateur des récits de Jacques Cartier et laisse indifférent le voyageur du XXᵉ siècle. Tel choral de Bach me transporte dans l'éternité qui ne « dit rien » à des amis qui me sont proches. Un fidèle de l'Église orientale est en extase durant une cérémonie religieuse que j'observe seulement en spectateur intrigué... La fascination dans laquelle nous entraînaient les récits de Jules Verne a été réduite à une curiosité scientifique parmi d'autres depuis que nous avons vu des astronautes alunir, un certain soir d'août 1969 [54].

C'est ainsi que l'on peut dire de chaque époque comme de chaque civilisation qu'elle a le merveilleux qu'elle désire, qu'elle mérite. On en viendra même quelquefois à changer sa compréhension : « ce qui apparaissait auparavant comme merveilleux peut passer au rang des phénomènes explicables » [55].

On se retrouve, comme pour l'imaginaire, confronté à diverses possibilités au moins pour trois raisons : à cause des sens multiples du merveilleux en lui-même, à cause des changements culturels et à cause de la subjectivité attachée à chaque expérience personnelle du merveilleux [56].

Tout dépend, bien entendu, de ce que l'on veut signifier, avec cette précision essentielle que l'au-delà des mots est souvent plus exaltant que les mots eux-mêmes.

---

54. *Ibid.*, p. 135 et 133.
55. *Ibid.*, p. 135.
56. *Ibid.*, p. 137.

On sait la richesse des réalités en cause. Falardeau estime qu'il serait bon, à la suite de Caillois et Todorov, de comparer le merveilleux et le fantastique. L'interprétation proposée par Caillois, qui accorde au fantastique d'être une agression dans un monde réel, ne nous satisfait pas. Reconnaissons les services rendus par ces évaluations. Mais, pour notre part, nous doutons qu'une notion aussi subjective et aussi relative que l'agression [57] devienne le critère essentiel d'une distinction déjà compromise par des frontières inévitables de sens et de significations. On risque, une fois de plus, d'opposer entre elles diverses notions trop fluides pour vraiment définir des rôles et de créer ainsi de nouvelles incertitudes. Plus généreux en ces matières à l'égard de ses maîtres que nous ne le serions, Falardeau accepte, un peu vite à notre avis, l'opposition du fantastique et du merveilleux que lui offre si ingénument Caillois.

Mais ces catégories ont peut-être leur utilité, une utilité provisoire dans la mesure où elles invitent à rencontrer J.-C. Falardeau dans un de ses choix essentiels que bien peu d'auteurs ont signalé : le surréalisme. En militant en faveur du merveilleux, notre confrère devait nécessairement rencontrer sur les routes imprévisibles de l'imaginaire, du mystère et du sacré, Caillois, André Breton et plus tard son disciple québécois, Borduas.

---

57. *Ibid.*, p. 138-139 : « Arrêtons-nous à la littérature et soulignons une distinction capitale entre deux notions souvent confondues, celles de merveilleux et de fantastique. À la suite de Roger Caillois, reconnaissons que le merveilleux définit un ordre de phénomènes qui s'opposent au monde réel. Une fois acceptées les propriétés singulières du monde merveilleux ou féérique, tout y demeure remarquablement stable et homogène. Le monde du merveilleux est peuplé de fées et de dragons ; les métamorphoses y sont constantes. Le récit merveilleux se situe dès le début dans l'univers fictif des enchanteurs. Ses premiers mots rituels nous en sont un avertissement : "En ce temps-là... Il y avait une fois..." "L'imagination exile personnages et événements dans un monde fluide et lointain, sans rapport avec la réalité de chaque jour. Le fantastique, au contraire, n'est pas un milieu : c'est une agression. Il suppose la solidité du monde réel mais pour mieux la ravager. Sa démarche essentielle est l'Apparition. Fantômes et vampires sont, bien sûr, des êtres d'imagination mais l'imagination ne les situe pas dans un monde lui-même imaginaire. Elle se les représente ayant leurs entrées dans le monde réel. Le fantastique « est postérieur à l'image d'un monde sans miracle, soumis à une causalité rigoureuse ».

3. Du merveilleux au sacré [58]

Il a lu Breton. Il est au courant du *Refus global* de Borduas. Mais il est aussi d'éducation humaniste, profondément logique et éduqué dans le respect des valeurs stables. Falardeau n'en est pas moins conscient de l'importance d'une révolution culturelle qui obligerait l'homme de science et l'universitaire épris d'abstractions à reconsidérer l'au-delà du nommé, du vu et du vécu. Déjà, face au merveilleux, il s'engage à poursuivre d'autres réalités, à chercher de nouveaux rapports avec lesquels [le merveilleux] entretient de subtiles et profondes associations, tels le *sacré*, le *surnaturel*, le *mystère* [59]. À André Breton, qui enchaîne et reprend les propos de Gérard de Nerval, de Baudelaire et d'Apollinaire, J.-C. Falardeau accorde une bienveillance et une attention que peu d'idéologues québécois ont su montrer d'une façon aussi sérieuse et aussi franche.

Sans le savoir et sans vouloir le savoir surtout, André Breton allait réhabiliter à sa manière le sacré. Le sacré perdu et retrouvé par les voies étranges du merveilleux et de l'imaginaire. D'autre part, les surréalistes, surtout les partisans québécois de la première heure [60],

---

58. Sur le merveilleux dans ses rapports avec le sacré et le mystère, J.-C. Falardeau au second Colloque sur les religions populaires, organisé par le Centre d'études des religions populaires de Montréal, à Québec, les 16 et 17 octobre 1971. Le texte — en première édition — de sa communication a paru, avec d'autres études, aux Presses de l'Université Laval, en 1974, sous le titre *Le merveilleux*, Fernand DUMONT, Jean-Paul MONTMINY et Michel STEIN, dir., coll. « Histoire et sociologie de la culture », n° 4, p. 143–156. Ce texte, remanié, a été publié la même année, dans *Imaginaire social et littérature*, p. 131–142.

59. On pourra sur ces questions complexes recourir avec profit à R. COURTAS et F.-A. ISAMBERT, « La notion de sacré : bibliographie thématique », *Archives de sciences sociales des religions*, 22, 44 (1977) : 119–138. Sans oublier cependant qu'il peut y avoir tout autant désacralisation et passage du religieux au merveilleux « profane » ; voir, par exemple, F.-A. ISAMBERT, *La fin de l'année : étude sur les fêtes de Noël et du Nouvel An à Paris*, Paris, Société des amis du Centre d'études sociologiques, 1976, 227, xxxix p. ; *L'expression du sacré dans les grandes religions*, tomes 1 et 2, J. RIES *et al.*, dir., Centre d'histoire des religions de Louvain-la-Neuve, 1978, 1983, 325p. et 414p. Au strict point de vue théorique, on pourra relire les conférences prononcées à l'occasion des Journées universitaires de la pensée chrétienne, 23–26 octobre 1969, Université de Montréal : *La désacralisation. Essais*, coll. « Constantes », n° 25, Montréal, HMH, 1970, 208p.

60. Cf. François-Marc GAGNON, *Paul-Émile Borduas (1905–1960) : biographie critique et analyse de l'œuvre*, Montréal, Fides, 1978, p. 217 et suivantes.

sont si heurtés par le catholicisme ambiant qu'ils finiront par oublier que la religion rejetée radicalement véhicule avec elle des espaces intérieurs dont pourtant ils se réclament. Perspicace, capable de comparaison, connaissant mieux que quiconque Breton, Caillois et Eliade, Falardeau peut intervenir, mais avec la discrétion que l'on sait. Par la médiation du merveilleux en relation étroite avec le sacré et le surnaturel, voici « une dialectique entre ce qu'il y a de plus profond dans l'homme et ce qu'il y a de plus aux confins du monde »... c'est « comme un long voyage orienté vers la conquête d'un royaume merveilleux, d'une terre que l'homme se promet à lui-même »[61]. Ces propos sont presque tous de Breton : Falardeau les endosse avec enthousiasme, sans aliénation cependant, car il est tout aussi capable à l'occasion de prendre ses distances face à l'impérialisme culturel, d'où qu'il vienne.

Le merveilleux n'est pas exactement le mystère, ni le sacré au sens spécifique du mot, ni le surnaturel. Parce qu'il implique une foi, des croyances, des rites et une théologie reçus d'ailleurs, le surnaturel, tel le mystère *chrétien*, est d'un autre ordre.

> Ce que l'on dit merveilleux est, au contraire, le fruit de l'imagination créatrice de l'homme, ou encore, selon la frappante expression de Louis Jouvet, « du surnaturel fabriqué par les hommes ». Pour autant, j'estime difficilement recevable la notion d'un merveilleux qui serait donné ou révélé ; encore moins celle d'un merveilleux explicable, celui du merveilleux scientifique. De deux choses, l'une : ou bien on peut s'expliquer à soi-même ou se faire expliquer, et l'on est dans le domaine de l'intelligible rationnel ; ou bien on ne peut pas, et l'on demeure alors soit dans le surnaturel, soit dans le merveilleux, soit dans le fantastique ou l'étrange[62].

Au lieu de sur-valoriser le merveilleux et de déprécier le sacré, plutôt que d'opposer et de dissocier, Falardeau cherche à distinguer les sphères qu'il associe dans son esprit, en même temps qu'il interroge la réalité religieuse canadienne-française. Que Breton oppose merveilleux à tout ce qui est religion et mystère, qu'il soit même *anti-mystère*, que Todorov fasse le contraire et renvoie le merveilleux dans la catégorie du surnaturel, cela ne change en rien la nature première des choses : il existe au-delà de tous ces mots une réalité sur-naturelle, une transcendance, le besoin d'un au-delà merveilleux que Breton lui-même appelle à sa manière. Bref, « ce qui est sacré n'est pas co-extensif à ce qui apparaît comme merveilleux, ni inversement »[63].

---

61. *Imaginaire social...*, p. 141.
62. *Ibid.*, p. 137.
63. *Ibid.*, p. 136.

Il existe un merveilleux sacré comme il y a un merveilleux profane. Qu'est-ce que le merveilleux sacré, sinon l'imaginaire parvenu aux frontières imprévisibles du mystère ? Et le mystère en soi ? Il est d'un autre ordre ; il répond à des désirs, à des besoins, à des attentes « impossibles ». Quand, par exemple, l'imagination chrétienne produit du merveilleux sacré, la route d'accès au mystère lui est ouverte. C'est l'acceptation du croyant qui permet cette ouverture d'esprit à un au-delà du merveilleux et du sacré. *Fides quaerens imaginarium* !

Il sera de plus en plus nécessaire de distinguer les domaines et les obédiences du merveilleux, du sacré, comme ceux d'un sacré purement rituel et d'un sacré enveloppé de mystère. Loin de céder à une mode ou à l'autre, à droite ou à gauche, notre confrère préfère l'attitude scientifique faite tour à tour d'observations et d'analyses. Compétent et discret, il sait l'art des nuances. Globale sans être totale, son admiration pour Breton n'est pas inconditionnelle. Une intelligence supérieure reste critique même en face de ses propres options.

Les multiples interventions de notre confrère sur tous ces points sont d'autant plus appréciables, et à la longue plus libératrices, qu'elles restent toujours réfléchies et vérifiables. Ils ne sont pas nombreux les sociologues de la culture et de la religion québécoises qui ont pu, comme lui, allier l'érudition, le respect des autres et l'ouverture d'esprit face à l'indicible, à l'imaginaire, au merveilleux, au sacré et au mystère. Est-il besoin d'ajouter que, sur ces thèmes, M. Falardeau est non seulement un maître de pensée, mais aussi un modèle d'écriture correcte ? Une fois de plus, ses amis en conviendront : le style, c'est l'homme !

Reprenons, pour la clarté du propos. Au lieu de voir dans le mystère « une intrigue de la raison », à la manière de Breton, ou de créer un divorce entre le sacré chrétien et le sacré profane, Falardeau accepte plutôt l'imaginaire et le merveilleux comme une voie vers ailleurs, comme un appel au dépassement. De même que le temps continu raconte l'éternité sans s'y identifier nécessairement, que l'espace pascalien est une indication lointaine mais éloquente de l'infini qu'il ne définit point, ainsi tout imaginaire et tout merveilleux, quels qu'ils soient, lui font penser à la possibilité d'un au-delà du sacré humain qui serait le mystère, tel que le proclament les textes sacrés de la culture judéo-chrétienne.

Peut-être devrions-nous ajouter aux énoncés de notre confrère Falardeau ce que nous suggère l'histoire même de l'imaginaire et du sacré. Dès les premiers siècles de notre ère, les Apocryphes ne font-ils pas échec aux Livres saints ? L'hagiographie y est plus populaire que la théologie. Faut-il pour autant opposer et dissocier ? Distinguons les rôles et les niveaux d'intelligibilité, répondrait Falardeau. Breton a raison : l'invisible est souvent plus riche que le visible et ce qui est trop explicite peut faire écran aux vraies réalités. Avec cette précision pourtant : il arrive que le merveilleux tout comme l'imaginaire soit, à cause de ce qu'il suggère, une voie privilégiée au mystère. La seule voie ? Sûrement pas. Mais la religion qui rejetterait le merveilleux sous prétexte de protéger la pureté du sacré et du mystère risquerait de s'appauvrir, tout comme s'appauvrirait nécessairement l'intelligence qui se dissocierait de l'imagination.

Une question que nous posons aussitôt, mais sans vouloir l'imposer à notre savant ami : comment expliquer que l'Église chrétienne se soit tellement défiée de l'imagination et de l'irrationnel au nom même de l'intelligibilité du sacré et de l'accès au mystère ? Pourquoi toutes ces oppositions théoriques et pratiques, alors qu'elle s'accommode d'un nombre incalculable de miracles, d'apparitions, d'extases et autres *merveilles* du genre ? Encore en 1981, pendant que peintres, millénaristes, parapsychologues et ésotéristes de toutes sortes relisent et commentent l'Apocalypse de saint Jean, chef-d'œuvre du merveilleux judéo-chrétien et du divertissement eschatologique, l'Église se montre plutôt réservée et n'ose citer de ce livre étonnant que quelques extraits favorables à sa logique du salut prêché à la manière rationnelle de l'Occident. Le malentendu latent qui demeure toujours entre l'Église et les artistes chercheurs d'imaginaire est révélateur. Est-ce le conflit nécessaire entre une religion savante soucieuse de la pureté du Message et une religion populaire portée à épouser les modes et les dires du peuple ? Nous savons que notre confrère n'a pas d'estime particulière pour cette distinction. Le problème demeure donc ouvert.

Mais il reste que la contradiction des faits et des attitudes est là. Elle est significative même et peut-être reliée à notre condition humaine de chercheur du Réel. Il est normal qu'une Église fortement occidentalisée et qui exprime encore sa foi à l'européenne subisse la pression du moule culturel dans lequel elle incarne sa pensée officielle. Tout comme il est rassurant pour le mystère religieux lui-même que le peuple chrétien soit aussi attiré par tout ce qui est au-delà du rationnel et du vraisemblable. Elle a raison, comme malgré elle, notre Église, et même si *son* Thomas d'Aquin ne prise guère les métaphores et les images pour exprimer les mystères chrétiens, elle a raison de tolérer ses *légendes dorées* en même temps que ses théologiens les plus racés se doivent de vénérer la pureté du sacré. Bref, nous ne croyons pas que la lutte entre les partisans de l'imaginaire et les partisans de la raison soit si tragique. L'ambiguïté des significations oblige plutôt à des discussions continues. Comment et pourquoi l'entente absolue serait-elle valable entre les théoriciens du mystère, du sacré, du merveilleux et de l'imaginaire, puisque — et Breton avait raison — la réalité est déjà piégée par nos mots et nos modes de penser ? C'est à *Raison* et à *Imagination*, comme on disait au temps du *Roman de la Rose*, de voir à ce que la *dispute* demeure courtoise et de bon naturel, comme celle dont nous venons de rendre compte.

4. Conclusion

1981. La crise religieuse du Québec catholique coïncide avec une recherche d'identité plus ou moins équivoque selon les partialités du moment. Notre univers spirituel est remis en question presque à tous les niveaux de notre vie collective. Les recherches théoriques de notre ami sont de nouveau confrontées avec une problématique d'autant plus redoutable que les penseurs québécois chrétiens de la rigueur de Falardeau sont rares. N'avons-nous pas vu, en ces temps de refus global, des écrivains pourtant éminents expliquer tout le Québec sans même faire intervenir le catholicisme populaire local et raconter notre nationalisme sans citer une seule fois le chanoine Groulx ? Vraiment, il faut le faire !

Falardeau n'est pas de cette espèce inévitable. Dès 1962, il avait ouvert le débat ; il fut le premier sociologue canadien-français à s'attaquer scientifiquement à l'analyse de nos institutions religieuses et à celle de nos comportements face au sacré. Tout de suite, au nom de l'histoire des Québécois telle qu'elle arrive devant lui, il proclame tour à tour l'indissolubilité des études conjointes de la religion et de la culture, de l'histoire et de la sociologie[64]. Face à l'imaginaire et au merveilleux comme au sacré, il exige une vision globale des réalités et souhaite que l'on universalise le plus possible. Car il sait les tendances de toute minorité à particulariser.

En outre, si on tient à dénoncer éternellement l'aliénation du milieu, il importe de respecter la problématique canadienne-française :

---

64. Voir « Itinéraires sociologiques, Jean-Charles Falardeau (1943) », *Recherches sociographiques*, 2-3 (mai–août 1974) : 219–227. En novembre 1980, lors du colloque Frégault à l'Université d'Ottawa, J.-C. Falardeau rend hommage à ce dernier d'avoir respecté la perspective de L. Groulx, en voyant « dans la connaissance de notre histoire la condition essentielle de notre devenir... en vue d'une plus exacte connaissance de nous-mêmes. »

le Canada n'est pas la France. Ni le Québec. Nos enquêtes peuvent s'inspirer de lectures européennes, mais de là à emprunter les schèmes de là-bas et des idéologies *made in Germany*, il y a une marge que ne voudrait pas franchir Falardeau. D'ailleurs, il est trop informé pour ne pas voir en notre penchant à l'imitation et à l'importation d'idées et de formules toutes faites une inclination à la paresse intellectuelle. Jamais lui, en toute hypothèse, et redisons-le, n'aurait osé et n'oserait encore expliquer le Québécois sans faire intervenir, au premier plan, son passé chrétien. Bien sûr, on peut refuser, critiquer une théorie, des dogmes, des pratiques, mais quand les faits sont là, ils sont là. Falardeau sait, et mieux que nous ne savons l'écrire, tout ce que nous voulons dire.

Cependant, constatons avec plaisir que les études et les propos de Falardeau continuent à s'imposer, autant par la qualité de leur contenu que par la vision qui les inspire [65]. Il a su discrètement et scientifiquement interroger la foi de son enfance, l'évaluer et la critiquer, sans pour autant se renier, ni renier l'histoire de son peuple : peu de savants canadiens-français ont affronté ce double défi. Nous sommes peut-être nous-même victime de notre métier d'historien de la culture populaire traditionnelle, mais nous croyons sincèrement que la magnanimité de Falardeau s'explique en partie par ses propres combats envers les refus parfois courts et blasphématoires du milieu. S'il a pu apprécier avec un tel bonheur les aventures angéliques du surréalisme de Breton, c'est qu'il était lui-même à la recherche d'un espace spirituel qui irait au-delà du vécu quotidien de son peuple. Ainsi, nous serions prêt à remercier doublement J.-C. Falardeau d'avoir initié nos compatriotes aux études de sociologie religieuse et d'avoir été capable de situer notre catholicisme, avec toutes ses gaucheries conformistes, à l'intérieur d'une vision globale de la sociologie humaniste.

Nous ne saurions quitter ce texte, inachevé comme l'hommage qu'il signifie, sans rappeler que J.-C. Falardeau nous convie à d'autres tâches encore. « Nous devons poursuivre nos explorations chez ceux qui nous entourent, qui attendent nos signaux dans le ciel du *pas-encore-connu* [66]. » À une condition, bien sûr : que nous nous placions

---

65. *V.g.,* A. GAULIN, *Entre la neige et le feu : Pierre Baillargeon, écrivain montréalais*, Québec, Les Presses de l'Université Laval, 1980, p. 309 ; André BELLEAU, *Le romancier fictif : essai sur la représentation de l'écrivain dans le roman québécois*, Québec, Les Presses de l'Université du Québec, 1980, p. 13, 105 ; *Le Roman canadien-français : évolution, témoignages, bibliographie*, coll. « Archives des lettres canadiennes », n° 3, Montréal, Fides, 1971, p. 153, 163.

66. *Imaginaire social...*, p. 141.

dans la perspective « d'une vaste anthropologie » qui surprenne l'homme total en situation.

> Le temps devrait être passé où nous nous laissions limiter par les étiquettes de disciplines particulières. Ce qui importe est de poser les questions que nous estimons capitales. Seule une saisie de toutes les dimensions importantes qui circonscrivent l'homme en situation peut nous permettre de formuler des interrogations valables à son sujet, qu'il s'agisse de ses visions du monde, de ses attitudes, de ses croyances, de ses conduites étonnantes ou de ses espoirs. Approche existentialiste, peut-être ; approche directe et globale, sûrement. Approche qui ne peut, non plus, méconnaître ce qu'a à nous proposer une sociologie de la culture et de la connaissance [67].

Une sociologie de la culture et de la connaissance pratiquée dans une perspective interdisciplinaire et communautaire ? Telle est exactement la grande option à ne jamais trahir. « C'est au prix de patientes explorations que nous découvrirons les zones d'affleurement entre les surréalités qui sollicitent ceux qui nous entourent et les dédales de leur existence quotidienne » [68]. Les champs d'études sont immenses. Nous n'avons que l'embarras du choix. On pourrait s'attaquer aux « mythologies profondes qui sous-tendent notre littérature orale et écrite », ou encore « cerner les grands symboles qui ont présidé à la conquête de notre espace, de notre âme collective ; nous enquérir des modalités d'un multiforme folklore urbain que nous connaissons à peine ; déceler les projets d'existence d'une jeune génération qui se crée un univers ludique sinon artificiellement et dangereusement hallucinant face à un monde qu'elle dénonce en bloc » [69]. C'est dire que le savant, honoré dans ces lignes qui lui appartiennent en ce qu'elles ont de plus convenable, et même s'il atteint l'âge fatal de la retraite, garde encore sur l'avenir des sciences humaines et de la culture humaniste l'esprit de pionnier qui a toujours guidé ses recherches.

Le Moyen Âge latin conclurait dans un axiome que nous commentons pour le plaisir de savoir notre confrère enfin récompensé : *vespere laudatur dies*. De même que le soir fait la gloire du jour, ainsi il arrive, comme dans le cas de notre ami, que la soirée de sa vie à l'université signifie aussi la gloire d'une journée admirablement remplie, à laquelle nous souhaitons de longues réalisations.

---

67. *Ibid.*, p. 141-142.

68. *Ibid.*, p. 142.

69. *Ibid.* L'étude de l'imaginaire religieux collectif est à la conquête de nouveaux terrains depuis qu'il y a une recrudescence de la fiction, *v.g.* extra-terrestres, ovnis, soucoupes volantes. Avec l'article et la bibliographie thématique de J.-B. RENARD, dans *Archives de sciences sociales des religions*, 50, 1 (juill.–sept. 1980) : 143–164.

3

LA FÊTE RELIGIEUSE

A. La fête religieuse au Québec [1]

Synopsis

Parce qu'elle célèbre tour à tour Dieu, Jésus, les anges, les saints, mais aussi le passé, le présent et l'avenir, qu'elle enveloppe dans ses perspectives autant les défunts que les vivants, les malades que les bien portants, les absents que les présents, la fête religieuse catholique tend moins à devenir la fête d'un temps ou d'un pays en particulier que celle de l'humanité tout entière. Cependant peu de gens réussissent à garder leur esprit et leur cœur ouverts à cette dimension souvent trop vaste pour leurs intérêts immédiats.

Les premiers Québécois, venus de France et issus de familles médiévales, ont multiplié les fêtes religieuses (en tout 89, y compris les dimanches, en 1700). Pour Dieu et pour la patrie, c'était d'obligation que de les observer. Dimanches et fêtes offraient l'occasion par excellence de se regrouper. L'hiver s'en mêlant et le cycle liturgique aidant, on a accordé au temps de Noël le privilège de s'appeler le *temps des Fêtes*. L'expression tient encore aujourd'hui.

Par sa fréquence autant que par sa variété, la fête réussit à donner aux Québécois, qui font ici le pays, la conscience d'un temps long sans cesse renouvelé par le jour férié. Bien que normalisée et surtout moralisée par le

---

1. Extrait de *Que la fête commence*, Diane PINARD, dir., Montréal, La Société des Festivals Populaires du Québec, 1982, p. 49–60.

clergé, la fête religieuse a vite pris une tournure familière. Chaque grande fête comporte une vigile, une messe à l'église, la visite de la parenté, peut-être une veillée à la maison, donc des chansons, de la danse, des récits, des jeux de société. Le peuple qui mène le bal durant la semaine ira se confesser le dimanche. Une fois sortie de l'église, la fête lui appartient avec son étonnant pouvoir d'intégration.

Ces fêtes sont populaires au sens littéral du mot : fêtes pour tous sans exception. Personne en principe n'y est exclu. À l'église comme dans les processions se retrouvent et fraternisent des gens de tous les âges et de toutes les opinions. Ceux que la politique divise, la religion les raccorde.

Mais viendra un temps où, le conformisme s'ajoutant à un surplus d'obligations, la fête religieuse perdra sa popularité. Ce sera au tour de la société industrielle de se créer des rites. Elle le fera à sa manière dans des temps courts, sans vigile, sans jeûne surtout, sans octave. Seule la découverte de nouveaux sens et de nouvelles raisons de vivre ensemble peut donner à la fête religieuse québécoise de renaître de son propre passé.

Trois questions aussitôt s'imposent : qu'en est-il des fêtes religieuses au Québec depuis l'arrivée des premiers Français jusqu'à aujourd'hui [2] ? Quelles sont les significations de ces nombreuses fêtes ? Comment évaluer une réflexion dans un contexte social qui tend à humaniser l'avenir de la fête populaire ?

---

2. L'article classique à lire : Denise LEMIEUX, « Le temps et la fête dans la vie sociale aujourd'hui », dans *Recherches sociographiques*, 7 (1966) : 281–304. Points de vue plus historiques et plus descriptifs : Pamphile LEMAY, *Fêtes et corvées*, Lévis, P.-G. Roy, 1898, 82p. ; MARIE-URSULE, *Civilisation traditionnelle des Lavalois*, Québec, Les Presses de l'Université Laval, 1951, p. 67–90 ; Raymond MONTPETIT, *Le temps des Fêtes au Québec*, Montréal, Éditions de l'Homme, 1978, 285p. : un survol historique, des citations et documents visuels bien agencés. Denise RODRIGUE, *Le cycle de Pâques au Québec et dans l'Ouest de la France*, coll. « Les Archives de folklore », n° 24, Québec, Les Presses de l'Université Laval, 1983, 333 p. Pour un aperçu plus général, avec bibliographie : « La fête ou les fêtes », dans *Encyclopaedia Universalis*, 6 (1970) : 1046–1051. Mieux encore, mais du point de vue judéo-chrétien : Jean HILD, « Fêtes », dans *Dictionnaire de spiritualité*, t. 5, 221–247. Plus récent, mais plus théorique : *La Fête en question*, éd. Gürttler et Sarfati-Arnaud, Université de Montréal et Société des festivals populaires du Québec, 195p. (Études présentées au Colloque sur la Fête en question, 5–7 avril 1979, à l'Université de Montréal) : voir notes et bibliographies.
En annexe, listes des fêtes religieuses fériées du Québec en 1700, 1900 et 1980, et qui, comme telles, remontent dans la plupart des cas aux XIVᵉ et XVᵉ siècles européens (v. É. DELARUELLE, *La piété populaire au moyen âge*, Torino, 1975, 561p. ; *L'Église au temps du Grand Schisme...*, dans FLICHE et MARTIN, *Histoire de l'Église*, 14, Paris, 1964).

1. Une problématique d'historien

a. Les mots qui signifient

Partons des mots qui disent la sensibilité populaire. Au Québec, on ne parle pas, on *jase*; on ne pense pas, on *jongle*; ici, on ne célèbre pas, on *fête*. Quelqu'un a-t-il pris un « coup » de trop? Il est *en fête*. Une noce qui a duré jusqu'au petit matin est une *vraie belle fête*. Au lieu de se dire *Bon anniversaire*, on se souhaite *Bonne fête*! *Viens fêter* signifie dans l'usage populaire: *Viens t'amuser, viens danser, viens boire*. Encore aujourd'hui, on appelle le temps par excellence des visites et des *parties, le temps des Fêtes* qui correspond en langage religieux à l'époque de Noël, du jour de l'An et de l'Épiphanie. Pour les moins essoufflés, le *temps des Fêtes* peut se prolonger jusqu'au Mardi gras et même inclure un carnaval d'hiver.

b. Un tour d'horizon

Pour mieux nous retrouver dans ce monde étrange et grouillant des fêtes québécoises, voici les deux grands moments liturgiques à considérer depuis les débuts de la Nouvelle-France jusqu'à maintenant: Noël et Pâques.

Noël accorde au 25 décembre d'être une fête québécoise parfaite. On sait tout ce que cela comporte de composantes humaines et socioculturelles. Rites, croyances, cadeaux, visites, prières, messe à minuit, rien n'y manque. À Noël succède le jour de l'An: jour mi-religieux, mi-profane, messe, bénédiction paternelle et souhaits habituels. La fête des Rois, 6 janvier, termine officiellement cette époque chargée de bienfaits matériels et spirituels. Une fête pittoresque suivra: 2 février, la Chandeleur, fête religieuse de la lumière et des cierges. Par contre, la Saint-Valentin, 14 février, est une fête absolument profane, même si elle est inscrite au sanctoral.

Vient le Carême avec ses quarante jours maigres, ses exercices spirituels, ses retraites, ses dimanches en violet, son dimanche des Rameaux et sa Semaine sainte durant laquelle le Québécois religieux est déchiré entre les récits de la Passion de Jésus et le désir d'en finir avec le jeûne. Pâques! Une journée heureuse, mais moins célébrée que Noël. L'hiver a été trop long, le printemps retarde, les gens reviennent des chantiers. Au temps des Rogations, de l'Ascension, de la Pentecôte, le soleil prend le dessus, le Québécois aussi. Le temps de Pâques est pratiquement écoulé. La Fête-Dieu et la Saint-Jean-Baptiste sont la revanche d'une attente privilégiée. Dans les deux cas, on espère qu'il y aura du soleil, des couleurs, des cantiques, une procession, et beaucoup de joie. Ces fêtes ont aussi l'avantage de « prophétiser » les vacances des enfants qui ajoutent à l'euphorie collective.

Dans le monde rural, il faut attendre pratiquement la Toussaint pour goûter une fête religieuse d'envergure. Occupé à ses semences, puis à ses foins, puis à ses récoltes, l'habitant n'a guère le temps de fêter à son goût, contrairement à ce qui arrive dans les milieux urbains où juin appelle les vacances annuelles et l'évasion. N'allons surtout pas confondre fête rurale et repos, d'autant plus que la fête suppose souvent une surcharge de travail. À partir des années 1930, la ville prend de plus en plus d'espace intérieur et extérieur ; elle tend à dissocier le sacré du profane. Le week-end anticipé, les vacances, les congés payés, voire les grèves, apportent à la vie industrielle et à la fête religieuse un caractère plutôt exotique et provisoire qui s'accommode peu au rythme de longue durée de la fête traditionnelle. Autant la vie rurale tend à sacraliser le temps continu et le cosmos, autant la vie urbaine est prête à précipiter la moindre activité. Les rites religieux seront plus brefs et les fêtes forcément plus rares.

Quand reviendra l'avant-Noël, la fête de l'Immaculée Conception et sa bordée de neige, l'esprit des Fêtes renaîtra peu à peu. Le Québécois recommencera à parler du *temps des Fêtes*, mais dans un contexte de moins en moins religieux. Au temps gratuit des fêtes religieuses succédera le temps coûteux des cadeaux obligatoires.

En 1700, nous comptons, en plus des 52 dimanches fêtés à l'église et à la maison, 37 fêtes d'obligation dont on retrouve la liste au début du célèbre *Rituel* de monseigneur de Saint-Vallier. En 1744, monseigneur de Pontbriand réduit ce nombre parce que les cultivateurs ont peu de temps pour travailler. Sont reportées au dimanche 18 de ces fêtes. Tous ces jours sont chômés : c'est la loi de l'Église et celle de l'État. Le catholique qui manque la messe s'expose à la prison ou à l'amende. Qui des moins jeunes de nos lecteurs ne se souvient d'avoir récité par cœur ces prescriptions antiques en mots de tous les jours :

> Les dimanches tu garderas
> En servant Dieu dévotement.
>
> Les fêtes tu sanctifieras,
> Qui te sont de commandement.
>
> Les dimanches, messe tu ouïras
> Et les fêtes pareillement.

c. Des fêtes religieuses médiévales

Nés de la France médiévale, aux XVᵉ et XVIᵉ siècles, sans connaître les ruptures du protestantisme et de la Révolution française, sans la Renaissance européenne, les premiers Québécois arrivent au Canada avec leurs rites et la liste des fêtes religieuses du Moyen Âge. On y retrouve les messes, les expositions du Saint Sacrement, les mêmes processions, les mêmes chants latins, les mêmes couleurs liturgiques, les mêmes reliques. Ce Moyen Âge aura duré, à bien des égards, jusqu'en 1960. L'histoire de notre fête de la Saint-Jean-Baptiste suffirait à elle seule à démontrer la naissance, l'évolution et le passage de la fête religieuse française et romaine à la nouvelle fête québécoise patriotique, cette dernière transformant peu à peu la procession en parade, non sans nostalgie et sans regret de la part du peuple.

Mais il n'est pas si sûr que nous ayons tout oublié de nos origines médiévales. En 1980, la Saint-Jean-Baptiste sera célébrée aussi bien à l'église Notre-Dame que dans les rues de Montréal. Le 17e Festival de la crevette à Matane, tenu à la mi-juin, rappelle l'ancienne structure festive des fêtes de 1400 : entre le feu de la Saint-Jean, le tournoi de golf, la soirée de la parenté et le *Crevette Show*, se célèbre la messe sur les Îles. Quelle fête paroissiale n'a pas eu, comme au Moyen Âge, sa messe, sa bénédiction, son arrêt à l'église ? Si la fête à Matane inclut une grand-messe, la fête des chasseurs, la Saint-Hubert, en automne au Cap-Saint-Ignace, aura également sa grand-messe. La fête des majorettes en procession dans l'église de Sainte-Cunégonde à Montréal, au

Procession de la Fête-Dieu, 1965. (Archives de la paroisse des Saints-Anges, Lachine).

temps du Carnaval en février 1978, était tout aussi pittoresque que certaines entrées royales du XVᵉ siècle.

Tout cela pour nous rappeler, en fin de compte, nos origines européennes. Les grandes fêtes du Canada français sont pour la plupart un héritage reçu. Ne soyons pas étonnés alors que dans chaque fête religieuse d'ici se trouvent une forte composante judéo-chrétienne et des rites médiévaux qui ont fait l'admiration et la joie de nos ancêtres. La transformation de ces rites et leur adaptation à la culture moderne sont des faits récents, si récents que nous n'osons pas encore en écrire l'histoire.

2. Significations et constantes

L'ampleur de la fête religieuse est étonnante. Ceux et celles qui y participent célèbrent tour à tour le passé, le présent et l'avenir ; ils enveloppent dans leurs perspectives défunts et vivants, les bien-portants comme les malades, les présents aussi bien que les absents. Il s'agit moins de la fête d'un temps et d'un peuple en particulier que de celle de toute l'humanité. Cependant, peu de gens réussissent à garder leur esprit et leur cœur ouverts à ces dimensions souvent trop vastes pour leurs intérêts immédiats. De l'universel chrétien, on débouche vite sur la fête paroissiale et la réunion de famille.

a. Des fêtes populaires

Il reste que ces fêtes et ces dimanches sont toujours des fêtes *populaires*. Dans leur déroulement, à l'église, à la maison, dans les rangs ou au village, elles regroupent toutes les générations sans exception. Fêtes totales, fêtes pour tous, fêtes de participation. À l'église paroissiale, qui devient le centre communautaire par excellence, il y a de quoi occuper tous les esprits : l'autel décoré, les couleurs liturgiques, le sermon du curé, le prône surtout, la chorale, les chants, *et caetera*. Le pouvoir cohésif de la fête est connu des ethnologues et mériterait sûrement plus d'attention que cette simple mention.

Bien sûr, le clergé tend à normaliser et à moraliser avant même que la cérémonie commence ; mais il a beau dire et beau faire, la fête lui échappe aussitôt qu'elle est sortie de l'église. Nous ne dirons jamais assez jusqu'à quel point le peuple s'est amusé au Québec et comment la religion a provoqué, à cause du nombre des fêtes et à cause de ses sévérités officielles, une joie exceptionnelle de vivre, le goût de célébrer et aussi l'occasion toute trouvée de transgresser. Des gens tristes et inquiets ont imaginé que notre catholicisme traditionnel était morose et noir. C'est ne lire que des livres quand il faudrait surtout consulter la tradition orale. Certains clercs et quelques ascètes ont voulu être rigoristes, mais le peuple, lui, a fêté tant qu'il a pu. La foi rude et simple de nos ancêtres ne s'est pas morfondue en inquiétudes métaphysiques. Que le curé proteste, qu'il sermonne contre la danse, le blasphème et la boisson, les paroissiens fêteront quand même. Leur conscience s'adapte assez bien. Un jour, Simone Voyer, ethnologue, racontera l'histoire de la danse et nous verrons, une fois encore, comment les Québécois ont toujours été des *ratoureux* et des indépendants qui ne se font pas avoir par des discours et des sermons. Loin de ne pas boire, sacrer ou danser, ils feront les trois abondamment à la maison, quitte à trouver le confesseur plus libéral qui les autorise à regretter plutôt qu'à se culpabiliser. Non, ils ne se passeront pas de fêtes, pas plus qu'ils ne se passeraient de sucre au repas. « Le rire chasse le diable » disaient leurs ancêtres croyants du Moyen Âge. Enlevez-leur la fête religieuse complète, avec ses excroissances profanes, et ils l'inventeront. Que des prêtres suppriment la procession de la Fête-Dieu, ils allumeront, quinze ans plus tard leurs briquets pour une franco-fête sur les Plaines d'Abraham...

b. Rythme et longue durée

Il y a à retenir encore le rythme de longue durée qu'imposent au chrétien les grandes liturgies de Noël et de Pâques, sans oublier tous ces mois de saint Joseph, de Marie, du Sacré Cœur, de sainte Anne et celui des Morts si bien observé, qui donnent au vécu quotidien une atmosphère festive et lente, difficile à imaginer aujourd'hui dans nos vies dominées par la minute plutôt que par le mois et la saison. Rarement pressé, le Québécois traditionnel n'attend pas ses vacances ou même son week-end pour se reposer : il a déjà ses 52 dimanches où il lui est strictement défendu de travailler. Ses nombreuses fêtes d'obligation, tels le jour de l'An, l'Épiphanie, l'Annonciation, l'Ascension, la Toussaint, le jour des Morts et l'Immaculée Conception, l'invitent constamment à vivre sa liberté et à identifier le rythme des saisons. La plupart des fêtes sont attendues et préparées par un jour de jeûne strict, par une confession, voire par une neuvaine. L'anticipation et le désir font autant que la réalité. Toute fête passe par l'église : prières, messes, vêpres, processions, saluts du Saint Sacrement, communion générale. Cela permet à chaque paroissien d'observer un temps intérieur plus long, propre à la lenteur. Ne reconnaît-on pas que, dans la mentalité populaire d'avant 1960, un long sermon, une longue messe, des chants à n'en plus finir signifient mieux la fête réussie qu'une cérémonie courte et bâclée ? Comme il arrive encore à des noces ou même à des nuits de poésie de manifester leur authenticité par leur longueur, une vraie fête doit avoir sa vigile, sa longue célébration et même son octave : ce sont des titres de noblesse qui ne trompent pas.

c. Une fête démocratique

Une autre constante de la fête religieuse traditionnelle est son caractère démocratique. Tout le monde y participe sans distinction d'âges et de classes sociales. Comme à la messe, comme à la communion. Il ne serait pas venu à l'idée de nos ancêtres de *spécialiser* la fête en fête des enfants, en fête des mères, en fête des pères, pour la simple raison qu'ils n'auraient pas imaginé la fête sans les trois à la fois. D'ailleurs, c'est toute la famille qui prie, qui a sa place de banc, qui va à l'église, qui « processionne » et qui chante. S'il arrive que dans les processions les enfants soient séparés de leurs parents et les femmes des hommes, c'est parce qu'ils sont enfants de chœur, Enfants de Marie, Dames de Sainte-Anne, Ligueurs du Sacré Cœur. Privilèges de confréries tels qu'il y en avait à la fin du Moyen Âge. La démocratie d'ici est l'héritière des corporations d'autrefois : d'où ces regroupements qui n'ont d'intention que l'unité de la procession.

d. Une fête globale

La fête religieuse traditionnelle est si globale qu'elle absorbe autant le temporel que le spirituel. Il y a de tout dans cette fête, depuis les chants liturgiques, le chapelet, les cantiques, les églises décorées, la grand-messe solennisée, jusqu'au bel habit étrenné, la belle robe, les beaux chapeaux, le nouveau veston, *et caetera*. L'on parle de « s'endimancher », de mettre ses beaux habits du dimanche, pour mieux célébrer. De ces points de vue, Noël et Pâques demeurent des fêtes exemplaires, d'autant plus que Noël coïncide avec les modes d'hiver et Pâques, avec les modes du printemps. L'église paroissiale reste le lieu idéal pour démontrer publiquement son goût et ses talents.

Nous pourrions ajouter une croyance de plusieurs de nos ancêtres relativement à la fête complète : à Noël, à minuit plus précisément, les animaux eux aussi se mettent à genoux en l'honneur de Jésus le nouveau-né, tout comme ils jeûneront le Vendredi saint pour honorer sa mort. La conviction est que, s'il y a fête à l'église, il y a fête partout et pour tous, la fête religieuse reliant ciel et terre.

e. Du sacré au profane

Ici le sacré n'entre pas encore en opposition avec le profane. Le religieux traditionnel enveloppe les deux. Par exemple, tous ces dimanches et jours de fêtes ont pour but de célébrer Dieu, ses anges, Jésus, les saints, les saintes, les âmes du Purgatoire à qui on accorde des privilèges supplémentaires de pouvoir protecteur. Qu'ils soient «fêtés» dans une église, célébrés par un cardinal ou un évêque, ces jours ne sont pas seulement sacrés. L'humain empiète vite. On va à l'église oui, mais le dimanche est aussi le jour de la frugalité, des «étrennements», des visites, des fréquentations amoureuses et des réunions familiales. Un ethnographe trouve de tout quand il analyse notre jour de Noël, le jour de l'An, le jour des Rois, la Chandeleur, le Mardi gras. Le froid réveille les énergies et l'habitude de célébrer est telle qu'à la moindre fête des charivaris de tout style se produisent et nous rappellent à tous égards les excès de la fin du Moyen Âge. La fête sacrée fut, en certains cas, accompagnée d'abus si évidents qu'on a dû la supprimer au moins pour un temps, plutôt que de la voir compromise à jamais.

f. Le merveilleux de la fête

Parlons maintenant de notre besoin de merveilleux. L'imaginaire du peuple québécois a été pendant longtemps associé à la religion avec son ciel, son purgatoire, son enfer, son culte des anges, ses âmes, ses revenants, ses tendances à communiquer avec l'au-delà, avec ses superstitions, ses miracles, son providentialisme et ses attaches aux moindres signes de Dieu. Les grandes démonstrations publiques de l'été, processions de la Fête-Dieu, du Sacré Cœur, de sainte Anne, s'insèrent dans le courant du sacré spectaculaire et de l'émerveillement collectif. Le peuple a besoin de cela pour vivre et se rassurer. Chassez le sacré et il reviendra au galop. Les manifestations des charismatiques et des Témoins de Jéhovah obéissent à la même tendance de tous les temps : le merveilleux appelle le spectacle.

3. Aujourd'hui pour demain...

Venons-en, enfin, aux voies de l'avenir et à l'évaluation de nos fêtes religieuses traditionnelles.

a. La difficulté de l'analyse et de la prospective vient de ce que la plupart d'entre nous sommes de la génération de la rupture et de la sécularisation accélérée. L'aspect mystique de la fête religieuse se fait de plus en plus étranger. Nous risquons de ne plus prendre au sérieux les chiffres, voire les abus d'autrefois. Autres temps, autres mœurs. La fête religieuse et la fête profane ne faisant qu'un, nous éprouvons du mal à ne pas séparer, pour ne pas dire opposer ou même nier, ce que nos parents et grands-parents ont vécu dans l'unité d'une vie tout orientée par les dimanches et par le temps des Fêtes.

b. Une caractéristique importante de la fête religieuse reste sa pérennité et son enracinement dans la durée. Tout le contraire d'une improvisation ou d'une subvention dont on ne sait jamais si elle sera renouvelée. La fête religieuse est signe de stabilité, de gratuité et de durée. Sécularisé ou pas, le dimanche durera : l'Eucharistie y sera toujours partagée. Les processions extérieures de la Fête-Dieu se remettront à circuler un jour ou l'autre. La messe de Minuit au Québec restera un temps fort de la vie collective. Les fêtes de graduation, avec messe s'il vous plaît et bal, reviennent peu à peu. Il faut aller à Sainte-Anne-de-Beaupré, à Notre-Dame-du-Cap ou à l'Oratoire Saint-Joseph et observer objectivement ce qui s'y passe pour s'apercevoir que la fête religieuse est dans l'air. Les pèlerins s'y font de plus en plus nombreux.

Le Québécois aime la fête. De toute manière, dans le catholicisme, à cause de la vie et de la personnalité de Jésus, il y a quelque chose de festif et de triomphateur. Le christianisme fête même la mort. La sécularisation totale des masses est impossible. Dans aucun pays d'ailleurs. Celle des élites est souvent plus verbale que réelle. Le sacré est instinctif à l'homme. Or la fête appelle le sacré, qu'elle revalorise.

c. Il nous resterait à vérifier les constantes de toutes ces fêtes plus ou moins sécularisées, ou même disparues, pour mieux découvrir la sensibilité quotidienne du Québécois face à la vie, à l'au-delà, face à son Dieu et à ses saints, face à son goût de vivre. D'autres questions se posent également. Les fêtes profanes du Carnaval et surtout de la Saint-Jean-Baptiste pourront-elles survivre sans leur composante religieuse traditionnelle ? Bien sûr que oui. Mais nous aurons une autre fête, moins globale, moins populaire en un sens, avec des heures plus brèves quoique plus violentes émotivement. Par contre, le succès de *Terre des Hommes* et des *Floralies* est en voie de démontrer l'importance et le rythme de la fête lente et strictement populaire.

*

*   *

Pour terminer, rappelons-nous comment la fête religieuse traditionnelle, par sa fréquence et son contenu mixte, a été présente à nos mœurs. La refuser serait un risque et même une trahison. La transformer reste une urgence, pourvu qu'elle ne devienne pas une évasion mais une intériorisation. Un peuple toujours en procession, entendons : toujours en marche vers son avenir et vers une autonomie de plus en plus parfaite. La fête religieuse pourrait indiquer aux Québécois, comme à certaines jeunes nations, le sens spirituel ultime de sa vocation parmi les autres peuples.

La valeur de la fête catholique augmente du fait qu'elle est déjà et avant tout une fête communautaire, une fête sociale, une fête démocratique et universelle. Elle dispose aujourd'hui encore des mêmes croyances et des mêmes rites fondamentaux du discours et de la communion. Sa continuité est étonnante, autant que sa cohésion. Dans son rapport avec le sacré et l'insolite, elle tend à atteindre un monde différent, ce qui lui permet d'être à la fois une attraction et un dépassement.

Par contre, la même fête traditionnelle catholique risque toujours la routine, la surcharge, l'uniformité, le formalisme et la répétition. Son culte du passé et de l'anniversaire, sa dépendance vis-à-vis de la coutume établie, feront parfois d'elle, surtout en milieu urbain, une contre-culture d'arrière-garde. Le laxisme actuel des catholiques fait qu'il ne se trouve plus guère dans leurs fêtes la transgression bénéfique des préceptes d'autrefois. Sans défis, une civilisation purement permissive amortit la fête. Quand l'Église catholique demandait à ses « fidèles » de faire carême pour préparer Pâques et de jeûner durant l'Avent, elle devenait une excellente pédagogue de la fête dont elle augmentait l'émotion en même temps qu'elle prônait la spiritualité. Notons que le *temps des Fêtes* coïncide chez nous avec les premières tempêtes de l'hiver : la fête religieuse s'est trouvée en général plus à l'aise avec l'hiver qu'avec les autres saisons, l'hiver restant une *épreuve* à vaincre.

Parmi tant de dangers qui guettent la fête moderne, signalons l'imitation close des rites brefs de la civilisation industrielle qui peut se satisfaire d'une société sans haute culture. La fête religieuse, pour sa part, ne saurait subsister que si elle récupère le sérieux, voire la sévérité qui, jadis, faisait son charme et son défi.

Plusieurs autres éléments seraient à dégager de la pratique de la fête religieuse au Québec : son besoin d'enseigner et de prouver, son goût du souvenir, sa vision hiérarchique des êtres, son imaginaire, son encadrement paroissial et familial, son côté mystique et tendre, son sens de l'anticipation, sa recherche des rites éprouvés et ses composantes cosmiques... Voilà de quoi fêter ensemble encore longtemps !

ANNEXE

FÊTES RELIGIEUSES OBSERVÉES
AU QUÉBEC EN 1700

Tous les dimanches de l'année

FÊTES MOBILES

Pâques et les deux jours suivants.
L'Ascension de notre Seigneur.
La Pentecôte et les deux jours suivants.
La Fête du Saint Sacrement.
Le jeudi de l'Octave du Saint Sacrement jusqu'à midi.

FÊTES IMMOBILES

Janvier :

1 : La Circoncision.
6 : L'Épiphanie de notre Seigneur ou les Rois.

Février :

2 : La Présentation de notre Seigneur au Temple et la Purification de la Sainte Vierge, 2e classe.
24 ou 25 : Saint Matthias, apôtre.
Si cette fête arrive le mercredi des Cendres, on la célébrera le lendemain et elle sera chômée.

Mars :

19 : Saint Joseph, premier patron du pays.
25 : L'Incarnation de Jésus Christ et l'Annonciation de la Sainte Vierge, 2e classe.
Ces deux fêtes sont remises au lundi lorsqu'elles arrivent le dimanche ; elles sont transférées après Pâques lorsqu'elles arrivent pendant la Semaine sainte. Elles sont toujours chômées.

Mai :

  1 : Saint Philippe et saint Jacques, apôtres.
Lorsque cette fête arrive dans la quinzaine de Pâques, elle est remise au mardi après la Quasimodo et elle est chômée.

Juin :

  24 : La naissance de saint Jean Baptiste.
Lorsque cette fête arrive le jour de la Fête-Dieu, elle est remise au lendemain et elle est chômée.
  29 : Saint Pierre et saint Paul, apôtres.

Juillet :

  25 : Saint Jacques, apôtre.
  26 : Sainte Anne.

Août :

  10 : Saint Laurent, diacre et martyr.
  15 : L'Assomption de la Sainte Vierge.
  24 : Saint Barthélémy, apôtre.
  25 : Saint Louis, roi de France, second titulaire de la cathédrale, sans octave.

Septembre :

  8 : La Naissance de la Sainte Vierge.
  21 : Saint Matthieu, apôtre.
  29 : Saint Michel, archange, et tous les Saints Anges.

Octobre :

  28 : Saint Simon et saint Jude, apôtres.

Novembre :

  1 : La Fête de tous les Saints.
Quand la Commémoration des Morts arrive le dimanche, l'office est transféré au lundi.
  30 : Saint André, apôtre.

Décembre :

  3 : Saint François Xavier, second patron du pays.
  8 : La Conception de la Sainte Vierge, première fête titulaire de la cathédrale.
Lorsque les fêtes de saint François Xavier et de la

Conception arrivent le dimanche pendant l'Avent, on les célébrera le lundi.

21 : Saint Thomas, apôtre.

L'on ne chôme point les fêtes de saint André, ni de saint Thomas, lorsque ces fêtes arrivent le dimanche ; l'on en remet seulement l'office au lundi.

25 : La Naissance de notre Seigneur Jésus Christ.

26 : Saint Étienne, premier martyr.

27 : Saint Jean, apôtre et évangéliste.

Le patron principal de chaque paroisse est chômé et se célèbre avec octave.

FÊTES QU'ON CÉLÈBRE LE DIMANCHE

La fête de la Sainte Famille de Jésus, Marie, Joseph, le troisième dimanche après Pâques, seconde classe, sans octave, si ce n'est à Québec.

La fête de la Dédicace de l'église cathédrale et des autres églises du diocèse, le second dimanche de juillet, première classe, avec octave.

La fête des Saints Martyrs Flavien et Félicité, le premier dimanche de septembre, à Québec, où sont leurs reliques, seconde classe.

La fête de Notre-Dame de la Victoire, le dimanche le plus proche du 22 octobre.

FÊTES RELIGIEUSES OBSERVÉES
AU QUÉBEC EN 1900

Tous les dimanches de l'année

FÊTES MOBILES

Pâques.

L'Ascension.

La Pentecôte.

La Sainte Trinité.

FÊTES IMMOBILES

Janvier :

      1 : La Circoncision.
      6 : L'Épiphanie.

Novembre :

      1 : La Toussaint.

Décembre :

      8 : L'Immaculée Conception.
    25 : Noël.

FÊTES CÉLÉBRÉES LE DIMANCHE

La fête du Saint Nom de Jésus.
La fête de la Sainte Famille de Jésus, Marie et Joseph.
Solennité de la Purification.
Solennité de saint Joseph.
Solennité de l'Annonciation.
Patronage de saint Joseph.
Solennité de la Fête-Dieu.
Solennité de la Nativité de saint Jean Baptiste.
Solennité des Saints Apôtres Pierre et Paul.
Précieux Sang de notre Seigneur Jésus Christ.
Dédicace des églises du diocèse.
Solennité de sainte Anne.
Solennité de l'Assomption.
Le Cœur très pur de Marie.
Solennité de la Nativité de la Bienheureuse Vierge Marie.
Notre-Dame des Sept Douleurs.
Solennité de saint Michel, archange.
Solennité du Saint Rosaire.
Maternité de la Bienheureuse Vierge Marie.
Pureté de la Bienheureuse Vierge Marie.
Patronage de la Sainte Vierge.

FÊTES RELIGIEUSES OBSERVÉES
AU QUÉBEC D'AUJOURD'HUI

Tous les dimanches de l'année

FÊTES MOBILES
>   Pâques.
>   La Pentecôte.
>   La Sainte Trinité.

FÊTES IMMOBILES

Janvier :
>   1 : Sainte Marie, Mère de Dieu. Octave de Noël.

Novembre :
>   Dernier dimanche : Fête du Christ, Roi de l'univers.

Décembre :
>   25 : Nativité du Seigneur.

FÊTES CÉLÉBRÉES LE DIMANCHE

>   La Sainte Famille de Jésus, Marie et Joseph.
>   Le Baptême du Seigneur.

FÊTES REPORTÉES AU DIMANCHE

>   L'Épiphanie.
>   L'Ascension.
>   Le Saint Sacrement.

B. À cause du folklore de Noël [3]

Les mots qui appellent Noël sont si vivants en nous que simplement les énumérer nous invite déjà à chanter *Minuit, chrétiens ! Ça, bergers,*

---

3. Extrait de *Prêtre et pasteur : l'Enfant que nous faisons naître*, 84, 11 (déc. 1981) : 678–686.

assemblons-nous ! *Dans cette étable* ! La messe de Minuit, les sapins, les bergers, les crèches, les cadeaux, les cloches, les carrioles, les sleighs, la poudrerie, la neige, les réveillons, la musique, les disques, les vitrines, la visite ; beignets, tourtières, cretons, traîneaux, skis, raquettes, patins : chaque expression éclate comme une fête à répétition.

Ce n'est d'ailleurs pas un hasard de l'histoire du merveilleux religieux québécois que Noël commence très tôt dans les grands magasins, les bureaux et même dans les maisons les plus ordinaires. Comment attendre le bonheur à notre porte ? Le décor et le scintillant qui accompagnent les vieux cantiques de Noël, dont certains sont d'un attrait indéfectible (par exemple *Il est né, le divin Enfant, Les Anges dans nos campagnes, Adeste fideles*), ont des significations qu'il convient d'identifier. Cette hâte d'en venir à Noël, d'en parler et de le célébrer, n'est pas que mode et matérialisme. Ces habitudes parfois extravagantes, on le concédera, ne peuvent qu'interroger ceux et celles qui veulent donner à cette fête un sens véritable, d'autant plus qu'elle survient à un moment bien particulier de notre sensibilité collective : l'hiver.

Les questions que se posent les pasteurs en quête de signes des temps à la suite de tant de récits et de films sur Jésus, de tant de contes de Noël, de tant de messes de Minuit, de tant de crèches, des crèches vivantes maintenant, sont à peu près les mêmes partout dans l'univers chrétien. Le folklore qui se transmet à chaque génération sert-il à réhabiliter ou à écarter la fête chrétienne ? Où en est-on avec la célébration originelle de la lumière victorieuse de la nuit ? Qui pense, à minuit, un 25 décembre, au temps éternel de Dieu ? Comment donner à cette fête exceptionnelle une signification qui tienne compte autant de son passé que des exigences d'un monde surindustrialisé ? Faut-il concéder que Noël soit redevenu une fête païenne ?

1

Pour tenter de répondre à ces interrogations qui en supposent beaucoup d'autres, il serait bon de nous rappeler que Noël, depuis ses origines chrétiennes, est toujours apparu comme une fête merveilleuse. Il fut un temps en Occident, à l'époque du Moyen Âge en particulier, où Noël déclenchait toutes les énergies possibles et cela jusqu'au temps du Carnaval, qui devenait la fin des fins de la fête la plus pittoresque. Très tôt entouré de rites, de coutumes, de folklore surtout, le 25 décembre continue à correspondre à un moment assez particulier : une étape s'amorce, décembre est son point terminus, une nouvelle année s'annonce. Depuis le 8 décembre, chacun s'énerve à sa manière. « Quand arrive l'Immaculée, la fête est dans l'air » disaient encore en 1950 les vieux de Saint-Michel-de-Bellechasse. « Et n'essaie pas de ne pas fêter quand la fête est dans l'air ! »

Qu'il soit propriétaire ou locataire, le citadin, comme le rural, éprouve le besoin normal d'une pause nécessaire au moment où, malgré le froid et après le solstice d'hiver, la lumière reprend ses pouvoirs sur la nuit et que le dernier mois invite à des rites de passage. Des pays aussi modernes que le Japon, qui n'a rien de chrétien dans ses habitudes, ne peuvent se soustraire à la magie de Noël, à ses cadeaux et surtout à ses congés. Nécessité d'une fête saisonnière ? Nécessité d'une fête de l'hiver ? Sûrement. Nous n'avons inventé ni le jour, ni la nuit, ni le 25 décembre, ni qu'à cette date près, dans notre hémisphère, le jour devient un peu plus long. Donc Noël n'est pas qu'une fête religieuse.

En plus d'un support cosmique naturel important, notre peuple héritera des gais noëls de France des XVIe et XVIIe siècles : noëls chantés, noëls versifiés, noëls portés au théâtre, noëls objets de toutes les complaisances et de tous les caprices avec des liturgies parallèles souvent remarquables. En 1662, à Québec, le *Te Deum* qui annonce Noël est accompagné d'une salve de canon. Qui ne se souvient de ces lentes processions aux charmes imprévisibles et inégaux quand, tout juste avec minuit le 25 décembre, des bergers improvisés et des anges-enfants de chœur portaient jusqu'à la crèche l'Enfant Jésus : de quoi émerveiller la communauté paroissiale assemblée dans une église déjà pleine à craquer.

À l'église, la crèche reste le plus grand signe populaire de la fête ; à la maison, coutume scandinave, dit-on, c'est l'arbre. Qu'il soit naturel ou artificiel, sapin ou épinette, il promet de devenir ici et là l'autre signe quasi essentiel. C'est au pied de l'arbre décoré que se retrouvent les *gros* cadeaux, les petits souvenirs, voire une mini-crèche. Le dépouillement de l'arbre signifie la fête domestique réussie avec les joies plus que naïves de la surprise et de l'enfance retrouvée.

Revenons à l'église pour la messe de Minuit. La tradition est tenace au Canada français d'une messe grandiose et colorée, avec toutes les décorations qu'on imagine. Ce que l'on accorde volontiers avec tant de générosité au roi de France, on se doit de l'offrir aussi en l'honneur de ce « Roi de gloire », l'Enfant Jésus. Comme disent les vieux du village : « À Noël, c'est pas l'temps de ménager. » Par exception, les enfants veilleront et tous les horaires seront bouleversés. Noël est la fête d'une convivialité partagée.

Un autre aspect positif du folklore de Noël est son caractère totalitaire et presque exhaustif. Il s'agit de regrouper dans l'église paroissiale, près de la balustrade, quitte même à faire échec au tabernacle, tous les personnages bibliques qui auraient eu quelque chose à faire avec la naissance de Jésus : Joseph, Marie, les bergers, les mages anonymes, leurs chameaux, le bœuf, l'âne, une étoile en haut, sans oublier les anges et les moutons en nombre si imposant qu'il faudra parfois sacrifier un large espace de l'autel latéral pour leur permettre d'arriver à la crèche, lieu accueillant, pacifié et pacifiant.

À la naissance de Jésus sont associés le ciel et la terre, l'univers, les fleurs, les arbres, les bêtes. On croit même, en certains lieux, que cette nuit-là les étoiles brillent davantage. Elles sont plus nombreuses, en tout cas. Une tempête à Noël est un signe, un autre signe, tout comme la tempête de l'Immaculée, que Dieu est vraiment avec nous, d'autant plus qu'il est le Maître des temps et de l'espace. Ne dit-on pas qu'à Noël la neige est plus blanche que les autres jours ? Même les animaux participent à la fête. La croyance longtemps répandue dans les campagnes de Bellechasse, et ailleurs sûrement, est qu'à *minuit* les animaux se mettent à genoux, qu'ils prient, qu'ils se parlent. D'autres croyances encore ? D'après le Lévisien L.-P. Lemay en 1898, dans *Fêtes et corvées* :

> [Les morts] sortent de leurs sépulcres et viennent s'agenouiller autour de la croix du cimetière. Alors s'avance un prêtre, en surplis blanc, et une étole dorée ; c'est le dernier curé de la paroisse. Il récite à haute voix les prières de la Nativité, et tous les morts répondent avec dévotion. Ensuite tous les spectres se relèvent, regardent le village où ils sont nés, la maison où ils sont morts, et rentrent en silence dans leurs cercueils.

À cause de toutes les réjouissances collectives et familiales, difficilement maîtrisables, les curés les mieux équipés de mots et de menaces ne réussissent pas toujours à mettre les freins qui s'imposent. À Noël tout peut arriver : le meilleur et le pire, la grande cérémonie religieuse à l'église et le meilleur charivari à la maison. On se souvient, il y a près de trois cents ans, à Sainte-Marie de Beauce, que la paroisse fut privée de la messe de Minuit pendant trois années consécutives.

À l'époque, on s'en permettait autant qu'aujourd'hui. Nos longs réveillons de riches, les danses dans les clubs jusqu'au *petit matin* du 25, nos *parties* à n'en plus finir qui commencent dès la mi-décembre, ont eu sûrement leur équivalent aux premiers jours de la Nouvelle-France. Le *Rituel* de monseigneur de Saint-Vallier, en 1703, contient un mandement sévère de monseigneur de Laval au sujet des charivaris.

L'avertissement laisse entendre que, lorsqu'il s'agit de fêter, les catholiques de la Nouvelle-France ne donnent pas leur place. Leur folklore donne lieu à des *folleries* qui éclatent de tous côtés. Certaines nuits de Noël ont des excès semblables à des noces interminables. Nous ne sommes pas les premiers à célébrer Noël avec un surplus de conduites douteuses !

Dans ce contexte de festivités, reconnaissons qu'il sera toujours facile de glisser du sacré au profane. Noël est-il condamné aujourd'hui du fait qu'au lieu d'une messe à minuit, messe solennelle vraiment paroissiale et communautaire, nous ayons plusieurs messes du soir, de la nuit et du jour ? Des horaires plus flexibles ne font-ils pas que la fête familiale à la maison cadre mieux quand elle ne supprime pas totalement la fête traditionnelle à l'église ? Quand il est *Minuit, chrétiens* ! depuis plusieurs semaines à la radio et dans les magasins, comment se concentrer sur le temps unique de l'Incarnation du Sauveur ?

Nous pourrions, au besoin, comparer le folklore de Noël à celui de Pâques pour mieux en examiner les ressemblances et les différences. À Noël, c'est effectivement la neige et l'hiver, mais avec un peu plus de chaleur solaire à l'horizon après un mois des Morts lugubre. La période de Noël à la mi-janvier s'appelle le TEMPS DES FÊTES comme pour mieux dire, à notre façon, le caractère exceptionnel de ces jours qui dépassent en intensité et en festivités profanes et religieuses toutes les autres fêtes de l'année. À Noël, l'idéal est plutôt d'aller à la messe de Minuit ensemble. À Pâques, pendant longtemps, la confession et la communion ont identifié la fête : « À Pâques, il faut avoir fait ses Pâques. » Alors que Noël reste la fête religieuse collective par excellence, la plus attrayante, la mieux anticipée, la mieux célébrée, la mieux incarnée dans le folklore religieux traditionnel, Pâques demeure le temps personnel de la communion annuelle obligatoire.

Pâques est aussi une fête, mais pour le peuple c'est une fête austère. Pour oublier LE TEMPS HEUREUX DES FÊTES il y a eu, entre temps, le Carême avec ses grandes prédications : le rappel des principales vérités du salut sur les fins dernières, le jugement dernier, l'enfer, le purgatoire... Et comme nous le savons, le printemps incertain du Québec et de l'Acadie se prête mal à une fête pascale totale et préméditée avec la même unanimité et la même force qu'à Noël. Il reste à savoir jusqu'à quel degré le folklore de Noël signifie les intentions de la fête religieuse.

2

Nous voudrions pouvoir nous scandaliser davantage avec ceux qui ont commencé à maudire le paganisme de Noël, l'exploitation mercantile, la folie des camaraderies commanditées, les cartes de souhaits et les cadeaux en série. Pourtant, tout ce folklore et ces excès ont un sens qui devance la fête religieuse. Dieu se fiche de nos *bebelles* publicitaires et de nos protestations pharisaïques. Expliquons.

L'émerveillement de Noël reste toujours aussi vivant : nous voulons faire aimer l'instant jusqu'à donner au moment présent, grâce à la fête, une saveur, un pressentiment d'éternité. Tout comme à l'église paroissiale, à la messe, aux trois messes plutôt, il s'agit ni plus ni moins de valoriser le temps, d'éterniser le présent et d'éveiller le goût de la durée en plénitude en faisant deviner la joie d'une fête en permanence. Tel est l'objectif principal de la fête que Dieu nous offre à Noël. *Hodie genui te* chantait la chorale, aussitôt terminé le *Minuit, chrétiens*! À l'Épiphanie, à Pâques et à la Pentecôte, les textes liturgiques veulent, eux aussi, tout orienter vers l'aujourd'hui de Dieu. Peu de chrétiens entrent dans ces perspectives. Elles sont là quand même comme l'évocation d'un Noël idéal, comme une anticipation et une espérance que seules les grandes religions savent explorer. Même si le folklore obéit à certaines modes qui risquent de contredire la liturgie officielle, il garde toujours sa valeur de rappel en créant cette atmosphère qui consiste à désirer le temps jusqu'à vouloir le faire durer dans une fête interminable.

Une dimension des Noëls religieux d'antan est gravement menacée par l'énergie électrique. Qui sait qu'à Noël nous fêtons le retour de la lumière, le renouveau du soleil qui se lèvera un peu plus tôt chaque jour ? Soleil et lumière sont pourtant deux mots bibliques qui renvoient à Jésus. Mais pouvons-nous toujours revenir en arrière ? Si la base cosmique qui appuie un symbole n'est plus notable, ne vaut-il pas mieux s'en remettre simplement aux mots de la foi ?

Par ailleurs, un nouvel élément de réflexion survient depuis au moins le XVIIe siècle. L'accent en Occident est maintenant mis sur l'enfance. Même quand les textes liturgiques persistent dans la méditation du temps divin et de la lumière perdue et retrouvée, c'est plutôt à l'Enfant Jésus que pensent les clercs et les fidèles. Il suffit de citer le prône de monseigneur de Saint-Vallier, deuxième évêque de Québec, pour constater comment on a orienté la sensibilité pendant plusieurs siècles et comment on a aisément glissé d'une fête de la lumière à une fête moralisée de l'enfance. « Pour le dimanche qui précédera la fête de Noël, le Curé lira ce qui suit :

L'Église vous ordonne de jeûner (tel jour N.) afin de vous préparer à la grande Fête de Noël. Le lendemain, (ou Lundi, si la Vigile était anticipée) est le saint jour de Noël. C'est celui auquel l'Église célèbre la Naissance de Notre-Seigneur Jésus-Christ ; c'est-à-dire, le jour auquel le Verbe Éternel, Fils unique du Père, la seconde personne de la Sainte Trinité, étant Dieu comme lui, a voulu, pour nous sauver, naître homme comme nous, d'une Vierge, dans la Ville de Bethléem, suivant les promesses que Dieu en avait souvent faites dans l'Ancien Testament par ses Prophètes.

Ce sera au milieu de la nuit que l'Église vous dira : *Voici l'Époux qui vient ; allez au-devant de lui.* Venez tous à la célébration de ce Sacré Mystère, pour y adorer avec les Bergers ce Verbe fait chair pour votre salut, et retournez-vous-en comme eux en louant et bénissant Dieu des grandes merveilles qu'il a opérées pour vous.

Prenons résolution pendant tout ce saint temps, d'imiter J.-C. dans son enfance, et de profiter des exemples d'humilité, de mortification, de pauvreté et de charité qu'il nous donne dans sa Crèche. Souvenez-vous qu'il est venu au monde pour détruire le péché dans vos cœurs, et pour y régner par sa grâce.

Est-il si mauvais pour la pastorale immédiate d'avoir délaissé la victoire de la lumière sur la nuit, la réalité de Jésus, lumière du monde, pour favoriser plutôt l'annonce de Jésus fait enfant ? Cette personnification de la fête est-elle si désastreuse ? L'étonnement du peuple face à l'enfance ne peut-il pas être aussi valable que sa joie naïve de retrouver l'aurore d'un matin plus long et d'y accrocher un symbole biblique ? Entre Dieu et nous, n'y a-t-il pas d'abord une parenté mystique, de personne à personne, qui nous fait aspirer aux privilèges premiers d'être appelés enfants, enfants de Dieu surtout ? Entre nos ancêtres de la Maison du Père, comme on dit aujourd'hui, ou nos ancêtres de *l'autre bord*, comme on disait autrefois, et les enfants et l'Enfant Jésus et tous les bébés de Noël, apparaît le privilège d'une seule histoire, d'un seul baptême, d'une seule foi, d'une seule famille, d'un seul Noël, d'un seul Père pour tous. Qui aurait cru ? Qui aurait pensé que Dieu lui-même se ferait *chair d'enfant*, qu'il habiterait chez nous à loyer ? C'est cette intuition familière et théologiquement correcte que le nouveau folklore de Noël tend à proclamer d'une façon parfois excessive mais profondément sacrée.

Comment oublier que Noël est malgré tout une fête universelle au sens le plus noble du mot ? Le folklore du 25 décembre associe dans une même célébration, disions-nous, le ciel, la terre, tous les pays du monde, tous les humains, les animaux, les sapins, le jour, la nuit, de quoi nous délivrer de nos solitudes et nous entraîner à mieux aimer ce Dieu tout-puissant, « créateur du ciel et de la terre », si près de nous en dépit de tout ce qu'on a dit au Québec d'un Dieu-juge, d'un Dieu-vengeur. C'est une expérience fort valable que Noël propose encore aujourd'hui au peuple chrétien.

Il y a davantage. Le peuple a du flair. Les jeunes ont commencé à réagir. Un Noël trop officiel et trop commercialisé attire de moins en moins les cœurs. Nous nous en allons vers un Noël élargi, un Noël de partage, surtout un Noël d'amour universel. Plus il y a de cadeaux, plus il y a de visites ; plus il y a de *parties*, plus on s'aime ; plus on s'aime, plus Dieu est avec nous. « L'amour vient de Dieu... Quiconque aime est né de Dieu... Dieu est Amour... Qui aime son frère demeure dans la lumière » (I *Jn* 4, 7-8 ; 2, 10). « Si nous nous aimons les uns les autres, Dieu demeure en nous, et son amour en nous s'accomplit » (*Ibid.*, 4, 12).

Malgré le tumulte du magasinage et face à l'accélération des temps nouveaux, ces moments de fatigue et de rupture ont quelque chose à faire avec la vie de Dieu en nous. Il faut un temps pour prévoir, un temps pour se souvenir, un temps pour travailler, un temps pour se reposer, puis « un temps pour gémir et un temps pour rire » (*Si* 3, 4). À cette fête chargée d'émotions individuelles et collectives, qui mérite que nous nous y donnions à fond de train, se greffe l'intuition d'un Dieu joyeux qui aime les fêtes et les anniversaires. La Bible le dit. Jésus n'a-t-il pas comparé l'au-delà à une noce ? N'a-t-il pas prié pour que notre joie soit un jour entière ? Toute participation à la fraternité du rassemblement signifiera, pour le croyant, le goût de sa propre vie communautaire et le désir anticipé d'une fête non seulement universelle, mais aussi éternelle avec le Seigneur.

Il y aurait à relever d'autres éléments propres à notre folklore, qui indiqueraient que cette fête de Noël, noyée dans toutes sortes d'habitudes et de conventions sociales plus ou moins heureuses, ne mérite pas qu'on la redoute. Son caractère international, la sociabilité qu'elle provoque, la préoccupation des plus pauvres et des grands malades qu'elle suscite et surtout la croyance que Jésus est vivant avec nous, qu'il connaît toutes nos démarches et les endosse, voilà autant de points d'ancrages favorables à une renaissance de la fête chrétienne. Pourvu toujours que nous ne désespérions pas des temps présents ni de la créativité propre à notre époque.

En somme, vive Noël, vive sa messe, vive ses cantiques, ses veillées et ses réveillons ! Loin de dénaturer la fête, le folklore est provocateur de souvenirs et de rappels. Le vrai sens de la fête, nous le portons en nous. Chacun peut le fabriquer là où il vit. La fête profane est un tremplin. Comme dirait le Moyen Âge : la grâce ne détruit pas la nature, elle l'ennoblit plutôt.

Répétons le principe qui vaut pour tout rituel, toute paraliturgie et toute fête possible : là où l'amour vit, les signes, les gestes, les paroles et les démarches trouvent vite leurs significations multiples. Or, il y a trop d'amour implicite et explicite dans la fête de Noël pour que cette fête, même sécularisée, ne conduise pas à quelque chose de meilleur que ce qu'elle montre au premier abord. Noël demeure et demeurera toujours le signe d'un amour divin fou en quête d'amour humain. N'est-ce pas pour mieux nous aimer et nous provoquer à la réciprocité que Dieu s'est fait enfant ? Pourquoi en vouloir tant à l'infantilisme des foules à Noël si, à travers cet infantilisme, apparaît la perception d'un temps divin de tendresse, de bonté et, par-dessus tout, d'un amour à dire et à partager ? Libérer Noël de son folklore charnel serait comme ébrancher, au début de l'hiver, un vieil arbre qui a fait mille fois ses preuves de printemps et de renouvellement.

Sur Noël au Canada français dans ses rapports avec la mentalité religieuse québécoise, on pourrait consulter *Communauté chrétienne*, 15, 78 (1974) : 571-648.

Pour des points de vue davantage socio-culturels, Raymond MONTPETIT, *Le temps des Fêtes au Québec*, Montréal, Éditions de l'Homme [1978], 285p.

Un livre rafraîchissant d'André BEAUCHAMP : *Sur un air de fête*, Montréal, Éditions Paulines [1976], 115 pages d'amitié et de partage.

C. Noëls d'autrefois et de demain [4]

Qui de la génération aux abords de la soixantaine ne se souvient de ce petit air-rigodon noyé dans le whisky blanc de la gigue qui tourne la maison à l'envers :

Lorsque nous arrive le temps des Fêtes
Tout le monde se sent le cœur réjoui.
On s'amuse bien et on se la souhaite
Avec ses parents et avec ses amis.

Et le refrain donc !

C'est comme ça que ça s'passe dans l'temps des Fêtes
Tape la galette, les garçons, les filles avec
C'est comme ça que ça s'passe dans l'temps des Fêtes
C'est comme ça que ça s'passe dans l'temps du jour de l'An.

---

4. Extrait de *Communauté chrétienne*, 15, 78 (nov.-déc. 1974) : 573-590.

Grand-père disait : « C'est du vrai comme de vrai que le temps des Fêtes va de la *messe de Minuit* à minuit au soir des Rois ». Après les Avents, et plus justement au *Minuit, chrétiens!* commence le *temps des Fêtes*[5]. Notre Noël ne s'expliquerait pas sans cette perspective festive.

Noëls d'autrefois

La veille, cette année-là, il y avait de tout à Saint-Michel-de-Bellechasse : la crèche, les décorations des Sœurs, la pratique de chant du frère Ozias, directeur de la chorale, les concours (*sic*) de confessions, des sapins, les cloches, une bonne dizaine de moutons cartonnés montant et descendant entre collines et cavernes hardiment aménagées et déménagées aussitôt par la femme du bedeau, les cadeaux particuliers de la dernière heure achetés au Magasin Général, les *petits coups de trop* des derniers arrivés des chantiers par le train de Lévis, tandis que dans les rangs le déneigement se poursuit au moins jusqu'à dix heures pour une soirée de poudrerie et de vent. N'oublions pas les derniers messages du père Noël dans la gazette d'avant-hier arrivée ce soir. Et quoi encore ?

Pour les petits, la crèche est ce qu'il y a de plus fascinant. Entre quelques sapins apportés l'après-midi par un habitant des rangs, qui les a coupés dans sa terre à bois debout, voici une sorte de maison ouverte et sans rambris qui n'a rien à voir, bien sûr, avec les grottes du Proche-Orient : c'est la crèche. Des anges, beaucoup d'anges ici et là se bousculent dans les branchages qui s'entrecroisent. Parfois une colombe au sommet du plus haut arbre, une étoile, un ange qui porte dans ses mains l'inscription : *Gloria in excelsis Deo.* La crèche est là pour être vue, à quelques pas ou même par-dessus la balustrade, à droite si possible.

Nous allons en carriole. Les jeunesses descendent en sleigh pour impressionner davantage les filles du village. Au froid, la neige fait siler les patins. S'il neigeâille et neigeasse, comme on dit encore en

---

5. Sœur MARIE-URSULE, « Le temps des Fêtes », dans *Civilisation traditionnelle des Lavalois*, coll. « Les Archives de folklore », 5-6, Québec, Les Presses de l'Université Laval, 1951, p. 69–75. J.-E. ROY (« *Le temps des fêtes autrefois* », dans *Bulletin des Recherches historiques*, 30, 2, janv. 1924, 46–48), rapporte que le *temps des Fêtes* pouvait, en certaines localités, ne se terminer que la veille du samedi des Cendres ou encore le soir du Mardi gras. — Pour apprendre que, malgré nos révolutions, nous gardons la suite dans les idées : le « Nouël » de la Sagouine (1971), par Antonine MAILLET, et le « P'tit Jésus » (1969), d'Yvon DESCHAMPS, textes retranscrits aux Éditions Leméac (Montréal).

Normandie, on se fie plutôt aux grelots et aux balises. Du Troisième Rang au village : quarante-cinq minutes, si les chemins sont beaux. Les chevaux dételés, un petit arrêt des créatures au magasin, question de se réchauffer les pieds et d'acheter le dernier sac de *candies*. Les hommes sont partis à confesse.

Minuit moins vingt. Le deuxième coup, à deux cloches cette fois. On se dirige vers l'église. Minuit moins dix : encore récemment en l'église Sainte-Sabine-de-Bellechasse, les enfants de chœur avec quelques petits anges choisis parmi les plus belles et les plus sages fillettes — car on est féministe sans le savoir là-bas — précèdent monsieur le Curé en procession vers la crèche. Toute la paroisse est déjà là, sauf les derniers chaudasses qui arriveront au *Gloria*. Monsieur le Curé porte dans ses gros bras mal croisés, car il n'a pas l'habitude des enfants, le petit Jésus habillé par les Sœurs. *Les Anges dans nos campagnes*, chantent la chorale et les enfants qui s'en donnent à cœur joie. Comme on est heureux. Le petit Jésus, acheté chez Pollack, est savamment déposé dans sa crèche sous les yeux de cire d'un âne et d'un bœuf qui ont vraiment envie de rire...[6]

La messe de Minuit sera longue. La chorale doit faire ses preuves. L'occasion est unique. Les grands répertoires latins de l'époque y passent avec des *Gloria* et des *Amen* qui n'en finissent pas de finir. Chacun fait de son mieux. L'harmonium renifle et renifle sous les pieds agités de mademoiselle Bélanger qui le connaît comme son enfant. — Mon père me racontait comment Jos Lamontagne « yeux fermés et mains dans ses culottes savait te tricoter un *Alleluia* et trimer un *Agnus Dei* sans jamais perdre ton et chanson ». « I' était pas diplômé, lui, mais i' avait du cœur au gorgeot. » — Un sermon pas trop long mais beau, la quête qui allait à monsieur le Curé si j'ai bonne souvenance ; un bon quart d'heure de communions enfilées ; *Ite Missa est*, « ne partez pas : la deuxième messe va commencer ».

Le meilleur de la fête, pour nous les jeunes, arrive à la deuxième messe. Enfin on va se comprendre. Les violoneux s'en mêlent. Parfois l'accordéon, une ou deux bombardes : *Ça, bergers, assemblons-nous* ; *Le Fils du Roi de Gloire* ; *Dans cette étable* ; *Nouvelle Agréable*. Pas de sermon, pas de quête, une messe basse, rien que des cantiques, des enfants de plus en plus trépidants, les clochettes du *Sanctus* à deux bras d'acolytes bien réveillés. Daudet n'aurait pu mieux entendre qu'à Saint-Michel-de-Bellechasse au temps du curé Deschesne.

---

6. Cf. Yvon DESCHAMPS, *Monologues*, Leméac, 1973, p. 63.

Sortis de l'église, l'épreuve commence. Il faut remonter dans les rangs. Qui sait : une tempête encore ? Parfois plus d'une heure au froid, au vent. Nous n'avons guère le courage de réveillonner longtemps comme les gens du village. Vite aux cadeaux, un bon caribou de La Durantaye et, à cause du « train » de six heures, on ne se couche pas tard. Après la tourtière ou le jambon rosé, on va voir le temps. La lune ? Elle est là, comme cette année elle sera, en premier quartier le 23 et pleine le 29. La journée de Noël est paisible au possible. Les familles se rencontrent. Ceux qui ont pris trop de bagosse retournent au lit. Les enfants se disputent autour des jouets, les oranges sont mangées, les *candies* sont moins bons.

Toute la tradition pourrait enluminer cette simple description : Bellechasse est une terre de contes et de chansons. Luc Lacourcière y a recueilli des dizaines et des dizaines de chansons. Du seul Cléophas Fradette, à Saint-Raphaël, il a entendu soixante-cinq contes, certains très longs. Du tout par cœur, s'il vous plaît. Le folklore varie selon qu'on est des terres d'en Bas ou d'en Haut. Nous étions frappés, nous, par la maman du voisin qui, elle, avait fait une crèche à la maison. Le nombre des moutons dépendait des bons ou des mauvais coups de ses onze enfants. Parfois il y en avait douze autour de la crèche, certains soirs ils étaient tous partis dormir dans l'armoire de la cuisine... À la même époque, nous étions informés par ma tante, qui était une Fradette, que la nuit les animaux célébraient Noël : le coq chantait, les poules pondaient, on aurait vu les taurailles se mettre à genoux vers la même heure.

Un petit tour en ville, maintenant.

Saurons-nous la vérité ? Nous apprenons que les gens de la ville rêvent des Noëls de leurs petites églises de campagne. Ils échangent des cartes imprimées avec de beaux paysages ruraux. Les protestants, eux, mangeraient de la dinde à minuit au lieu d'aller à la messe. Les juifs allumeraient des chandelles, sans compter les belles dames en robes longues qui s'en iraient au Château Frontenac ou au Windsor. Mais comme dit l'oncle Amédée : « I' sont peut-être plus riches, mais i' fêtent moins ben que nous autres. »

Il nous arrive aussi des bruits à propos de Montréal où il y aurait des gens sans messe, des hommes *chauds* plein la rue Sainte-Catherine. Monde lointain, monde moins intéressant.

Que savions-nous du sens profond de Noël ? Étions-nous païens ou chrétiens ? Au fait, les habitants viennent à la messe de Minuit pour mille raisons. Surtout n'allons pas leur demander laquelle est la plus importante. Ils ne sauraient nous répondre. Leur Noël est instinctif. Beaucoup de joie, beaucoup de mystère. Nous le sentions, comme la Sagouine, quand monsieur le Curé faisait son prône. Il ne chicanait plus, il était gentil. Durant l'Avent il nous avait d'ailleurs préparés à la fête. Notre première source d'informations restait évidemment le catéchisme qui savait tout et disait tout. « Ouvrez vos catéchismes, mes enfants, troisième partie, leçon 5[7]. » Pour ne pas être pris au dépourvu, nous apprenions et les réponses et les questions par cœur. Ce temps est à la dévotion mariale :

Qu'est-ce que la fête de Noël?
C'est le jour auquel la Sainte Vierge mit au monde le saint Enfant Jésus.

En quelle manière l'a-t-elle mis au monde?
Sans aucune douleur ni préjudice de sa virginité, tout ainsi que la lumière du soleil passe au travers d'une vitre sans la rompre.

« Oh ! ce n'est pas tout, mes enfants » :

Dites-nous les particularités de cet enfantement?
La Sainte Vierge étant prête de mettre au monde son Fils, fut obligée par le commandement de l'Empereur d'aller avec Joseph à Bethléem, où étant arrivés ils ne purent trouver personne qui voulût les loger, ce qui les obligea de se retirer dans une étable ruinée et toute ouverte, où elle enfanta le Sauveur du monde en plein minuit, et en la saison la plus rude de l'année.

N'y a-t-il pas encore quelques autres circonstances?
L'Enfant Jésus fut mis dans une crèche sur un peu de foin, entre le bœuf et l'âne.

Décidément, la crèche a raison. Mais pourquoi?

Pourquoi a-t-il voulu naître pendant la nuit?
Pour nous apprendre qu'avant sa venue, le monde était dans les ténèbres.

Pourquoi a-t-il voulu se faire enfant?
Pour porter nos faiblesses, se faire tendrement aimer, et nous apprendre à devenir comme des enfants, simples, dociles, et sans malice.

La maîtresse, ici, en profite pour nous inviter au calme...

Pourquoi a-t-il voulu naître pauvre et souffrant?
Pour nous faire aimer la pauvreté et les souffrances.

---

7. Nous citons le célèbre Catéchisme de Mgr de Saint-Vallier (1702), si longtemps en usage au Québec et responsable, en un sens, des traditions religieuses canadiennes-françaises (cf. F. PORTER, *L'institution catéchistique au Canada*, Montréal, Les Éditions Franciscaines, 1949, 332 p.).

Que fit Dieu pour relever l'humiliation de son Fils ?
Il fit descendre les Anges du Ciel pour annoncer sa naissance, et les pasteurs le vinrent adorer.
Pourquoi l'Église permet-elle aux Prêtres de célébrer en ce jour trois Messes ?
Pour marquer la plus grande solennité de la fête et représenter les trois naissances de Notre-Seigneur.
Qui sont-elles ?
Sa naissance éternelle du Père Éternel, sa naissance temporelle de la Sainte Vierge, et sa naissance spirituelle dans nos âmes.

À l'église Saint-Michel, il n'y a que les enfants du village qui ont le privilège des trois messes et communions. Encore faut-il qu'ils sachent pourquoi ils sont là :
Que faut-il méditer à la Messe de minuit ?
Il faut considérer Jésus-Christ né dans une étable, et posé dans une crèche.
Que faut-il faire à la seconde Messe ?
Venir adorer le divin Enfant avec les Bergers, auxquels l'Ange annonça sa Naissance.
Que doit-on considérer à la troisième Messe ?
Que cet enfant que l'on voit dans le temps naître de la Vierge Marie, est le Fils de Dieu de toute éternité.

La résolution qui s'impose, en même temps que la conclusion :
Quelle préparation devons-nous apporter à cette fête ?
Une grande pureté de conscience, et un grand désir de recevoir Notre-Seigneur avec un meilleur accueil que n'ont fait les Juifs.
Que devons-nous retenir de cette instruction ?
Qu'il faut adorer le saint Enfant Jésus dans la crèche avec les Pasteurs, admirer, et imiter ses vertus avec saint Joseph, et nous réjouir avec la Sainte Vierge de sa divine maternité.

Ces leçons de catéchisme étaient parfois vérifiées par monsieur le Vicaire venu au secours des péchés des rangs. Il y avait, en outre, les commentaires suaves d'une maîtresse d'école qui s'acharnait à répondre à toutes sortes d'indiscrétions paysannes. À propos de l'Immaculée Conception et du pauvre saint Joseph : — « Mademoiselle, la Sainte Vierge est-elle mère ou pas ? Si Dieu est le Père et qu'il est partout, pourquoi n'était-il pas là ? » — « Vous dites, mademoiselle Sylvain, qu'à Noël le petit Jésus vient dans notre cœur. Pis vous dites que si on est en état de grâce, il y est déjà : comment peut-il revenir s'il y est déjà ? » La réponse est-elle trop personnelle ? « Bien sûr, il y est déjà. C'est comme mon cavalier, il est toujours avec moi, mais il y a des fois où il est plus avec moi que d'autres fois... Maintenant, vos livres de géographie. »

Il serait trop facile de dire que tout ce remuement d'êtres et de sentiments qui remonte au Moyen Âge[8], dont on dit fort maladroitement d'ailleurs qu'il fut intensément chrétien, est pur folklore et superstition. Car chez nous, plus particulièrement au Québec, en Acadie, la messe de Minuit ne fait pas qu'ouvrir le *temps des Fêtes*. Avec Marie, Joseph, les bergers, les animaux, la paroisse, les arbres, la lune, la neige, la nuit, on y célèbre vraiment la Nativité et beaucoup d'autres choses aussi, telles la parenté retrouvée, la vie en familles nombreuses, la joie des visites entre voisins, les veillées qui s'organisent, la boucherie réussie, la rupture d'une certaine monotonie de l'hiver dans l'appréhension du dur Carême qui s'en vient. Fête totale, fête de l'abondance, fête des fêtes, fête cosmique, fête des enfants, de la famille et de la paroisse. Fête populaire par excellence, on étrenne, on se fiance, on se réconcilie, on chante, on rit, on mange, surtout on boit.

Nous étions heureux qu'il naisse dans une crèche, comme les chats à la grange. La familiarité avec les lieux et nos travaux quotidiens faisaient que cette naissance nous semblait quasi normale en hiver quand il n'y a pas de place ailleurs. Grand-père avait vu, son frère aussi, les animaux se mettre à genoux à minuit le 25 décembre. Nous-mêmes, et sans avoir lu Isaïe sur la fraternité du loup et de l'agneau, du veau et du lion, de la vache et de l'ours (*Is* 11, 1–16), nous avions l'impression que cette nuit-là les chats ne chasseraient pas les souris, les renards ne sortiraient du bois que pour se promener sur la neige, sans surveiller la porte des poulaillers. Nuit de paix et d'amour universel. Noël n'était pas un jour comme les autres. Les cadeaux viendraient nous le prouver à chacun. On avait donc raison d'aller « se faire geler tout rond comme des cretons » pour se rendre à l'église Saint-Michel un 25 décembre à minuit.

Noëls d'aujourd'hui[9]

À la campagne et même avec la télévision en couleurs, les paysages ne changent guère. Les églises sont toujours là, évidentes comme leur

8. F.X. WEISER, « *Le folklore de l'Avent et de Noël* », dans *La Maison-Dieu*, 59 (1959): 104–131; aussi les *Noëls populaires de France*, Paris, Plon, 1943; Henry POULAILLE, *La grande et belle Bible des Noëls anciens*, Paris, Albin Michel, 1942, 2 vol.

9. *Liturgie et Vie chrétienne*, 74 (1970), entièrement consacré à *Noël: folklore ou fête chrétienne*, avec les pages révélatrices de J.-Th. MAERTENS sur la célébration de Noël et ses motivations chez les jeunes et dans les médias (p. 308–342). Autre article important de Denise LEMIEUX, « *Le temps et la fête dans la vie sociale* », dans *Recherches sociographiques*, 7, 3 (sept.–déc. 1966): 281–304.

clocher argenté. Les gestes essentiels demeurent. Par ailleurs, la radio, la télévision, les autos, tout cet immense acquis a modifié l'atmosphère.

La veille de Noël est calme habituellement, autant dans les rangs qu'au village. La soirée consiste à terminer les derniers préparatifs, à dégeler les tourtières, à soigner les animaux. L'auto a remplacé la sleigh. Venant plus vite, on part plus tard, et on arrive en retard, surtout s'il n'y a plus la procession des enfants, ni le *Minuit, chrétiens* ! à ne pas manquer des messes d'autrefois. Les dernières confessions se terminent vers les dix heures. La veillée se passe à regarder le hockey. Si le club *Les Canadiens* gagnent, Noël sera un peu plus gai. Sinon, quels commentaires ! De onze heures à minuit, il y a la télévision avec son film rose et les dernières grosses farces du réseau. À minuit, autant à la radio qu'à la télévision, la beauté revient. Je me souviens d'un Noël en collaboration avec des prisonniers à Radio-Canada, émouvant au possible. Du vrai, des témoignages de qualité, un montage sonore approprié.

La messe de Minuit n'apporte guère de surprises. Ça swigne ici et là dans les caves d'églises, pendant qu'en haut on s'efforce d'obéir aux nouveaux rites. La peur du latin et du grec est si obsessionnelle qu'on n'entend presque plus les grands *Kyrie* et *Sanctus* du monde. L'heure est aux complaintes plutôt et les refrains sont à la merci d'un chantre à l'ambon. À cette *messe gestée*, comme les paysans l'appellent pour la distinguer de la messe ordinaire où il n'y a que le prêtre dans le chœur, l'épître est lue par un professeur ou la directrice de l'école, voire par monsieur le Maire. Grâce au français on comprend quelque chose. L'homélie est d'ordinaire assez brève. Quelques annonces, une quête, les gens qui communient *en masse*, confession ou pas. La messe de l'Aurore étant reportée, retardée plutôt jusqu'à 9 heures, la messe de Minuit est souvent plus méditative et plus sensible au mystère de cet Homme qui, d'après l'homélie du Vicaire, « a pris notre peau et s'est fait manger la laine sur le dos pour nous sauver du pétrin ».

De retour à la maison, en Ford ou en Chevrolet, la Molson remplace le caribou. Les effets sont plus discrets. Les cadeaux devinés la veille sont aussitôt offerts au son des meilleurs disques ou, si les jeunes ont la majorité, du dernier hit-parade. Parfois quelqu'un se met à la guitare, au piano, et l'on chante les vieux cantiques qu'on a peu entendus à l'église, surtout si monsieur le Curé est passé par les écoles huppées de Montréal la Grande.

Entre temps, il ne faut pas oublier qu'à la ville comme à la campagne Noël est désirable depuis au moins la Sainte-Catherine. Les grands magasins urbains et régionaux célèbrent leurs marchandises à coups de musique et de publicité. Le père Noël arrive de plus en plus tôt, ses voyages dans le Grand Nord se font de plus en plus courts et ses messages de moins en moins convaincants. De sorte que nous entendons en plein midi sur la *Main*, tout comme à la maison, à la grange, un *Minuit, chrétiens*! du petit René Simard ou de Richard Verreau. *Les Anges dans nos campagnes* nous arrive de la ville encore mélangé de *White Christmas.*

En ville encore, les sapins se posent aux flancs des magasins, aux fenêtres des maisons. De jolies poupées dandinantes dans les plus belles vitrines chantent un Noël gentiment anonyme. Peu à peu la rue sera décorée. Si la neige est belle, la fête sera vite dans l'air. C'est l'envoi des cartes : la corvée par excellence. Les marchands les joignent à leurs ventes de disques. Au rayon des jouets, allez au père Noël ; s'il n'est pas syndiqué, il sera là toute la soirée. À mesure que Noël approche, les prix montent et forcément la générosité descend. Il faut voir la course, la dernière course aux cadeaux les 23, 24, qui tient parfois du délire. Des mamans épuisées, des jeunes qui n'ont plus le goût de choisir, des enfants trépignant : « Moi j'en veux aussi ».

24 au soir. Les églises urbaines offrent des célébrations de la Nativité de plus en plus liées au mystère de la fête. Il n'y a, en général, qu'une seule messe dans une église dépouillée et sur un autel de circonstance. Vidée de ses bergers et de ses moutons, donc moins spectaculaire, la crèche a pris la route du tabernacle. Le Vicaire l'a peut-être cachée en arrière de l'église. Ce qui frappe dans une ville comme Montréal qui réunit au moins le tiers de la population du Québec, c'est l'immense diversité des coutumes et des rites. Les religions chrétiennes elles-mêmes ne s'entendent pas pour célébrer Noël le même jour et de la même manière.

Chacun fait son possible pour ne pas trahir la fête. Les grands riches étalent leurs aumônes. Les étudiants vont voir les vieux. La Baie, Eaton et Pollack vous adressent des *Vœux de saison* d'une neutralité à toute épreuve dans le style des chroniques d'astrologie populaire du lundi matin. Il est facile de se sentir déjà exaucé, quand on ne souhaite rien : « Nos meilleurs vœux de bonheur et de prospérité à l'occasion des Fêtes. » Sans omettre la « sainte » *Commission des liqueurs* ouverte ces jours-là jusqu'à 7 heures, par exception.

Il y a les groupements sélects de ceux qui ont déjà *leur* église, *leur* Vicaire, *leur* Père-à-nous-autres. Les plus zélés iront à Saint-Benoît-du-Lac, à Oka, à l'Oratoire. Il y a ceux qui recherchent un Noël plus mystique dans une petite église de campagne, au Carmel, à la

Communauté chrétienne Saint-Albert-le-Grand. D'autres se sont déjà regroupés autour d'un petit orchestre pour un Noël « chanté ».

Un Noël urbain peut aussi se passer dans les bars, les boîtes à chansons, les discothèques, certains coins douteux où l'on a encore le cœur, à minuit, de faire des parodies de la religion des années 1950–1960 sous les yeux attendris d'anticléricaux déphasés. Nous n'oublions pas les mangeurs de dinde, les buveurs de Pepsi et de gin-tonic, les habitués des brasseries et des tavernes. Nous pensons davantage aux autres : les gens de la maintenance, les obligés du travail même à Noël, les malades des hôpitaux sans médecins, les services d'urgence, et d'autres, tels les prisonniers, les handicapés, les derniers blessés de la route. Une grande détresse accompagne la joie urbaine *officielle* et risque de la mettre en doute. L'insécurité du malade laissé à lui seul, le manque d'aide familiale, la fille en appartement qui a tout perdu, le divorcé, les mal mariés, les enfants séparés, le garçon exilé, l'immigrant de la dernière heure, le réfugié politique : quelle misère ! Pourtant ils pensent à leur Noël, eux aussi, et c'est malgré eux. Un jour, peut-être, ils pourront être heureux comme les autres : peut-être... en l'an 2075 !

Noël en 2075
Ici et là...

Cette fête est-elle si irréversible et le *feu* qu'il est *venu jeter sur la terre* jusqu'à la fin (cf. *Lc* 12, 49) est-il à ce point inextinguible que ni la misère humaine, ni le mercantilisme, ni les moralistes qui soup-çonnent la noce avant qu'elle ne commence, ni ceux qui ne savent que refuser, ne sauront en venir à bout ? Allons-nous, cependant, vers la célébration des symboles de Noël, fête de l'enfance, de la paix universelle, de la nuit, de la lumière, comme ces orthodoxes qui attendent le matin du 25 pour fêter la *Lumière du monde*, plutôt que vers la Nativité elle-même ? Qu'en sera-t-il demain de la fête traditionnelle de Jésus, l'*Éternel engendré aujourd'hui* dans la pensée du Père ?

Tout nous autorise à penser que la fête publique de Noël changera encore de forme, ainsi que l'enseigne l'histoire [10]. Et pourquoi pas, si nous croyons au Dieu vivant et à sa Rédemption continue à travers les temps ? Ce qui arrive aux vieux pays chrétiens chargés de traditions et ce que l'on observe en Afrique, par exemple, où tout est révision

---

10. A. HOLLARD, « Les origines de la fête de Noël », dans *Revue d'histoire et de philosophie religieuses*, 11 (1931) : 256–274.

culturelle et retour aux origines, montrent que l'homme n'a pas fini de s'émerveiller et d'inventer des symboles. Tout ce que deux ou trois lignes de l'évangéliste Luc ont pu faire ! Qu'on pense à l'histoire de l'art, à tous ces chants, hymnes, poèmes, liturgies de la Nativité : n'est-ce pas déjà assez étonnant ? Que nous nous évadions un peu, que nous projetions sur Jésus, personnage de valeur exceptionnelle rarement mis en question comme homme et adoré par une minorité en tant que Dieu, ce que nous imaginons de l'enfance et de la famille, voire de l'humanité déjà parfaite ; que nous compensions le réel par le rêve mythique ; que l'homme veuille par vitrines, crèches, églises, cloches et réveillons briser la monotonie de son existence, corriger l'usure du quotidien et s'accorder le relais d'un congé de sapins et de neige, tout ce merveilleux, ces rites avec le folklore qu'ils véhiculent sont loin d'être anormalités et névroses. Nous ne nous laisserons pas distraire par certains slogans simplificateurs au possible. Religion sans folklore : arbre sans feuillage.

De toute manière le merveilleux et le religieux se croisent[11]. Ils supposent la même ouverture d'esprit, la même volonté de comprendre ou de ne pas comprendre. Par les journaux, nous observons que le culte de l'insolite et le goût de l'enchantement sont permanents. Le rationalisme recule. Les savants désespèrent. Loin de s'éteindre, les phénomènes religieux populaires s'intensifient. Ils sont peut-être l'envers de l'espérance dont les hommes de demain auront besoin et qu'ils ne trouveront que dans le recours au mystérieux. La fête de Noël répond à des tendances si fondamentales de l'être humain en quête d'accomplissement qu'il faudrait presque l'inventer si elle n'existait pas.

Bousculé dans ses habitudes de vie et de travail, l'homme aura de plus en plus besoin de s'arrêter pour retrouver la cohérence de ses gestes. Contre le temps mécanisé et la vie discontinue des affaires, il lui faut cette fête créatrice au début de l'hiver, qui le ramène à son enfance, à la nature, à ses croyances, à ses fantaisies les plus étonnantes, tel ce sapin vert posé sur le plancher de sa maison, telle cette étable de campagne construite dans une église de ville. C'est « qu'il faut savoir parfois perdre un peu la tête pour retrouver son cœur », comme disait Paul Tremblay à propos du Carnaval. À mesure que le travail est soumis aux technocrates, que se brisent les rythmes naturels de la vie, une fête qui mise avant tout sur la pureté paradisiaque, le temps mythique, la cadence des gigues, l'enfance parfaite et la famille, n'est

---

11. Cf. F.-A. ISAMBERT, « Du religieux au merveilleux dans la fête de Noël », dans *Archives de sociologie des religions*, 13 (1968) : 23–37.

jamais de trop. Même en ces pays où on a supprimé les congés de Noël, la fête est passée de la rue à la maison. Fête instinctive, dont l'homme moderne qui ne cesse de rêver à tout ce qu'il peut devenir ne pourra se passer. Fête si riche, qu'elle l'appelle déjà à la totalité cosmique et sociale en même temps qu'elle tend à créer en lui des liens intimes entre ses conduites, sa morale, son expérience et les médias qui lui inventent à mesure des espaces de rêve.

Il arrive aussi que Noël s'internationalise. Quel pays libre n'a pas ses festivités du 25, ses grandes Galeries, ses vitrines, son congé, ses trêves syndicales ? Qui n'espère en ces jours à une sorte de fraternité universelle ? Des sociologues notent, fort justement d'ailleurs, qu'au même moment où l'enfant à Noël imagine et, comme en rêve, s'émerveille devant ses jouets et les générosités des grandes personnes, son collègue, adulte en principe, être de soupçons et d'interrogations à la chaîne, se surprend à fabriquer des rêves d'humanité planétaire sans frontières auxquels il s'accroche désespérément au nom de sa foi en l'homme nouveau. N'est-ce pas étonnant, en effet, qu'en ces Noëls des dernières années où l'introspection et les retours sur soi s'imposent et où les sciences de la connaissance de soi sont en vogue, l'homme qui les vit, fût-il le plus irréligieux qui soit, se surprenne à rêver aussi de paix définitive et de fraternité cosmique. Ces deux perspectives réunies préparent, à leur façon, l'avenir de l'homme en recherche de son équilibre intérieur et du sens profond de sa vie publique.

On est loin évidemment des obsessions médiévales sur la virginité physique de Marie avec tous les tabous que cela entraînait à Noël. Que l'humanité nouvelle rêve plutôt d'unité mondiale et que la fête en devienne comme le symbole, n'est-ce pas le message même de Jésus, lui qui a tellement voulu que nous soyons unis ? Déplacement des perspectives ? Dissociation des significations ? Est-ce si vrai qu'on le dit ? Est-ce si neuf ? Parce que dans les pays libres on fête la naissance de Jésus et son enfance et qu'ailleurs on célèbre la fraternité universelle de l'homme nouveau libéré de ses asservissements, parlons plutôt de pluralisme et d'enrichissement. Un thème ne chasse pas l'autre.

Ce pluralisme, nous le vivions d'ailleurs depuis longtemps. Au moment où à l'église Saint-Michel-de-Bellechasse on célèbre l'Enfant Jésus dont on portera peut-être en procession l'image de cire, à la Communauté chrétienne Saint-Albert-le-Grand, à Montréal, on célèbre l'espoir fait Parole et le Verbe fait chair ; chez les contemplatives au Québec on fête Dieu, Époux qui vient à l'humanité, Jésus qui a marié son Église. D'autres pensent au Seigneur qui viendra revisiter la terre pour la transformer du tout au tout, ainsi que la lumière qui, au

25 décembre, triomphe de la nuit de moins en moins longue et symbolise la victoire finale du bien sur le mal, de la miséricorde sur le péché, de la résurrection sur la mort. Au même instant celui qui ne va pas à l'église réveillonne, fête sa famille, fête les enfants, donne des cadeaux. Encore une fois, est-il si désastreux qu'il en soit ainsi, que des privilégiés de la foi s'orientent vers les liturgies plus austères de la fête totale et mystique, tandis que certains restent tout simplement à la maison parce qu'ils ne croient plus qu'en l'homme à qui Jésus continue pourtant d'offrir sa vie exemplaire?

Le premier Noël fut-il vraiment la fête que l'on dit? On ne sait où loger, Hérode est jaloux, la nuit est peut-être froide. La fête publique de Noël est née d'une célébration purement profane : la fête païenne du soleil. Aussi longtemps que les signes s'appellent, que les cœurs suivent le meilleur de leurs aspirations, que les symboles vivent, qu'on ne se refuse pas mutuellement, Noël restera la *fête des fêtes*, même qu'elle est impossible à expliquer sans Jésus qui l'anime.

Noël au Québec [12]

À chacun ses souvenirs, à chacun ses rêves. Le passage d'hier à demain, comme du passé à l'avenir, ne se fera bien que dans la fidélité à l'instant. Celui qui se souvient trop, *l'avenir le met en retard.*

> On se perd pas à pas
> On perd ses pas un à un
> On se perd dans ses pas
> ce qui s'appelle des pas perdus.
>
> (Saint-Denys Garneau)

Quand les Canadiens français du Québec vont-ils sortir de leur crise religieuse? La rancune qui nous est si instinctive et qui s'explique par notre histoire risque-t-elle déjà de nous mettre à jamais en retard? Nous idéalisons, nous détruisons, sans nuances. Menacés d'un Noël partout pareil, d'un Noël de riches prêts à soulager la misère du monde pourvu qu'elle ne soit pas la nôtre, serons-nous capables de nous reprendre? Critiquer encore? Critiquer toujours? « Mieux vaut allumer une bougie que de maudire les ténèbres. »

Puérilités d'enfant, diront-ils, toutes ces processions, ces chants à répétitions, ces crèches, ces cadeaux. *Du vrai paganisme*, pensent les autres. Est-ce si vrai? Au-delà de la cérémonie naïve à l'église ou à la

---

12. Cf. Denise LEMIEUX, « Le temps et la fête... », p. 302-303 ; Fernand DUMONT, « Noël et les rythmes de nos existences », dans *Communauté chrétienne*, 1, 6 (nov.-déc. 1962) : 371-377.

maison, il y a la vérité subtile de l'homme religieux québécois, acadien, ontarien, canadien-français de l'Ouest, qui se forge. Quelle chance nous avons ! Tout ce folklore ! Un cadre festif unique en son genre : une nuit de décembre, la pleine lune en route, la neige, le froid (même lui ! car de passer du froid au chaud dans une église de campagne est aussi *religieux* que de passer des ténèbres à la lumière), un appui publicitaire étonnant, notre bonne humeur traditionnelle, nos goûts fous de la fête, un avenir pas si désastreux puisque nous sommes nord-américains et que nous avons encore tout à inventer dans des espaces humains quasi interminables. Un exemple de cette association des significations : les grands magasins de Montréal et de Québec qui commencent à chanter, à crier Noël cinq semaines avant le 25, ne sont-ils pas en accord avec la liturgie *latine* qui s'y prépare dès la fin novembre ? Le *temps* est le même. Que Noël, en outre, soit plus important que Pâques, qu'on y fête tour à tour l'enfance, la paix, la famille, plutôt que le *Verbe fait chair*, est-ce si mal puisque Jésus s'est fait *enfant* avant d'aller mourir pour nous sur sa croix, et qu'il a vécu assez longtemps dans une *famille* pour qu'on puisse en parler ? Donner la priorité à ce temps des Fêtes, ne vaut-il pas autant pédagogiquement pour la foi en Jésus que vouloir à tout prix accorder une priorité théorique au *printemps de la résurrection* dans la bouette urbaine et sur des chemins qui défoncent ? Pourquoi n'aurions-nous pas nos temps forts à nous ? Dieu est-il si étranger à nos saisons ?

À ce climat festif, pourquoi n'ajouterions-nous pas un vrai cadeau d'Église pour ceux qui croient encore au Sauveur et qui, pour cette raison plus ou moins obscurcie dans leur cœur, viennent à la messe de Minuit : une *grande amnistie* au début de la messe de Minuit, une *absolution communautaire fleurdelisée* ? Certains États profitent bien de Noël pour libérer des prisonniers. Et nous, nous ne saurions pas, au nom de la foi en l'Église totale, soulager les consciences, élargir le cœur de notre assemblée ? À cause des abus de la confession en ce pays et des surcharges imposées à plusieurs prêtres à l'occasion de Noël, une charité ouverte à l'égard de tous est-elle si impossible à penser ? Les abus ? Qui, le premier, a abusé de la miséricorde sinon Jésus en venant sur la terre ? Est-il venu pour les *déjà confessés* seulement ? pour sauver ou pour condamner ? pour aimer ou pour juger ?

Rappelons-nous, enfin, la beauté qui creuse peu à peu son chemin d'amour dans nos maisons et jusque dans nos églises. De plus en plus nous avons des artistes, des chanteurs, des artisans spécialisés de la poterie, du bronze, du bois. Ils ont parfois un sens du sacré plus aigu que ceux qui fréquentent trop les églises. Si Vigneault nous composait sa messe de Minuit ! Si Léveillé nous écrivait une berceuse d'église pour les enfants qui y sont venus ! Ainsi notre littérature et notre langue si belle avec ses mots pittoresques inviteraient au mystère. J'entends encore les gens de Bellechasse se parler de leurs « étoiles de neige », de leurs « minuits enlunés », du « sermon vrai à défoncer la porte du paradis », de la voix de Pelletier « belle à faire lever le soleil », etc. Espérons beaucoup de la beauté. Elle crée plus facilement l'unanimité de la fête que la *vérité* officielle que chacun veut posséder pour lui-même. La beauté ne se laisse pas accaparer. Elle est libre. Le grégorien, la messe en si mineur de Bach, certains *Pater* orthodoxes, nombre de nos cantiques à Noël, qui osera les contester ?

*
* *

Comment s'opérera le passage des Noëls d'hier à ceux de demain ? Bien entendu, l'instant seul vaut la peine d'être vécu. Or cet instant peut être enrichi de souvenirs et de rêves. La liturgie de l'Occident, dans sa réponse presque trop parfaite, dit que Noël est la fête du temps *total* : fête du passé, du présent et de l'avenir. Le temps est continu par Jésus. On constate les faits, selon saint Luc, on adore le mystère du Verbe incarné pour aussitôt se reporter au retour éventuel du Ressuscité. Admettons que plusieurs Québécois considéraient davantage le passé jusqu'à oublier la dimension eschatologique ; l'homme moderne, lui, risque tout autant de s'évader hors du temps inventé.

Comment chasser la poudrerie des préjugés qui nous empêchent de tout voir à la fois sans refus, sans parti-pris, sans traumatisme ? Jésus répondra à Nicodème, venu la nuit, à propos des signes des temps : « Il faut renaître de nouveau » (*Jn* 3, 1 et suiv.). C'est-à-dire redevenir enfant, être capable de merveilleux, se réconcilier avec ses souvenirs, écouter ses rêves, aimer l'avenir.

Les nuits de Noël aussi porteront conseil. Souhaitons-nous cette renaissance toujours possible qui fasse de l'homme d'ici un être capable d'assez de liberté intérieure pour reprendre à son compte avec autant de gaieté de cœur que nos ancêtres moins fortunés de l'an 1900, sur le même air-rigodon du *temps des Fêtes ça s'passait de même*, l'antique dicton :

« On a tant chanté, on a tant crié Noël, qu'à la fin il est venu. »

D. À propos du cycle de Pâques : préface [13]

Qu'il s'appelle millénaire, siècle, année ou mois, semaine ou jour, que je le nomme passé, présent ou avenir, qu'il soit long ou court, cyclique ou linéaire, perçu dans sa continuité ou calculé dans ses brisures, qu'il soit personnel ou collectif, le temps reste avant tout mesure d'existence. Les expressions franco-québécoises pour le dire sont significatives. On parle du fuseau, du fil, du tissu du temps. « Le temps coule », « le temps passe », « le temps prend son temps », « le temps ne perd pas de temps ». Il ne faudrait pas oublier non plus ce qui arrive « dans le temps de le dire », ou « un très petit bout de temps » qui passe « en un rien de temps ». D'aucuns seraient prêts à arrêter le temps, à le tuer, au besoin à le perdre, à prendre « le temps de flâner », « le temps de souffler » au moins « le temps d'une pipée ». Denrée si vitale qu'on peut « échanger du temps », « se donner du temps », « gagner du temps », « offrir son temps ».

La tendance, on l'a vite deviné, est de vouloir prolonger l'instant. Le présent reçoit tous les mérites, même s'il ne cesse de se nourrir du passé pour aussitôt appeler l'avenir. Ce présent quotidien, qui veut s'attribuer les qualités de la permanence, s'appellera, selon les mois de février, mars et avril dont il est surtout question dans cette étude, la Chandeleur, la Septuagésime, le Carême, la Semaine sainte et le dimanche de Pâques.

Dans les milieux ruraux et forestiers, c'est peut-être le temps de bûcher, d'entrer le bois, de scier et de corder, le temps de la toison et bientôt le temps des sucres. En ville où le temps devient une réalité vécue plus discontinue, il y aurait plutôt à parler des derniers congés des Fêtes, du Carnaval, du week-end prolongé, des sports d'hiver, du hockey surtout. Si les travailleurs et les jeunes s'occupent davantage à parler du temps des Fêtes qui a passé trop vite, d'un Carnaval trop bref et d'un Carême qui menace d'être trop long, les plus anciens, eux, tendent à ne pas se dissocier de leur passé : « Dans mon jeune temps », « dans mes premiers temps », « au vieux temps de mon antiquité », « dans mon règne avant mon défunt père », et bien d'autres mots encore. « Dans le temps comme dans le temps on verra bien » si « les temps ont changé » aussi vite qu'on le dit.

---

13. Denise RODRIGUE, *Le Cycle de Pâques au Québec et dans l'Ouest de la France*, coll. « Les Archives de folklore », n° 24, (Québec, Les Presses de l'Université Laval, 1983) : [vii]–x.

La plupart des communautés religieuses ont d'ailleurs ces célébrations d'un temps mythique des origines, suivi d'un temps d'anniversaires et d'un temps hypothétique de renouvellement vital. Des événements glorieux ou tragiques, voire épiques, viennent affirmer ou confirmer le caractère quasi sacré et continu du temps. Surgissent ici et là des temps privilégiés qui deviennent des moments infrangibles. Loin d'être une évasion, loin d'affirmer le refus de vivre, ces temps choisis tendent, une fois de plus, à fixer l'instant jusqu'à vouloir l'éterniser.

Ainsi perçu comme mesure de vie et de mouvement, le temps, quel qu'il soit, se prête à la fête dont il est tour à tour le point de repère irréversible et la limite inévitable. Même la plus modernisée de nos régions urbaines, souvent bien inconsciente du caractère astral des fêtes antiques, plus attentive aux secondes d'une montre qu'à l'angélus de ses églises, soumise à toutes les pressions redoutables du calendrier fiscal, du calendrier syndical ou même du calendrier scolaire, s'invente des fêtes intensives, parfois coûteuses, plutôt que de laisser le temps se dissoudre dans la routine et l'anonymat des fins de semaine et des congés longtemps attendus.

Bien sûr, le temps ne crée pas la fête. Mais il la conditionne. Autant que l'espace. Il la provoque, en un sens. L'humanité éprouvera toujours le besoin de s'arrêter ou de précipiter le temps devant l'ennui et l'uniformité qui lui font peur. Au même moment, le temps des origines et le temps de la fin possible du monde la hantent jusqu'à l'angoisse : elle s'y réfère instinctivement, inévitablement aussi. Rupture parfois artificielle avec le temps habituel et le vécu quotidien, la fête lui rappellera des événements qu'elle célébrera à sa manière par des récits, par des rites, comme pour ne pas oublier que, malgré tout ce qui arrive, la vie continue son chemin. Chaque fête devient une mémoire qui se souvient.

Toujours éprise de ses origines racontées dans la Genèse et reprises par Jean l'évangéliste à l'occasion de ses récits sur Jésus, la liturgie des communautés chrétiennes s'est attaché, tout au long de son histoire, des fêtes calendaires à date fixe et à date variable, annuelles et saisonnières, en souvenir des grands événements parfois favorables, d'autres fois défavorables. Profondément marqué par la personne de Jésus et par ses titres messianiques, le christianisme primitif a tenté de respecter le calendrier juif tout en retenant des éléments romains, tels les mois et les semaines, jusqu'au jour où un nouveau calendrier, essentiellement chrétien, s'est imposé aux chancelleries ecclésiastiques d'Europe et au monde tout entier. Imitant les rites et les réflexes de la liturgie mère, le christianisme s'inspire du temps astral traditionnel. Ses cycles annuels de Noël et de Pâques sont axés sur le temps solaire et le temps lunaire. Nous nous retrouvons avec certaines grandes célébrations juives reformulées ou adaptées : la fête des Lumières, le Nouvel An, la Pâque, la fête des Prémices. Ce qui, néanmoins, rend plus spécifiquement chrétien le cycle de Pâques est la manière dont y est calculée et réactualisée la vie de Jésus, sa première insertion dans le temps humain, sa présence actuelle et l'annonce de son retour final.

Encore aujourd'hui les catholiques obéissent à ce calendrier mixte dans sa structure, juif et romain, déterminé depuis le VIᵉ siècle à partir de la date « possible » de la naissance de Jésus qui inaugure l'ère de l'Incarnation. La fête annuelle de Pâques, à date variable, obéit à cette perspective linéaire.

Bien sûr, tous les Canadiens français des XVIIᵉ et XVIIIᵉ siècles observent le temps à la manière de leurs ancêtres catholiques de l'ouest de la France ; ils continuent les mêmes traditions comme ils s'inspirent des mêmes rituels, des mêmes catéchismes et des mêmes cérémonies. Mais à cause des grands espaces qui risquent d'allonger leur temps intérieur, à cause d'un hiver trop long ou d'un printemps trop court, surtout à cause de leur catholicisme directement issu des rites et des célébrations du Moyen Âge, les Québécois auront leur manière d'encadrer les deux grandes célébrations religieuses qui rythment la vie de tout chrétien : Noël et Pâques. Après Noël, fête du petit Jésus et de l'hiver, vient Pâques, fête de la Résurrection et du printemps capricieux.

La fête est tellement populaire en Nouvelle-France qu'il se trouve même un temps, jusqu'au milieu du XVIIIᵉ siècle, où l'on compte, en semaine, plus de trente fêtes religieuses obligatoires et chômées. Ajoutons les dimanches et nous en arrivons presque à cent jours fériés par année, les mois d'hiver — l'hiver canadien, il va sans dire — constituant les temps forts de ce calendrier festif.

Denise RODRIGUE a non seulement bien vu et bien choisi ses lieux d'observation, elle a su aussi mesurer l'impact des fêtes calendaires sur la vie quotidienne de ses nombreux informateurs. Notons, en plus, l'avantage d'une comparaison avec le pays des origines. L'on discerne à la fois la continuité et la différence, ce qu'il y a de plus spécifiquement québécois et ce qui est du patrimoine européen en général. L'accent est mis au Québec, avec raison, sur le Mardi gras et sur le Carême, sur les cierges, les rameaux bénits, sur l'eau de Pâques, les pâques de renard, la danse du soleil. Remarquons comment certains secteurs de la sensibilité québécoise ont été inspirés par l'Europe, tandis que d'autres ont évolué de façon relativement autonome.

Au Canada français, encore maintenant, Noël reste la fête des fêtes. Notre vocabulaire courant en témoigne. Le *temps des Fêtes* désigne cette période facilement euphorique qui va de la messe de Minuit à Noël jusqu'à la fête des Rois ou l'Épiphanie. Autant Noël avec sa date fixe, ses avents et ses premières chutes de neige, se célèbre bien, autant Pâques, fête à date variable et quelquefois tardive comme notre printemps, peut mal s'accommoder avec l'idée de résurrection. Une bordée de neige en mars n'a rien de « renaissant à la vie nouvelle ». Or, quand le support cosmique et naturel fait défaut à une fête, celle-ci risque de n'être que rituelle et obligatoire. Précédé de son dimanche des Rameaux, des Jours saints avec leurs longues Lectures et leurs Offices prolongés, du « Vendredi le plus triste de l'année », Pâques apparaît souvent comme une fête orpheline dont le sens profond échappe à des croyants encore trop émus par la Grande Semaine pour s'improviser un contexte de renaissance que la nature tarde à leur offrir. Notre savante ethnologue a-t-elle perçu, sans vouloir l'écrire, toute la contradiction possible entre un calendrier liturgique fixé en Europe et célébré en Amérique ? Si Pâques au Québec avait lieu plutôt en mai, « le joli mois de mai », le mois des amoureux, le mois de Marie, après le retour des outardes et l'immigration attendue des oiseaux sauvages, certains alléluias forcés d'un Samedi saint de fin d'hiver prendraient un tout autre sens. Il faut reconnaître, par ailleurs, que la fonte des neiges, l'eau des érablières, les crues toujours possibles, les débordements de rivières et les débâcles font tout naturellement que le symbolisme religieux de l'eau peut être davantage présent à l'homme d'ici en quête de son « flacon d'eau bénite » et de son eau de Pâques.

Enfin, nous nous réjouissons que cette étude documentée et objective, généreuse dans ses informations autant que dans ses comparaisons, vienne rejoindre *Les Archives de folklore* et proclamer, une fois de plus, la valeur de la recherche sur le terrain pour mieux mettre en relief toute la richesse traditionnelle du peuple québécois.

Prise d'habit, 1959. (Archives des Sœurs de Sainte-Anne, maison mère, Lachine).

4

LE NÉCESSAIRE INVENTAIRE

A. Que racontaient les anciens?[1]

L'expérience inattendue de nos ancêtres lorsqu'ils remontent le Saint-Laurent pour la première fois avec l'univers mental qui est déjà le leur et celle de notre ère technique, si agressive face à l'environnement, n'ont plus tellement de commune mesure. Ce territoire extraordinaire, qui s'appellera la Nouvelle-France, le Canada, le Québec, l'Acadie, le Nord-Ouest, avec des immensités de terres et forêts, des rivières et des lacs par milliers, trois océans limitrophes, des saisons contrastées, apparaît en tout premier lieu comme insaisissable. Peu de pays au monde sont autant favorisés par l'environnement naturel. Encore aujourd'hui il est difficile de ne pas trouver dans cet espace nordique qui est le nôtre, un coin, une terre, un bois, voire une rivière, qui ne parle le langage sacré du « paradis terrestre », de la « terre vierge », du « bois anonyme ». « J'ai pour toi un lac quelque part au monde... » chante un de nos bardes québécois.

---

1. Extrait de *Écologie et environnement*, coll. « Cahiers de recherche éthique », n° 9 (Montréal, Fides, 1983) : 141–150.

1

Ni les faits ni les textes ne manquent pour nous dire ce que pensaient de la nature nos ancêtres français, canadiens-français et québécois. Déjà les premiers mots qui les habitent nous invitent à croire qu'ils furent bien émus, apeurés, éblouis à la vue de tels paysages. Ils ont aussitôt nommé ces lieux Belle-Isle, Beauport, Beaumont, Beaupré, Bellerive.

Il y aurait, de plus, à relever tous les mots nationaux qui indiquent une relation avec l'espace immédiat, tel ce langage maritime : embarquer, se gréyer, à la brunante, virer de bord ; tous les mots d'hiver : le banc de neige, la poudrerie, le berlot, la robe de carriole ; et aujourd'hui : la déneigeuse, la souffleuse et d'autres beaux mots. Sans oublier certains de nos canadianismes les plus typiques : la drave, le portage, le défrichage, l'avironnage.

Les groupes, autant que les tâches et les métiers qui définissent les premiers travaux des anciens, signifient des rapports précis avec le milieu : à part les militaires qui font la garde ou la guerre, il y a les marins, les pêcheurs, les canotiers et les draveurs qui nous rappellent la mer, les combats avec le vent, la nuit, la tempête.

En outre, la terre qui appelle le défrichement donne bientôt asile à *l'habitant*. Il est bien sage, celui-ci, à côté de l'explorateur, à côté du coureur de bois, du forestier et du voyageur qui n'en finissent pas de raconter des histoires sur leurs aventures et leurs débats avec l'univers et ses mystères.

Dès le régime français et par rapport à l'environnement, nous rencontrons trois types fondamentaux d'hommes que nous retrouvons tout au cours de notre histoire : le *voyageur* nomade qui veut surtout conquérir l'espace et s'affirmer par son courage d'aventurier ; *l'habitant* plus sédentaire avec le goût normal d'une appropriation du lieu défriché et mérité ; enfin le *commerçant*, le trafiquant dont nous savons les audaces intéressées. Ce dernier retourne souvent en France ; il est le seul dont il faut toujours se méfier. Même au XVIIe siècle.

Il suffirait maintenant d'interroger quelque peu notre tradition orale et nos contemporains les plus âgés pour découvrir comment nous avons été et comment nous demeurons, malgré toutes les apparences de civilisés urbains, les fils de ces hommes d'un pays toujours à découvrir, voire à nommer. Les catalogues et les compilations d'un Conrad Laforte montrent la richesse et la diversité de nos chansons forestières, maritimes et rurales. Or ces vieilles chansons rappellent en termes souvent dramatiques, pour ne pas dire lyriques, que nous devons composer de peine et de misère avec les saisons, le bois, la mer, la terre. Il en est de même de notre bestiaire d'amour et de haine qui nous entretient, plus ou moins aimablement, de notre parenté avec les animaux des bois. Quand Luc Lacourcière publiera son étude sur les contes d'animaux nous verrons, une fois de plus, quels problèmes nous hantent face à l'espace. Pour le meilleur ou pour le pire ? Les fabliaux le diraient mieux, eux qui moralisent. Nos légendes, celles de la Corriveau ou celles de Rose Latulippe, nous entraînent vers des pays étrangers où la nuit, royaume des esprits malfaisants, invente ses ombres caricaturées. Du frère Marie-Victorin et de l'ethnologue Jacques Rousseau, apprenons que nous avons souvent préféré aux noms latins de plantes, d'herbes, d'arbres, des mots fraternels et familiers qui dénotent une observation étroite de la nature : herbe à puce, tabac du diable, rave. Du côté de la médecine et de la météorologie populaires, et tenant compte de l'acquis et des influences amérindiennes, c'est aussi un rapport direct et naturel avec ce qu'il y a de plus secret dans l'univers immédiat.

Enfin, qui n'a pas goûté à nos recettes de cuisine traditionnelle ? Avec quelle finesse nos ancêtres, pourtant formés à la française, ont vu juste et inventé sur place des plats d'ici : tous ces fruits de mer, ces *sea-pies*, ces ragoûts de lièvre et ces pièces boucanées de gibier inattendu... puis cette bière d'épinette et cette petite liqueur dite *la sapinette*.

2

À cause de ces faits vite résumés et que n'importe quel ethnologue canadien-français pourrait multiplier avec autant de références que l'on veut, il devient possible de connaître les diverses réactions de nos ancêtres face à la nature. Même s'il est difficile de codifier des sentiments, surtout de les hiérarchiser, on peut toutefois se rendre compte de l'essentiel d'une mentalité globale.

Merveilles d'outre-mer

Nos ancêtres se trouvaient devant un nouveau monde pratiquement inexploré, habité par quelques groupes d'Amérindiens isolés. Leur première réaction fut celle de l'ÉMERVEILLEMENT. Paysages si étonnants qu'aussitôt ils écrivent en France : récits de Jacques Cartier, de Champlain, *Relations* et écrits des jésuites. D'autres encore. Les

descriptions n'en finissent plus. D'ailleurs, faut-il le dire, cet émerveillement se continue de nos jours, alors que des peintres comme
Lemieux, Riopelle, des graveurs comme Derouin, Chantal Lévesque,
des poètes, telles Marie Uguay ou Denise Desautels, ne cessent de
vérifier nos saisons. Quel romancier n'a pas son petit paragraphe sur
tel ou tel coin naturel du pays ? Et quel géographe ne connaît pas aussi
ces textes sur le fleuve, la montagne, la forêt ?

Mystères et vie dans l'espace

Une seconde réaction, composée de toutes sortes d'éléments sacrés
et profanes, vient du fait que ces forêts, ces grands et ces petits lacs, ce
fleuve interminable, cette terre sans fin, appartiennent déjà à un champ
mental plus vaste que celui des yeux. En effet, les espaces canadiens-
français furent, jusqu'en ces dernières années, entourés sinon enve-
loppés par l'univers visible et invisible judéo-chrétien : non seulement
nous avons des mers et des terres, mais ces lieux sont habités de
divinités et d'ombres sacrées. En haut, le ciel. En bas, peut-être quelque
part en Afrique centrale ou au sous-sol, l'enfer ainsi que le purgatoire.
Univers hiérarchisé. Le Père Éternel, en haut dans les nuages, domine
comme Moïse sur la montagne avec les Tables de la Loi. Sur la terre,
Jésus a été crucifié pour nos péchés, mais maintenant il est au ciel (en
haut encore) avec Marie, sa mère. Entre terre et ciel, voyagent les
anges, les bons anges, surtout l'ange gardien, les âmes du Purgatoire et
leurs substituts travestis, des revenants de toutes sortes, des loups-
garous, des feux follets, des lutins. Même le diable et ses satellites
s'agitent tout autour et couvrent eux aussi beaucoup d'espace.

« Le Credo du Paysan »

Il reste que cet univers complexe, étonnant par sa richesse et sa
diversité, trouvera dans la nature vierge et incommensurable un milieu
mystérieux, un lieu de défi continu pour tout croyant. Face à la
distance, face à la sévérité des saisons, nos ancêtres n'ont pas pensé à se
révolter ni même à s'opposer. Leur attitude est strictement celle d'un
respect sacré et d'une dépendance naturelle. Cette merveilleuse nature
qui les étonne tant reflète, à leur avis, la gloire de Dieu et leur rappelle
en un sens le faste royal du pays de leurs origines. Avec quelle dévotion
ne chantent-ils pas — leurs mots viennent de France — la foi qui les
invite à honorer l'espace et Celui qui l'a créé :
>   Je crois en Toi, Maître de la nature,
>   Semant partout la vie et la fécondité ;
>   Dieu tout-puissant qui fis la créature,
>   Je crois en ta grandeur,
>   Je crois en ta bonté !

Un pays à mériter

Un autre comportement, qui s'explique du fait que l'on est arrivé dans un milieu absolument neuf, fut d'explorer et de voyager. On dirait même que la dureté de la vie stimule le désir de vaincre l'espace et d'aller plus loin dans l'Ouest ou vers le Nord mythique. Presque à chaque génération « c'est l'aviron qui nous mène en haut ». Ce goût fou du défrichement, propre aux gens d'ici, ne doit pas être confondu avec les ambitions faciles à imaginer des maîtres européens et des commerçants colonisateurs venus de la Métropole française. Parlons plutôt du sens de la fierté du peuple des voyageurs. Ce groupe important de pionniers vit en Amérique une sorte d'amour courtois de la nature jusqu'à risquer leur existence au loin, tel qu'il arrive dans les romans de Chrétien de Troyes. Un pays à découvrir, un pays à mériter? Exactement. Un pays à baptiser, ajoutent les missionnaires. À coups d'aviron, de hache et de pioche, on s'empare du pays, on le mérite comme on mérite son salut à coups de sacrifices. Le Canadien français traditionnel est tout autant le découvreur infatigable prêt à tout pour aller plus loin que le missionnaire zélé au courage illimité. Le défi le fait vivre. Avec ces hivers trop longs, ces printemps trop courts, ces fleuves, ces rapides et ces rivières en tours et détours, il y a de quoi faire rêver l'homme en quête d'une possession de l'espace.

Un pays à occuper

Pour occuper ce pays, il faut le découvrir, le défricher, bien sûr. On y bâtit des maisons qui s'étalent progressivement sur des rangs et des cantons ; on se regroupe aussi au « faubourg » qui, lui, possède un cimetière, un presbytère et surtout une église. Sacré et profane ne font qu'un.

Quand l'homme multiplie les églises, il exprime déjà sa croyance à l'environnement. Cette église dont il choisit l'emplacement et qu'il protège par un terrain, le terrain de la Fabrique, sera peut-être démesurée comme le pays qui la reçoit ; elle aura son clocher avec une croix au sommet et quelquefois un coq qui dit le sens du vent et l'obligation d'être éveillé tôt aux choses divines ; elle devra être belle et résumer le cosmos. C'est sur son perron que la paroisse, unité par excellence du « pays », exprimera sa solidarité la plus fraternelle.

Toujours dans le sens du besoin de protection, d'intercession, de consécration et parfois de reconnaissance envers le « Bon Dieu en haut, notre maître, qui sait ce qu'il fait », il arrive qu'en plus d'une croix de chemin, au carrefour de la route, l'on aperçoive sur une montagne, dégagée du paysage, une autre croix. Ainsi à Montréal et à Saint-Hilaire. Le peuple aime ce «spectacle»: soit qu'il veuille mieux consacrer des sites, soit qu'il désire se souvenir d'un fait historique plus signifiant. De plus, plusieurs endroits célèbres de pèlerinages au Québec, tels l'Oratoire du Mont-Royal et la grotte de Rigaud, sont sur le flanc d'une montagne, lieu sacré naturel, diraient les historiens des religions.

Le même respect instinctif de la nature et la même exigence sacrée font que le nouveau colon veut construire et orner ses églises avec le matériau naturel: bois, terre, pierre des champs et autres matières brutes. Des artisans fabriquent alors non seulement des églises, des chapelles, des chaires, des grilles de cimetière, mais des vases et des ornements d'autel d'une qualité souvent exceptionnelle, quoique bien naïve, tout comme le choix du matériau: voilà une appréciation fort positive en même temps que pratique de l'environnement et de ce qu'on y trouve.

La mer, c'est puissant

Une nature aussi riche ne peut que devenir un lieu de sacralisation de toutes sortes. Face à la mer, les Acadiens, par exemple, chantent *Ave Maris stella*; ils multiplient les bénédictions de barques et de bateaux. Sur l'eau, on ne blasphème pas, « c'est trop grand... et trop dangereux». Les pêcheurs gaspésiens du Golfe y respectent le dimanche et disent leur prière du matin et du soir. Médailles et images saintes sont clouées, fixées à chaque embarcation. Que vienne la tempête, des ex-voto marins sont promis et vite réalisés; a-t-elle le dernier mot, un naufrage, une noyade, la soumission dans la complainte exprime la recommandation de l'âme au Seigneur en même temps que le chagrin humain. Non, il n'est pas question de se révolter.

Sur le bord des rivières et des fleuves, nous apercevons, comme à la croisée des chemins, des croix protectrices, des statues, des rochers bénits: autant d'avertissements, autant de manières de dire sa peur, sa confiance en une nature qui, si puissante soit-elle, reste toujours au service du Grand Maître.

Quant aux nombreux récits de vaisseaux-fantômes qui circuleraient au-dessus des mers, nous y retrouvons un souci bien français de moraliser à tout propos et une indication que si les forces du mal, Satan, sont présentes à l'homme, il demeure que Dieu sait lui aussi naviguer, car à la moindre distraction *religieuse* le vaisseau ou le canot s'engouffre.

« La mer, c'est puissant » ; « l'eau, c'est pur et bon ». Surtout l'eau bénite. Elle est partout, elle sert à tout ; elle guérit, protège, purifie. À l'église, à la maison. Quel bâtiment n'a pas été aspergé par elle ? La confiance est si grande et les besoins si diversifiés qu'on en viendra jusqu'à se munir, pour l'année, de *l'eau de Pâques*. Oui, à Pâques, il faut se lever tôt, avant même le soleil, pour aller à la rivière, au ruisseau, à une source si possible. On y recueille cette « sainte » eau qui vaut bien de l'eau bénite !

La forêt, c'est si riche !

Pourquoi les anciens réagissent-ils d'une manière moins compulsive dans leurs rapports avec la forêt ? On dirait qu'ils comprennent que l'espace boisé s'apprivoise. Pourtant les récits ne manquent pas de forestiers égarés, morts de froid ou d'un accident. Le réflexe final est à peu près le même : Dieu reste le grand *boss* : « Dieu l'a voulu, il sait ce qu'il fait. »

Les relations avec le bois sont d'autant plus faciles que le paysan possède peut-être sa terre à bois debout, son érablière ; il peut y bûcher à satiété, charrier, corder, allumer son poêle avec le produit de son travail. Au printemps, nous le voyons couper des branches de cèdre, de sapin ou d'épinette et les faire bénir le dimanche des Rameaux. Accrochées ici et là aux bâtiments, ces branches sont à leur tour des éléments protecteurs, essentiels à la dévotion populaire. C'est au sujet des rameaux que circule la jolie légende apparentée aux lierres qui poussèrent jadis sur la tombe de Tristan et Iseut : déposés entre les doigts d'un défunt bien chrétien, ces rameaux deviendront verts ou même dorés.

C'est ma terre

La grande sécurité spatiale de l'habitant, c'est sa terre, parce qu'il la foule, la herse, la sème : il la domine en un sens. « Ma terre », « mon bien ». Comme une fierté féodale d'avoir un espace qu'il occupe dans le partage des tâches avec sa famille. Une confiance identique vis-à-vis du sol possédé l'amène à se rendre à l'église, au temps des Rogations, pour y faire bénir des grains qu'il portera ensuite pieusement dans son champ. Dieu étant de son bord, la terre produira mieux. « Mon garçon, travaille la terre et elle te le rendra au centuple : c'est le Bon Dieu qui l'a faite. »

Noël partout

Aujourd'hui encore, la fête de Noël synthétise la grande fraternité du Canadien français avec son environnement. Ce pacte avec la nuit, ces sapins dans l'église, la crèche et le bœuf, l'âne, les moutons, beaucoup de moutons même, l'étoile en haut : tout cela évolue dans une atmosphère de kermesse sacrée qui ne trompe pas. Le peuple aime cette fête, comme il aime ses hivers, son pays, ses étoiles, ses animaux. À Pâques, et contrairement à ce qu'offre une liturgie strictement européenne, c'est un printemps plus qu'hypothétique. D'autres tempêtes d'hiver peut-être, le froid qui persiste ? Qui sait ? Alors on peut dire que Noël a tout pris de l'environnement, tandis que Pâques a souvent peu à espérer de la nature. Et le cœur de l'habitant n'y est pas tellement.

Attention au feu !

Le feu ! Quelle peur ! Une peur naturelle. Parce que les bâtiments sont en bois ? Comme la forêt. Dans chaque maison, une croix, une niche peut-être, des bénitiers, des chandelles : que tout à coup survienne l'orage, qu'un éclair zigzague au firmament, commence alors la récitation du chapelet. Les signes de croix se multiplient. L'eau bénite est là, qu'on jette aux fenêtres. La chandelle allumée est sur la table, prête à conjurer. S'il fallait ! Sans oublier ce feu mystérieux de l'enfer, un feu éternel, d'autant plus alarmant qu'il ne se terminera jamais : le subconscient s'en mêle.

La seule mais bien courte exception à la peur du feu, et qui exprime une certaine fraternité sacrée, arrive avec la bénédiction du feu nouveau, le Samedi saint. À l'église Saint-Gervais de Bellechasse, le feu vient encore de la forge du village. Malgré tout l'éclat de la cérémonie, le message est sur les visages : « S'il fallait que notre église brûle ! »

*
*   *

En somme, nous nous trouvons en face de liens étroits avec les éléments, vécus très diversement par nos ancêtres. Parce que leur environnement est naturel, vierge encore, étonnant et contrasté, se manifestent tour à tour l'émerveillement, le goût du défi, un sens inné du sacré, le besoin d'apprivoisement et de protection, la volonté de possession, des approches de la terre davantage fraternelles, sans oublier, bien sûr, la peur instinctive que l'on cache ou restreint grâce à la médiation des rites religieux, le tout doublé d'un profond respect qui va jusqu'à la soumission complète envers le « Créateur de l'univers visible et invisible ».

Les temps ont changé. Le jour où, à la suite de l'essor des sciences et de l'industrialisation, l'homme s'est détaché peu à peu de la nature pour mieux l'assujettir, il a rétréci en même temps son champ spirituel. En voulant asservir l'univers, et prisonnier de l'immédiat, il risque d'oublier l'environnement. Pour un profit matériel, comme un milliardaire irréaliste prêt à tout détruire, et par un refus de l'idéalisme judéo-chrétien, le *commerçant* d'aujourd'hui se trouve sur le point de tout spolier pour servir ses fins. Son action est d'autant plus redoutable qu'elle compromet une espérance de vie et de survie.

Par contre — et c'est heureux — cette agression ne va pas de soi, au Canada. Aucune théorie, aucun accord commercial avec les multinationales ne peut nous prémunir contre l'hiver et le froid. Même si nous n'avons plus peur de la nuit, ni des orages, ni des loups-garous, il reste que chaque année les saisons s'imposent. Les distances aussi. La civilisation industrielle ne pourra jamais nous faire omettre ces coordonnées *canadiennes*. Au fait, la moindre panne d'électricité en janvier terrorise le grand civilisé de la technologie nordique, qui mourra de froid le jour où on lui détruira ses grandes installations.

Nos rapports avec le cosmos sont loin d'être terminés. Au contraire. À tort ou à raison, ne consulte-t-on pas encore l'astrologie, les signes du zodiaque? L'horoscope est dans tous les journaux. La radio commente. La même tendance à apprivoiser, à maîtriser, à diviniser la nature, à dépasser l'environnement immédiat demeure. Tendance intéressée, mais sans l'émerveillement et la fraternité des origines. Peut-être est-ce la vocation des écologistes et des environnementalistes de provoquer des initiatives qui pourraient réhabiliter le goût des espaces sacrés et des environnements naturels. De toute façon, l'humanité est à la recherche d'une nouvelle solidarité entre la nature et l'homme. Montaigne disait : « Nous nous trompons, la nature, elle, ne nous trompera pas. » « On conduit la nature, on ne la change pas » commentait Voltaire, deux siècles après. Le juste aménagement de l'espace peut éveiller lui aussi, autant que la vision d'une forêt primitive, le sens du sacré et entraîner la cohésion humaine à laquelle nous rêvons tellement.

Les sciences de l'astronomie et les expériences nucléaires, la science-fiction à sa manière, promettent un avenir qui annonce comme une RÉCONCILIATION, voire une nouvelle fraternité entre l'homme et la nature. L'univers mental judéo-chrétien renouvelé donnerait à l'homme d'aujourd'hui de mieux percevoir l'immense solidarité qui existe déjà entre le cosmos, son Créateur et lui. Nouvelle dimension de l'intériorité. Nouveau souffle spirituel. Nouvelle vision de l'espace mental. Autant d'éléments qui ne peuvent que susciter le goût du sacré, un goût moins héréditaire sûrement, mais peut-être mieux senti.

B. Religion traditionnelle et les chansons de coureurs de bois [2]

Les rapports entre le travail, la chanson et la religion au Canada français n'ont guère été étudiés. Pour ce faire, les chercheurs devront s'appuyer d'abord sur l'histoire, la tradition orale et l'iconographie. Déjà la chanson folklorique française en Amérique fait appel à tant de vécu traditionnel qu'il serait téméraire de vouloir la comprendre sans tenir compte de son origine qui remonte au-delà de l'ère industrielle. Pour en extraire le *religieux* et le *sacré*, il faudrait une histoire de la religion populaire des Canadiens français : or cette histoire n'est pas encore écrite [3].

Comme cette histoire appelle quelques éléments préliminaires, nous avons choisi de présenter ici un des cas les plus typiques de notre chanson religieuse traditionnelle, peut-être le plus typique, celui des chansons de coureurs de bois [4].

---

2. Extrait de *Revue de l'Université laurentienne (Religion populaire et travail. Popular Religion...)*, 12, 1 (nov. 1979) : 11–42. De ce texte documenté, avec la collaboration de Conrad Laforte, nous avons retenu la partie qui a trait à la religion.

3. Approches préliminaires d'une étude de la religion populaire des Canadiens français et des Québécois en particulier, problématique et bibliographie dans *Communauté chrétienne (Religion populaire des Québécois)*, 16, 96 (nov.-déc. 1977) : 527–692.

4. Cf. Madeleine BÉLAND, *Chansons de voyageurs, coureurs de bois et forestiers*, coll. « Ethnologie de l'Amérique française », Québec, Les Presses de l'Université Laval, 1982, p. 141-142 ; pour tout ce qui a trait à la chanson : Conrad LAFORTE, *Poétiques de la chanson traditionnelle française*, coll. « Les Archives de folklore », 17, Québec, Les Presses de l'Université Laval, 1976 ; *Le Catalogue de la chanson folklorique française*, *ibid.*, 18–23, 1977–1983, 6 vol.

L'expression *chansons de coureurs de bois* signifie les chansons que chantent les coureurs de bois ou les chansons qui racontent la vie des coureurs de bois. Nous connaissons assez bien leur répertoire préféré, par exemple *À la claire fontaine*, qui traite d'un amour malheureux. Les mêmes voyageurs affectionnent les mésaventures féminines, comme dans *la Fille aux oranges*, qui se chantent sur un rythme de danse adapté à la cadence de leur aviron. Bien qu'elles soient les plus belles, ce ne sont pas ces chansons qu'il faut retenir pour apprendre la *vie religieuse* des coureurs de bois ; il faut aller aux chansons qui parlent d'eux. Nous pensons davantage à cette chanson, dont nous avons une cinquantaine de versions, qui ressemble étrangement à un cantique que les bons Pères auraient pu leur entonner avant le grand départ. Cantique ou parodie, elle se nomme *le Chrétien qui se détermine à voyager*. Une des versions les plus complètes que nous en possédions est celle de Hubert Larue, publiée dans *le Foyer canadien* en 1863 ; elle « jouit d'une très grande vogue parmi les gens des pays d'en haut » :

Quand un chrétien se détermine
　À voyager,
Faut bien penser qu'il se destine
　À des dangers
Mille fois à ses yeux la mort
　Par son image,
Mille fois il maudit son sort
　Dans le cours du voyage [5].

Au XIXᵉ siècle, quand les chantiers forestiers ont commencé sous l'impulsion de Philémon Wright le long de la Gatineau, le nombre des chansons sur ce nouveau type de coureurs de bois s'est multiplié sans toutefois en marquer la qualité. Une cinquantaine de textes sur les bûcherons, une dizaine sur les draveurs, quelques-uns sur les bois carrés, les raftmen, et déjà les mots *voyageurs* et *coureurs de bois* prenaient de l'ampleur ; ils désignaient aussi les travailleurs forestiers.

Les métiers de bûcheron et de draveur sont connus, nous ne nous y attarderons pas. Si, aujourd'hui, l'exploitation forestière n'oblige plus les hommes à s'exiler dans les forêts pendant tout l'hiver, de l'automne au printemps, il fut une époque où ils allaient hiverner dans le bois, d'où résulta le répertoire de chansons qui nous intéresse. Formés presque tous par une religion orale et par le célèbre Petit Catéchisme dérivé de celui de monseigneur de Saint-Vallier [6], ces

---

5. *Op. cit.*, vol. 1, p. 372-373.

6. Fernand PORTER, *L'institution catéchistique au Canada : deux siècles de formation religieuse, 1633–1833*, Montréal, Éditions franciscaines, 1949, xxxv, 332p.

hommes avaient leurs mœurs, leurs réflexes, leurs rites, leur langage, leur générosité, mais aussi les défauts de leur condition. Ce qui est bien illustré dans les chansons.

À titre préliminaire encore. *Le Frère mort de la fièvre* en appelle, l'appel est posthume on s'en doute bien, à des rites et à des réflexes religieux : Noël, la mort, la visite du prêtre, les prières pour son âme. Ce que Dieu veut, l'homme n'a pas à le discuter. Citons :

L'Estropié dans les chantiers sera-t-il aussi religieux et plus heureux ? Oui, puisqu'il frôle la mort, sans qu'elle le touche. Dieu et la Sainte Vierge méritent bien une grand-messe « pour tous ces voyageurs qui sont dans la misère ». Là encore l'allusion au fait religieux est claire.

---

7. Texte chanté le 10 août 1977, par Antoine Arseneau (75 ans) à Tracadie (N.-B.), Les Archives de folklore, coll. Robert Bouthillier et Vivian Labrie, 2541.

Après l'ennui et la mort, le *départ* est l'événement le plus souvent et le plus explicitement chanté. Les titres de plusieurs chansons sont là pour le dire. Nous comptons dix-sept chansons de *départ* pour quatre de *retour*. Quant aux allusions religieuses, elles sont reliées davantage à Dieu, aux saints, au diable et à l'au-delà inévitable.

Comment ces chansons révèlent-elles le vécu religieux? De quelle sorte de religion s'agit-il? Les transcriptions écrites de ces œuvres orales rapportent qu'il est fait mention — nous suivons l'ordre alphabétique — d'âme, d'ange, de la bonne sainte Anne, du calvaire, du chapelet, du ciel ou paradis, de cimetière ou terre sainte, de confession, du Créateur et de création divine. De plus, on y parle de croix, du curé, du démon ou diable, de Dieu, du Bon Dieu, des dimanches et fêtes, de l'éternité, de l'eucharistie, de la foi, de Jésus sauveur ou bon Pasteur, du jour de l'An (c'est le plus beau jour de l'année), du jugement dernier, de Marie ou la Sainte Vierge, de la messe, de la mort, du pardon, du prêtre, de la prière, des promesses pieuses, du repos éternel, de la résignation, des sacrements, de saint Joseph, du salut éternel, de tombeaux, de tombes et de la Toussaint.

Devant une telle énumération, il est normal que nous regroupions ces mots autour de quelques questions qui, dans le contexte *forestier*, nous paraissent plus importantes : quels sont les croyances et les rites préférés de ces *voyageurs*? Comment leurs comportements quotidiens reflètent-ils leur *religion*?

---

8. Chanté le 27 août 1954, par Joseph Asselin à Saint-Charles de Bellechasse, Les Archives de folklore, coll. Russell Scott Young, 430.

1. Leurs croyances

a. Parlons, en premier, de leur foi ferme, de cette « foi vive » en Dieu à qui ils rendent hommage, à qui ils se soumettent comme à un maître incontesté. *Les Chantiers en Gaspésie*, sur la mélodie de *la Paimpolaise* de Théodore Botrel, dont nous connaissons quelques versions enregistrées au Nouveau-Brunswick et au Québec, raconte l'histoire d'une bande de jobbeurs des Grands Lacs et de Chicoutimi qui, rendus à Chandler sous le ciel de la Gaspésie, après trois jours de voyage en train et des adieux touchants, chantent :

> Mais enfin, quand le soir arrive
> On se repose de son labeur
> Et c'est avec une *foi vive*
> Qu'on rend hommage au Créateur [9].

En 1917, quand un coureur de bois « se détermine à voyager », il est certain que Dieu le destine à braver les plus grands dangers [10]. Ou encore, s'il part pour l'Amérique à dix-neuf ans pour y gagner de l'argent, il souhaite que « ... le Bon Dieu m'y conserve de peine et d'accident [11] ». Qui va en Californie pour y chercher de l'or en espère autant :

> *Si Dieu vient à mon aide*, j'espère bien dans deux ans
> Au retour du Voyage de voir tous mes parents [12].

Que « faire croire » à une épouse en pleurs, sinon que Dieu, maître de la vie, ramènera un jour le voyageur à la maison ?

> Ah ! cesse donc tes larmes, cesse donc tes pleurs.
> Ah ! *Dieu par sa bonne grâce a su me ramener* [13].

Tous les coureurs de bois ne sont pas aussi optimistes. *Là-haut dans les Chantiers* décrit les misères possibles du jeune bûcheron en décembre. À Marcel qui s'ennuie la nuit et pleure, un compagnon

---

9. Chanté en 1949, par madame Édouard Fournier (70 ans) à Manche-d'Épée (Gaspé-Nord), Ottawa, Musée national, coll. Carmen Roy, MN-5305.

10. Cf. *le Foyer canadien*, 1, 1863, p. 372-373.

11. Chanté par madame William Saint-Pierre (née Alméda Larochelle) à Laurierville (Mégantic), coll. Marius Barbeau et Marie-Rose Turcot, ms. 1968.

12. Cf. Marguerite et Raoul D'HARCOURT, *Chansons folkloriques françaises au Canada*, Québec, Les Presses de l'Université Laval, et Paris, Les Presses universitaires de France, 1956, p. 424 : *Départ pour la Californie*.

13. Chanté en 1923, par Georges Langlois à Port-Daniel (Bonaventure), coll. Marius Barbeau, ms. 1491.

chante que Dieu est juste et compréhensif, cette « misère » aura un jour sa fin :

> Mais console-toi, Marcel,
> *Dieu te récompensera*
> En ménage avec la belle
> Au printemps tu t'marieras
> Et du bonheur avec elle
> Ah ! ils te diront, d'aimer la belle,
> Ah ! car Dieu ne te l'défend pas [14].

Dieu n'est pas toujours aussi bien disposé : il peut demander à un bûcheron de dix-huit ans de mourir. Oui, mourir à dix-huit ans !

> Priez, pour mon âme, mon Père
> Car Dieu-z-en fera le compte [15].

Dans *le Bûcheron mort d'une maladie inconnue*, chanson enregistrée par Carmen Roy à Paspébiac en 1951 et chantée par Angélique Parisé, un homme parti « malgré ma mère et son pressentiment » va mourir. Le sort en est jeté. Lui et ses compagnons se sont perdus en route :

> Adieu Marie, adieu ma fiancée
> Pour qui j'allais gagner un peu d'argent
> À mon retour, pensant de me marier
> Mais *Dieu a décidé cela autrement* [16].

Dans *le Frère mort de la fièvre*, c'est Noël. Les trois fils et leur père s'ennuient. La joie qu'il y aurait « De revoir sa tendre mère, mais que *Dieu ne permet pas* » [17].

La même croyance voisine parfois avec la révolte ouverte. Dans *la Veuve affligée*, le mari, son deuxième époux en quatre ans de ménage, est parti pour les chantiers « rempli de confiance dans la bonté de Dieu » ; il s'est fait bien prendre : il est mort tragiquement. Elle pleure, se lamente, se recommande à Dieu :

> Que sa croix est pesante, de la porter pour deux !

Elle penserait bien à Jésus aussi « sur la croix attaché », mais non !

---

14. Chanté le 20 mars 1960, par madame Hervé Veillette (née Sara Descôteaux, 56 ans) à Shawinigan (Saint-Maurice), Les Archives de folklore, coll. Émile Descôteaux, n° 111.

15. *Le Frère mort de la fièvre*, chanté en septembre 1958, par Joseph S. Leblanc, Les Archives de folklore, coll. Anselme Chiasson, 295, ou MN-A-296.

16. Ottawa, Musée national, coll. Carmen Roy, MN-6751.

17. *Le Frère mort de la fièvre*, L-44, chanté le 1er nov. 1950, par Eustache Noël à Pointe-Canot (Île Shippagan, N.-B.), Les Archives de folklore, coll. Luc Lacourcière et monseigneur F.-A. Savard, 1041.

Je n'ai plus rien à faire sur ce nouveau pays.
Je vas trouver mon père, mourir avec lui [18].

Dans une seule chanson aux allures de cantique *les Cinq noyés de Gaspé*, la complainte frôle les accents d'un poème pieux où tout est résignation et soumission. Dieu demeure le maître suprême. Les noyés avaient communié le matin. « Victimes du devoir », ils ont répondu à l'appel de Dieu qui les commande. Noyés tous les cinq, ils mourront en priant :

Ce fut *la volonté de notre Père céleste*
Qui les a appelés à son trône éternel
Quittez donc, leur dit-il, cet abîme terrestre
Et venez partager les joies pures de mon ciel [19].

b. Le culte voué à Marie est confiant jusque dans son expression instinctive. Mentionnée onze fois en vingt chansons, tandis que Jésus « sauveur des hommes qui porte sa croix » est à peine nommé, Marie apparaît comme une protectrice, un soutien, un guide, un refuge pour tout besoin :

Très Sainte Vierge, Ah ! n'abandonnez pas,
Permettez-moi d'mourir entre vos bras
...
Quand un voyageur se détermine
À s'éloigner pour voyager...
...
Vierge Marie, sa tendre mère,
Soyez son guide et son soutien
Protégez-le dans ses misères
Conduisez-le dans son chemin [20].

Quand on part pour l'Amérique, vers les États, on espère revenir au Canada. Si Dieu *me* conserve la vie, c'est que Marie, la Sainte Vierge, *m'*aura protégé :

Si le Bon Dieu me conserve
Que j'aille en Canada

18. *La Veuve affligée*, L-68, chanté en 1916, par Matilde Audet aux Éboulements (Charlevoix), Ottawa, Musée national, coll. Marius Barbeau, MN-122.

19. *Les Cinq noyés de Gaspé*, L-85, chanté par Robert Castonguay à Rivière-à-Claude (Gaspé), Ottawa, Musée national, coll. Carmen Roy, MN-R-4863.

20. Cf. *les Chansons du Saint-Laurent*, (Québec), publié par la Compagnie du Pacifique Canadien, (1927), p. 22, dernière strophe ; *Quand un voyageur se détermine...*, chanté par Joseph Rousselle en novembre 1917, coll. É.-Z. Massicotte, MN-970, première strophe.

Je prie la Sainte Vierge
Qu'elle m'abandonne pas
Sainte Vierge Marie, ne m'abandonnez pas
J'espère un jour à venir mourir entre vos bras [21].

Dans *le Départ pour le bois carré*, le plus douloureux est de quitter son épouse. Que Marie s'en mêle et chaque pas deviendra un peu plus possible :

À chaque pas j'éloigne de ma chère moiquié
Je prie la Sainte Vierge de venir la reconsoler [22].

Même dans une chanson à boire, enregistrée en 1957, il est dit que malgré ses distractions...

Tout garçon qui vit dans l'ennui
Ne peut jamais mieux s'adresser
À la bonne Vierge Marie
Notre Mère qui est si bonne,
Et nous autres qui l'abandonnent [23].

Les dangers immédiats sont-ils nombreux ? C'est une raison majeure d'invoquer la Vierge et, au besoin, de lui faire confiance :

Quand tu seras dans ces rapides
    Très dangereux
Prends la Vierge pour ton bon guide,
    Fais-lui des vœux...[24]

En 1942, madame Charles Caron, de Jonquière, chante à F.-J. Brassard les promesses des garçons de chantier :

Si jamais je retourne du pays où je viens
Je promets au Bon Dieu, à la très Sainte Vierge,
Là, dans mon arrivée, grand'messe ferai chanter [25].

---

21. Chanté par madame William Saint-Pierre à Laurierville (Mégantic), coll. Marius Barbeau et Marie-Rose Turcot, ms. 1968, dernière strophe.

22. Chanté en 1923, par Georges Langlois à Port-Daniel (Bonaventure), coll. Marius Barbeau, ms. 1491, deuxième strophe.

23. *La Nostalgie de l'engagé*, chanté par Jeffrey Lefort (52 ans) le 14 août 1957, à Chéticamp (N.-B.), coll. Anselme Chiasson, enreg. 147.

24. Hubert LARUE, « Les chansons populaires et historiques du Canada », dans *le Foyer canadien*, 1863, 1, p. 373.

25. Coll. François-Joseph Brassard, disque n° 29, troisième strophe, *Estropié dans un chantier*. Même chanson, autre promesse d'une grand-messe à chanter pour « tous ces voyageurs qui sont dans la misère », Les Archives de folklore, coll. Conrad Laforte, 1032.

Dans une complainte historique chantée en 1905, à la suite d'une noyade de parents en voyage dans les rapides du haut Saint-Maurice, l'avant-dernier couplet appelle encore celle qui aide dans le malheur :

Ô Vierge Marie, fille de bonne Sainte Anne
Vous qui soulagez tant de millions d'âmes
Je vous supplie humblement,
De soulager les enfants...[26].

La complainte d'une *Veuve affligée* par la noyade des siens, dont nous avons parlé précédemment, rappelle, dans la salutation finale à Marie, les récits du Moyen Âge qui renvoient à Jésus en croix ; c'est une des rares allusions à une situation vécue par son Fils :

Sainte Vierge Marie, je veux vous imiter
De votre fils chéri sur la croix attaché [27].

c. Une autre croyance importante est celle qui a trait à l'au-delà, à l'autre vie, à la mort qui conduit, on l'espère tous, au paradis plus souvent appelé le ciel. Il faut dire tout de suite que le coureur de bois est un familier de la mort. Celle-ci devient un des leitmotive de ses chansons et de ses complaintes. Avec les longs voyages, les forêts inconnues, les grands arbres à bûcher, à ébrancher, la drave et ses rapides, le canotage, les orages, les naufrages, les loups, autrefois les Iroquois, sans oublier la maladie, l'absence de soins, les logements de fortune, les repas bâclés, il risque sans cesse sa vie et il le sait :

Quand un chrétien se détermine
    À voyager
Faut bien penser qu'il se destine
    À des dangers
Mille fois à ses yeux *la mort*
    Par son image
Mille fois il maudit son sort
    Dans le cours du voyage [28].

Marius Barbeau nous renvoie à une lamentation identique :

Ah ! c'est un mariage
Que d'épouser le voyage
Je plains qui s'y engage
Sans y être invité.
Levé tôt, couché tard
Il faut subir son sort
S'exposer à la mort [29].

---

26. D'après le texte publié par É.-Z. MASSICOTTE, dans *Le Bulletin des Recherches historiques*, 32, 13, déc. 1926, p. 753.

27. Chanté en 1916, par Matilde Audet aux Éboulements (Charlevoix), Ottawa, Musée national, coll. Marius Barbeau, MN-122.

28. *Le Foyer canadien*, 1863, 1, p. 372, première strophe.

29. *Alouette*, Montréal, Éd. Lumen, 1946, p. 94.

Le plus triste est de mourir jeune, aux chantiers, éloigné des siens. Mourir à dix-huit, vingt, vingt-cinq ans, « à l'âge de l'agrément », n'est-ce pas assez pour « chanter » la fatalité[30] ? *L'Adieu d'un noyé*[31] est une des complaintes sur la fragilité de nos projets. Le fils qui devait revenir est mort aux chantiers à vingt ans. Quelle tristesse ! Pour sa part, *le Bûcheron mort d'une maladie inconnue* met en relief le pressentiment d'un garçon de vingt-cinq ans :

Sur cette drave, j'ai pensé à la mort[32].

Dans le folklore forestier comme dans le folklore maritime, nous avons des récits de mort accidentelle où le « héros » blessé, mourant, écrasé par un arbre, chante sa propre mort, fait le vœu d'être transporté chez les siens. Comme le dit *Pouce Veillette* :

Préparons-nous pour un si long voyage
Soit vieux ou jeune, il nous faut tous mourir
...
Dans cette vie tout se passe comme un songe
On prend la vie, aussitôt pour mourir.
Tous les hommes, et la gloire est frivole.
Le temps fini, il faut donc tous mourir[33].

À propos des *Cinq noyés de Gaspé*, dont nous avons déjà parlé, la mort est encore cette réalité « divine » contre laquelle on ne peut rien : « Ne pouvant échapper à la *mort* si cruelle », il faut s'y soumettre. S'y soumettre, c'est chanter[34].

À la pensée fréquente de la mort se greffe normalement celle du paradis, du ciel, de l'au-delà, de l'autre vie possible. Le Dieu du ciel, Dieu tout-puissant, attend le retour de ses coureurs. Chacun arrive à son heure. Le paradis est ouvert :

Il faut laisser cette cage et tous ces bons amis.
Un jour, comme je l'espère, se verra en Paradis[35].

---

30. *Le Frère mort de la fièvre*, coll. Anselme Chiasson, AF-295 ou MN-296 ; *Complainte du bûcheron mort en forêt*, Ottawa, Musée national, coll. Carmen Roy, MN-6751 ; *la Mort du bûcheron*, coll. J.-T. Leblanc, ms. 695.

31. Chanté par frère Alphonse Beaudet à Nicolet, coll. Archange Godbout, o.f.m., ms. 46.

32. Chanté en 1951, par Angélique Parisé (79 ans) à Paspébiac (Bonaventure), Ottawa, Musée national, coll. Carmen Roy, MN-6751.

33. Chanté en 1921, par Émile Bélanger (36 ans) à Sainte-Geneviève-de-Batiscan (Champlain), coll. É.-Z. Massicotte, ms. 20 et BM-97.

34. Chanté par Robert Castonguay à Rivière-à-Claude (Gaspé), Ottawa, Musée national, coll. Carmen Roy, MN-R-4863.

35. Chanté en 1923, par Georges Langlois à Port-Daniel (Bonaventure), Ottawa, Musée national, coll. Marius Barbeau, MN-1491.

L'espoir de se *revoir en Paradis* est la consolation que laisse à ses parents celui qui meurt à dix-huit ans. Un autre, mort à vingt-cinq ans, revoit sa vie, ses désobéissances, sa fiancée qui lui donne la main ; il pense à son Dieu et à l'éternité qui l'attend : « Chacun de nous a son trépas »[36].

Dans *la Veuve affligée*, le pauvre mari, scié en deux, recommande sa femme et ses enfants ; il ne peut vraiment faire plus que de leur dire adieu :

Je n'ai pas la chance de recevoir mon Dieu
Ma blessure est trop grande, je le verrai aux cieux[37].

Même confiance naïve dans *Pouce Veillette* : « Dans son salut, il faut tout espérer[38]. » D'après *l'Adieu d'un noyé* : « Au dernier jugement nous nous reverrons tous[39]. » L'invitation est aussi pressante pour *les Cinq noyés de Gaspé* appelés à leur éternité :

Bien court fut leur passage
là, sur cette terre
Combien doit être grand,
leur bonheur dans les cieux ![40]

Pas d'enfer pour les coureurs de bois ? Au plus, le *jugement dernier*[41] et au pire, le purgatoire rarement mentionné[42]. Ces hommes forts et vigoureux savent que leur Dieu est tout-puissant et que loin de leur vouloir du mal il leur pardonnera.

---

36. Chanté en 1951, par Angélique Parisé à Paspébiac (Bonaventure), Ottawa, Musée national, coll. Carmen Roy, MN-6751.

37. Chanté en 1916, par Matilde Audet aux Éboulements (Charlevoix), Ottawa, Musée national, coll. Marius Barbeau, MN-122, sixième strophe.

38. Chanté en 1921, par Émile Bélanger à Sainte-Geneviève-de-Batiscan, coll. É.-Z. Massicotte, ms. 20 et BM-97.

39. Chanté par Alphonse Beaudet à Sainte-Sophie-de-Lévrard (Nicolet), coll. Archange Godbout, ms. 46.

40. Chanté par Robert Castonguay à Rivière-à-Claude (Gaspé), Ottawa, Musée national, coll. Carmen Roy, MN-R-4863.

41. *Nous sommes partis trois frères*, coll. Archange Godbout, ms. 46, quatrième strophe : « Priez pour mon âme, car Dieu en fera le compte... », ligne finale : « Au dernier jugement, nous nous reverrons tous ».

42. *Ibid.*, sixième strophe, 1, 9–14 :
    Pour nos chers trépassés, un devoir nous incombe
    Intercédons pour eux le repos éternel...
    Allons s'agenouiller souvent près de leurs tombes.
    Aussi, *l'Adieu d'un noyé*, sixième strophe, 6, 1, 2 :
    Mon corps est séparé de mon âme qui souffre...

d. Et le diable alors ?

Les jurons d'occasion font l'amusement de la chanson à boire ; par exemple, « Au diable l'épargne, et trinquons ! » ou encore : « Que l'diable emport' les chantiers ! »[43].

Le diable est toujours présent, mais comme un embarras à chasser. *Le Foyer canadien* a publié, en 1863, le texte d'une chanson où le diable, personnifié par les vagues ou les moustiques, joue un rôle non équivoque. Telle vague de fond qui menace les voyageurs en canot, c'est évidemment le diable :

Quand tu seras sur ces traverses
 Pauvre affligé
Un coup de vent qui t'exerce
 avec danger
Prenant et poussant ton aviron
 Contre la lame
Tu es ici près du démon
 Qui guette ta pauvre âme [44].

Et les maringouins ?

Si les maringouins te réveillent
 De leurs chansons
ou te chatouillent l'oreille
 de leurs aiguillons
Apprends, cher voyageur, alors,
 Que c'est le diable
Qui chante tout autour de ton corps
 Pour avoir ta pauvre âme [45].

Dans *la Ronde des voyageurs*, les maringouins piquent encore, les diables aussi : « Endure-les, prends patience »[46].

---

43. Cf. *Chez-nous, nous étions trois garçons*, chanté le 23 mars 1962, par madame Charles Massicotte (née Aurore Grégoire, 52 ans) à Mont-Carmel (Champlain), Les Archives de folklore, coll. Émile Descôteaux, 651, cinquième strophe ; *Dans les chantiers*, sixième couplet (fin) ; dans *les Chansons du Saint-Laurent*, Québec, publié par la Compagnie du Pacifique Canadien, 1927, p. 23.

44. *Le Chrétien qui se détermine à voyager*, Hubert LARUE, dans *le Foyer canadien*, p. 372, deuxième strophe.

45. *Ibid.*

46. Cf. J.-C. TACHÉ, *Forestiers et voyageurs*, Montréal, Fides, 1946, p. 154.

2. Les rites

De tous les rites religieux dans ces chansons, le premier, le plus naturel aussi, est la *prière*. Elle est mentionnée plus de vingt fois. Rite oral, rite quasi obligatoire. Non seulement *le Chrétien qui se détermine à voyager* a déjà l'habitude de prier matin et soir, mais il priera davantage en danger de mort[47].

La prière par excellence est le chapelet. Prière rituelle, prière du soir, prière nostalgique :

Mais enfin quand le soir arrive
On se repose de son labeur
Et c'est avec une foi vive
Qu'on rend hommage au Créateur
Se tenant bien droit pendant son chapelet...
Ah ! qu'elle est belle cette prière
Qu'on fait en famille ici
À genoux, au pied de la croix noire
Sous le ciel de la Gaspésie[48].

Il arrive de devoir travailler les dimanches et les jours de fête, tels le jour de l'An, la Toussaint, se souvenant alors qu'à la maison on serait allé prier :

Zà Dieu prie qu'ait pitié de moi
J'ai encore ma pauvre âme
De travailler le jour de la Toussaint
Aussi bien d'autres fêtes
Jour de Toussaint
Car le maître nous réclame[49].

Tel père isolé pleure à la pensée que là-bas son épouse et ses enfants « prient le Bon Dieu soir et matin »[50], tandis que lui, solitaire et mélancolique, ne le peut pas. Pour se consoler, il composera des chansons.

---

47. Cf. *Départ pour l'Amérique*, coll. Marius Barbeau et Marie-Rose Turcot, ms. 1968, troisième strophe ; *La Misère dans les chantiers*, coll. Marius Barbeau, ms. 964, cinquième strophe.

48. *Les Chantiers en Gaspésie*, chanté par madame Édouard Fournier en 1949, coll. Carmen Roy, MN-5305, quatrième strophe et refrain.

49. *La Misère dans les chantiers*, coll. Marius Barbeau, 964, troisième strophe.

50. *Estropié dans un chantier*, chanté en février 1942, par madame Charles Caron à Jonquière, Les Archives de folklore, coll. François-Joseph Brassard, 29, sixième strophe.

Trois jeunes garçons ont une chanson pour se plaindre de ce « bourgeois » qui n'observe point de fêtes :

Ni fêt's ni les dimanches, le printemps en dravant
Grand Dieu ! qu'il est d'valeur que d'être voyageur ![51]

Dans *Retour des cages et départ*, le « héros » se rappelle le conseil de sa mère en pleurs :

En m'y donnant la main
Elle m'a bien recommandé :
Oublie pas tes prières
Fais-les, mon cher enfant[52].

La chanson du bûcheron *Donnez-moi-z-en don'* ! est en souvenir « d' nos p'tites femmes » qui « nous font lever tôt auparavant d'dir' leur prière »[53].

Chantier aux États-Unis, enregistrée au Nouveau-Brunswick durant l'hiver 1955, est nostalgique. Ne pas pouvoir prier ensemble à Noël est une tristesse bien lourde à porter :

Grand Dieu ! c'est triste quand on pense à l'église
À nos parents qui y vont pour prier[54].

Souvent le voyageur, mort ou vivant, souhaite que l'on prie pour lui. Dans *le Frère mort de la fièvre*, le jeune mourant de dix-huit ans dit au prêtre :

Priez pour mon âme, mon Père,
Car Dieu-z-en fera le compte[55].

De même dans *le Bûcheron mort d'une maladie inconnue* :

Priez pour lui le Dieu tout-puissant[56].

---

51. *La Misère dans les chantiers, ibid.*, deuxième strophe.
52. Chanté en 1951, par madame Pierre-E. Arbour (75 ans) à Percé (Gaspé), coll. Carmen Roy, MN-6621, neuvième couplet.
53. Chanté le 30 octobre 1949, par Louise Côté à Saint-Hilarion (Charlevoix), coll. Luc Lacourcière et F.-A. Savard, AF-369, troisième strophe.
54. Chanté le 5 février 1955, pour Jérôme Comeau à Évangéline (Gloucester, N.-B.), coll. Dominique Gauthier, AF-549, huitième strophe.
55. Chanté en novembre 1940, par Eustache Noël à Pointe-Canot (Île Shippagan, N.-B.), Les Archives de folklore, coll. Luc Lacourcière et F.-A. Savard, 1041.
56. Quatorzième strophe, coll. Carmen Roy, MN-6751.

Perspectives semblables dans la complainte de *Pouce Veillette* :

Priez, priez et séchez tout'vos larmes
Priez, priez et séchez tout'vos larmes [57].

Aussi, dans une autre complainte, par madame Olscamp, sur des noyés :

N'oubliez pas de prier,
Ce sont des amis que vous connaissez [58].

Dans un *Départ pour les chantiers de la Côte-Nord*, le garçon supplie sa mère de prier pour lui qui s'en va au bois :

Bonne maman, priez pour votre enfant
Qui va au loin gagner votre soutien
Le fils aîné sera récompensé
De ses misères là-bas dans les chantiers [59].

Le père de famille qui s'ennuie chante et implore de loin ses enfants et son épouse :

Qu'ils prient le Bon Dieu soir et matin
Pour leur malheureux père [60].

La complainte des *Cinq noyés de Gaspé* se terminera par la finale suivante :

Intercédons pour eux le repos éternel
Allons s'agenouiller souvent près de leurs tombes [61].

Une autre complainte :

Parents et amis
Qui avez tous le cœur tendre,
C'est à vous aussi,
Que je vous le demande :
Priez Dieu donc humblement [62].

---

57. Chanté en 1921, par Émile Bélanger à Sainte-Geneviève-de-Batiscan, coll. É.-Z. Massicotte, ms. 20 et BM-97, cinquième strophe.
58. Cf. *Le Bulletin des Recherches historiques*, 32, 12, déc. 1926, p. 752, quatrième strophe.
59. Chanté en septembre 1948, par Lauréat Perron à l'Île-aux-Coudres, Les Archives de folklore, coll. Luc Lacourcière et F.-A. Savard, 572 ; chanté en 1958, par Edmond Rousset, 52 ans, à Mattawa (Ontario), coll. Germain Lemieux, s.j., 4002.
60. *La Misère dans les chantiers*, chanté en 1923, par Marie-Jeanne Furlatte à Port-Daniel (Bonaventure), coll. Marius Barbeau, ms. 964.
61. Chanté par Robert Castonguay à Rivière-à-Claude (Gaspé), coll. Carmen Roy, MN-R-4863.
62. Cf. *Le Bulletin des Recherches historiques*, 32, 12, décembre 1926, p. 753.

Dans l'*Adieu d'un noyé*, le noyé lui-même appelle la prière de son frère Léon avant d'implorer celle de ses parents :

Et toi, mon frère Léon, j'implore ta prière
Car il n'y eut que toi pour soulager mon père...[63]

L'Estropié dans un chantier a trait à des résolutions et à des promesses :

Si jamais je retourne du pays où je viens
Je promets au Bon Dieu, à la Très Sainte Vierge
Là, dans mon arrivée, grand'messe ferai chanter
Cette messe sera chantée pour tous ces voyageurs
Qui sont dans la misère tout le long d'un hiver[64].

Le voyageur sait qu'il faut surtout prier Dieu et la Sainte Vierge. À cette dernière il demandera « Qu'elle ne m'abandonne pas ; Qu'elle vienne consoler *sa* chère femme »[65].

Contrairement à ce que nous attendions de cette piété populaire, il existe peu d'invocations aux saints et aux anges et nous n'avons pas rencontré de promesses explicites aux Âmes.

Les autres rites, tels prier à genoux, partager l'eucharistie, voir le prêtre avant de mourir, recevoir les derniers sacrements, dire ses dernières volontés, être enterré au cimetière paroissial, dans la « terre sainte avec tous mes parents... mes amis »[66], tournent pour la plupart autour du prêtre, le bienvenu à la mission, qui apporte le pardon, les nouvelles, la messe :

Envoyé de Dieu
Pour faire des heureux
Qu'il est consolant le bon Père
Qui donne l'Eucharistie
À toutes ces âmes bien chères
Sous le ciel de la Gaspésie[67].

---

63. Chanté par Alphonse Beaudet à Sainte-Sophie-de-Lévrard (Nicolet), coll. Archange Godbout, ms. 46, cinquième strophe.

64. Chanté en février 1942, par madame Charles Caron à Jonquière, Les Archives de folklore, coll. François-Joseph Brassard, 29, troisième strophe.

65. Voir en particulier dans *le Foyer canadien*, 1, 1863, p. 372 ; *le Quinze de juin de l'année dernière*, coll. Anselme Chiasson, AF-147, troisième strophe ; *La Ronde des voyageurs*, dans J.-C. TACHÉ, *Forestiers et Voyageurs*, p. 156, finale ; *le Départ pour le bois carré*, coll. Marius Barbeau, ms. 1491, deuxième strophe.

66. *Le Bûcheron mort d'une maladie inconnue*, coll. J.-T. Leblanc, ms. 9964, dixième strophe ; coll. Carmen Roy, MN-6751.

67. *Les Chantiers en Gaspésie*, voir note 14, cinquième strophe.

3. Les comportements

Les comportements moraux et quotidiens de ces hommes sont d'autant plus à noter pour comprendre leur mentalité religieuse qu'ils ont souvent été accusés de blasphémer, de trop boire, d'être follement dépensiers et extravagants. Voyons ce qu'expriment leurs chansons traditionnelles.

a. Les allusions aux jurons sont plus rares que les références à l'intempérance[68]. Boire est tour à tour défoulement, divertissement, nécessité de fêter, rupture avec l'ennui, besoin d'un souvenir «à la santé de nos blondes», et parfois un signe d'échec. Oui, on boit beaucoup, on «aime la liqueur», on s'amuse :

Les buveurs, les voyageurs
sont toujours de bonne humeur[69].

Pourtant la vie est rude. Le chantier est un lieu où l'on apprend à mourir. Mais puisque la chose est telle et qu'il faut tous mourir, mieux vaut en un sens s'aider à bien vivre :

Viens, donc chère bouteille,
viens donc nous secourir[70].

b. Le coureur de bois reste cependant un *homme de devoir* courageux, fort, audacieux, travailleur et téméraire à la fois.

Pourquoi va-t-il au bois, dans les chantiers et sur les rivières ? *Par devoir*. Les misères du métier sont nombreuses : nous les avons énumérées. Ajoutons à l'ennui et aux risques des longs voyages, les piètres conditions de logement et de nourriture, la brutalité de certains foremen et jobbeurs. Mais : « Fais ton devoir », « Tiens-toi propre à tes dimanches », brave les dangers, risque ta vie[71]. Résignation à toute épreuve ? Sûrement pas. La chanson est une forme de protestation,

---

68. *V.g. Chanson des bûcherons : Donnez-moi-z-en don'* ! coll. Luc Lacourcière et F.-A. Savard, 869, première strophe.

69. Cf. *Près de mon tonneau*, dans sœur MARIE-URSULE, *La civilisation traditionnelle des Lavalois*, p. 319, refrain ; aussi *la Vie de voyageur*, coll. Luc Lacourcière, 2790, quatrième strophe ; *les Adieux du voyageur*, coll. Archange Godbout, ms. 1, strophe finale ; *Viens donc chère bouteille*, coll. Du Berger, AF-13 ; *les Voyageurs sont tous rassemblés*, coll. É.-Z. Massicotte, MN-839, troisième strophe.

70. La seule chanson contre «cette maudite boisson», *la Chanson du Saint-Maurice*, coll. Dollard Dubé, ms. 10, refrain.

71. Cf. *le Retour du voyageur*, coll. Carmen Roy, MN-5392, strophe finale ; *les Cinq noyés de Gaspé*, coll. Carmen Roy, MN-R-4863, troisième strophe.

peut-être la seule qui leur convienne dans les circonstances. Le sens de l'obligation est tel que, par devoir encore, on garde sa foi, ses prières, ses amours, ses dimanches [72]. À travers récits et complaintes, il apparaît clairement que le devoir premier et sacré demeure le travail pour l'argent, en vue d'aider les siens qui attendent là-bas [73].

c. Dès lors, avec ce goût de la fidélité et du devoir, on aboutit à un sens de fraternité qui n'aura d'égal que leur solidarité dans la joie comme dans le malheur, au retour comme au départ de la route. Double solidarité : une solidarité plus immédiate entre les coureurs de bois, les forestiers ; une solidarité plus « lointaine », profonde, davantage permanente, reliée au « sang » plutôt qu'au métier : la famille à nourrir autant qu'à aimer.

La solidarité la plus évidente du coureur de bois reste celle que son métier lui impose tout de suite et qu'il crée à mesure avec ses coéquipiers. Le travail est exigeant, autant que la solitude et l'ennui. C'est « l'mal de chantier » [74]. Ils sont partis de Chicoutimi pour arriver en Gaspésie, ils se regroupent comme dans une nouvelle « communauté » :

Les gens de Gaspé sont hospitaliers
Leur affection franche et sincère
Avec eux nous sommes amis
On se regarde comme des frères
Sous le ciel de Gaspésie [75].

Le travail unit. Les veillées se multiplient. L'on chante, raconte et boit. Convivialité simple, passagère, mais réelle.

---

72. Cf. *le Chrétien qui se détermine à voyager*, coll. É.-Z. Massicotte, MN-970 ; *Boire à l'arrivée des voyageurs*, coll. Luc Lacourcière et F.-A. Savard, AF-876, strophe finale ; *la Veuve affligée*, coll. Marius Barbeau, MN-122, troisième strophe ; *les Cinq noyés de Gaspésie*, coll. Carmen Roy, MN-R-4863, troisième strophe.

73. Cf. *les Voyageurs sont tous rassemblés*, coll. É.-Z. Massicotte, 1917-1918, MN-839, première strophe ; *la Vie de voyageur*, coll. Luc Lacourcière, AF-2790, troisième et quatrième strophes ; *Départ pour l'Amérique*, coll. Marius Barbeau et Marie-Rose Turcot, ms. 1968, première strophe.

74. Cf. *le Chantier de la Nouvelle-Écosse*, coll. Dominique Gauthier, AF-557, chanté le 5 février 1955, par Léandre Savoie (50 ans) à Évangéline (Gloucester, N.-B.), deuxième strophe, 1, 6.

75. *Les Chantiers en Gaspésie*, coll. Carmen Roy, voir note 14, troisième strophe.

L'autre solidarité est plus durable. Le coureur de bois vit en esprit avec sa famille : père, mère, frères, sœurs, fiancée, épouse ; « la chérie » aussi à qui il rêve non sans inquiétudes [76].

Même les oiseaux expriment leur solidarité à la manière médiévale :

> Et toi belle hirondelle...
> porte-moi sur tes ailes...
> aux genoux de ma belle [77].

Le rossignol qui chante, c'est lui, se dit l'amie, tandis qu'elle pleure d'amour à la maison [78]. Ce qu'on appelle l'*amour courtois*, ne serait-ce pas simplement l'amour à distance qui habite autant le camp de l'Abitibi que la cour d'Éléonore ?

*
* *

Si nous nous permettions une courte évaluation de tous ces éléments religieux, il faudrait d'abord noter que ces textes essentiellement populaires ne comportent guère de réflexion en profondeur. Conçus avant l'ère préindustrielle, ils en portent la marque. Ils sont moralisants, sans paroles revendicatrices, sans conscience de classe, sans goût pour le raisonnement et la contestation. Le coureur de bois a des intérêts immédiats : gagner de l'argent, revoir les siens, ne pas heurter de front son Dieu et ses prêtres.

Cependant un destin tragique se manifeste par les différents appels au secours religieux. Le coureur de bois n'est pas maître de la forêt, pas plus que le draveur n'a tracé les chemins difficiles de la rivière. La réalité que le chanteur raconte n'est pas de tout repos. Les arbres, l'eau, la nature semblent au premier abord hostiles. Même le Patron serait étranger à celui qui risque sa vie.

---

76. *V.g. Là-haut dans les chantiers*, Les Archives de folklore, coll. Descôteaux, 111 ; *la Misère dans les chantiers*, coll. Marius Barbeau, ms. 964 ; *Ennui d'amour — le Papier bien rare*, coll. Germain Lemieux, n° 380 ; *le Frère mort de la fièvre*, coll. Anselme Chiasson, AF-295 ou MN-A-296 ; *le Chantier aux États-Unis*, chanté le 5 février 1955, par Jérôme Comeau (67 ans) à Évangéline (Gloucester, N.-B.), coll. Dominique Gauthier, AF-549.

77. *Le Jeune Voyageur inconsolable*, chanté le 23 mai 1956, par Léon Poitras (43 ans) à Québec, Les Archives de folklore, coll. Conrad Laforte, 385, troisième et cinquième strophes.

78. *La Belle aimée d'un voyageur*, chanté en 1921, par Éphrem Dessureau à Sainte-Geneviève-de-Batiscan, coll. É.-Z. Massicotte, MN-3136.

Très souvent la mort guette. Les complaintes qui la chantent mettent en scène le *grand boss d'en haut*, le premier des foremen, à qui « on » se soumet à l'avance, sans équivoque, dans une confiance quasi illimitée qui se traduit par des prières, des promesses et une foi familière, c'est-à-dire sans interrogation critique. De toute façon, il y a, une fois morts et déposés en terre sainte, le ciel qui nous attend tous. Et s'il éprouve quelque gêne à parler à son Dieu, le chrétien pourra en appeler à la Vierge Marie qui comprend tout, ou à quelques saints médiateurs.

C'est plutôt au niveau des rites que transparaît le mieux la religion vécue. Ces hommes forts et soumis à tant de forces déroutantes aiment prier. Leur besoin de fêtes est compulsif. La visite périodique du prêtre dans les chantiers ranime le goût du retour, d'autant plus que le « curé » vient leur offrir les sacrements, ces mêmes sacrements qui rappellent certains gestes de la maison et de l'église tout en libérant les consciences soucieuses de paix intérieure et de devoir accompli.

Est-ce l'éloignement, la dureté de la vie, l'obligation du travail, la résistance du milieu naturel, les dangers de mort, l'exil, qui expliquent que voyageurs, bûcherons, draveurs et colporteurs deviennent souvent frères et amis ? Le courage est animé par l'effort. Le support mutuel dans la misère et le partage dans le travail quotidien créent comme un besoin instinctif de justice sociale et de fidélité aux absents. Autant de valeurs qui, dans le contexte, se trouvent reliées à l'héritage religieux.

En résumé, il serait difficile de vouloir comprendre la mentalité du coureur de bois d'avant les années 1950 sans faire intervenir le sacré, la croyance reçue, les rites familiers et le catholicisme traditionnel axé sur un devoir à accomplir plus que sur un « appel divin » à suivre.

« Plus fanfaron que méchant »[79], heureux de secourir les siens et de contourner les dangers du bois en vivant sa misère, le coureur de bois a bien mérité l'hommage que lui rend encore la voix populaire quand, pour nommer un homme ardent au travail, elle dira qu'il est *un vrai bûcheur* ! [80].

---

79. Louis FRÉCHETTE, *Mémoires intimes*, Montréal, Fides, 1961, p. 51.

80. À relire : « Le coureur de bois type social », dans *L'Action nationale*, 31 (janv. 1948) : 23–38 ; texte de Lionel GROULX, lui-même fils d'un « gars de chantier, de draveur, de sauteux de cage » (*Mes Mémoires*, Montréal, Fides, 1970, p. 16).

C. La mer comme espace sacré : *
un cas d'ethnologie religieuse [81]

1

Encore aujourd'hui il est difficile de ne pas trouver dans l'univers nordique qui est le nôtre une mer, un fleuve, voire une rivière, qui ne parle le langage sacré de l'espace primitif [82]. « J'ai pour toi un lac quelque part au monde... » chante un de nos bardes québécois. Depuis longtemps, les ethnologues sont fascinés par l'espace maritime et ses riverains. Bien avant Van Gennep (+ 1959), même avant Sébillot (+ 1918), il y eut du côté français l'ouvrage encyclopédique du jésuite Fournier [83]. Il est acquis aussi que les fondateurs de la mémoire religieuse collective associent le plus souvent la mer à leurs souvenirs, pour le meilleur ou pour le pire.

---

* Extrait de : *Traditions maritimes au Québec* [Québec, Gouvernement du Québec, 1985] : 585–605.

81. Initiation, premières références, textes et illustrations, dans notre *Folklore de la mer et religion*, coll. « Connaissance », Montréal, Leméac, 1980, 119p.

82. Benoît LACROIX, « Que racontaient les anciens », *Écologie et environnement*, Jacques TREMBLAY, dir., coll. « Cahiers de recherche éthique », n° 9, Montréal, Fides, 1983, p. 141 ; « La mythologie religieuse traditionnelle des Canadiens français », à paraître dans les Actes du Colloque tenu à Ottawa, novembre 1983, pour le XXVe anniversaire du Centre de recherche en civilisation canadienne-française.

83. La véritable recherche en ethnologie religieuse commence au XVIIe siècle avec Joseph-François Lafitau, s.j. (1681–1746) ; en 1752, le père Georges Fournier, de la même Compagnie de Jésus, publiait à Paris, chez Charles-Antoine Jombert, un traité de 920 pages in-folio, intitulé : *Hydrographie contenant la théorie et la pratique de toutes les parties de la navigation*. Or, dans ce livre, qu'on retrouve dans certaines bibliothèques du Québec, trente-cinq chapitres, soit une centaine de pages, sont consacrés « à la dévotion et à la piété des gens de mer ». Qu'en est-il de la religion en mer ? Y a-t-il des attitudes chrétiennes à retenir ? En cas de danger, quels saints doit-on prier ? Quelles reliques utiliser ? Comment expliquer que des saints aient marché sur les eaux ? Quelles doivent être les vertus chrétiennes du capitaine ? Un prêtre peut-il célébrer en mer ? Un laïc peut-il se communier lui-même ? D'autres questions encore. Maintenant, il suffirait de parcourir *Le Pilote* (1908–1938), journal de Port-en-Bessin, en dépôt à la bibliothèque de Bayeux, pour mesurer l'ampleur toujours aussi évidente du phénomène religieux maritime. On y retrouve, en effet, des bénédictions triennales de la mer, des processions à la Vierge des Feux, à la Reine des Flots, des baptêmes de barques et de bateaux, des messes d'équipage, une union catholique des gens de mer, etc.

Les peuples maritimes sont, en général, croyants et ritualistes. Leur religion oscille facilement entre l'admiration et la dépendance avouée. Maintenant que la technique réduit le danger, les marins et les pêcheurs se montrent moins dévots ; il suffit néanmoins d'une mer quelque peu houleuse pour que reviennent les réflexes et les rites d'autrefois. Dans nos enquêtes en France à Port-en-Bessin et au Québec auprès des Gaspésiens, nous retrouvons le même effroi mystique face à cet espace sacré ou maudit qu'est l'océan, selon qu'il paraît favorable ou pas, selon qu'il porte ou engloutit celui qui s'y fie. À cause de leur dimension horizontale, le golfe, la mer, le fleuve, la rivière et le lac sont toujours un symbole naturel d'infini ; par leur profondeur, ils évoquent les ténèbres. Le milieu aquatique demeure rempli de mystères.

Comme la forêt québécoise, le fleuve et le golfe Saint-Laurent sont des lieux favorables au développement du folklore religieux. Ne soyons pas surpris d'y rencontrer des lutins, des diables, des loups-garous, des feux follets, des revenants, des êtres travestis, métamorphosés, et des vaisseaux-fantômes. Ex-voto, bénédictions, invocations à Dieu et à ses saints ne réussissent pas plus que le dernier radar à calmer les appréhensions des gens de mer.

Au reste, l'enfance des pêcheurs, des marins, des navigateurs, des draveurs et des aventuriers québécois a été bercée — le mot est approprié — par des récits prestigieux venus du vieux fonds judéo-chrétien et transmis durant les classes de catéchisme, d'histoire sainte et les sermons à l'église. Qui ne sait pas qu'au commencement « le souffle de Dieu planait à la surface des eaux... et qu'il sépara les eaux d'avec les eaux » ; et que « Dieu appela "terre" le continent » ; qu'il « appela "mer" l'amas des eaux » [84] ? Le Québécois connaît aussi les événements dramatiques du déluge, de l'arche de Noé [85], de la traversée de la mer Rouge [86] qui nourrit encore la liturgie pascale, ainsi que l'aventure pittoresque de Jonas dans la baleine [87]. Il a appris en plus que Jésus avait calmé un lac en colère et que, sans lui, tous se seraient noyés ; même qu'il avait marché sur les eaux [88]. Cet enseignement religieux obligatoire ne pouvait que mystifier les habitants des régions

---

84. Cf. *Genèse* 1, 1-1.

85. *Ibid.*, 6, 1-8.

86. Cf. *Exode* 14.

87. Cf. *Jonas* 2 ; C. LAFORTE, *Le catalogue de la chanson folklorique française, II : Chansons strophiques*, coll. « Les Archives de folklore », nº 20, Québec, Les Presses de l'Université Laval, 1981, p. 233-234.

88. Cf. Évangiles selon *Matthieu* 14, 22-33 ; *Marc* 6, 48.

côtières. Car, malgré l'habitude de la goélette, du chalutier et du canot, il arrive des naufrages et des noyades, si bien que les Gaspésiens, par exemple, entretiennent avec la mer un rapport religieux ambivalent mêlé de fierté et de témérité. Comme le disait un pêcheur : « Tu peux te fier à la mer, mon garçon, mais n'oublie pas de prier. »

Le fait religieux maritime québécois est toujours vivant. Nous pouvons, dès lors, profiter des travaux de folklore de Carmen Roy, de Catherine Jolicœur, de Conrad Laforte, de Jean-Claude Dupont, etc. [89] ; mais il reste que le comportement de l'homme de la mer, sa logique et la structure intuitive de sa pensée ne sont pas faciles à saisir. Nous soupçonnons ces gens qui enveloppent volontiers leur vie de fantastique et d'imaginaire [90]. Aussi, avant même d'étudier leurs conduites religieuses, il est normal que nous nous rappelions, ne fût-ce que provisoirement, quelques dossiers plus descriptifs de leur univers mental, spécialement ceux de la chanson, de la légende et du conte [91].

---

89. *Folklore de la mer et religion*, p. 10–15, notes.

90. À Louvain, au milieu du siècle, notre premier folkloriste québécois déclare : « Le diable n'était d'ailleurs pas le seul esprit malin installé au Canada. D'autres agents surnaturels, les uns terrifiants, les autres simplement malfaisants, s'étaient embusqués le long des rivières, dans les anses et les baies, au milieu des lacs et dans les cavernes, surtout en Gaspésie et sur la Côte-Nord dans la direction du Labrador. On y trouve l'*Anse-Pleureuse*, le *Brouillard-de-la-Madeleine*, parmi plusieurs autres où apparaissaient fantômes brailleurs, revenants, nains, fées et gardiens de trésors cachés. Cette engeance perverse épouvantait les voyageurs et les passants. Du moins, c'est ce qu'on raconte à tout venant, pendant les veillées. On dit que le *Pont-des-Chicanes* au Cap-Chates (Gaspé) fut jadis hanté par une multitude de chats possédés qui parlaient entre eux et tenaient des sabbats nocturnes. Cette malédiction venait de ce que les riverains se chicanaient ; c'est à qui se soustrairait aux corvées de la construction du pont. » (Charles-Marius BARBEAU, « Légende et histoire dans les plus anciens noms géographiques », dans *Troisième congrès international de toponymie et d'anthroponymie, Vol. II-III : Actes et mémoires* (Louvain, Centre international d'onomastique, 1951) : 404–411).

91. Nous n'avons pas inséré dans cet essai les croyances maritimes indiennes, ni celles des Inuit. Il nous aurait fallu des expéditions en mer pour les identifier, mais surtout pour ne pas les isoler de leur contexte nord-américain (cf. *Le mythe, son langage et son message. Actes du Colloque de Liège et Louvain-la-Neuve de 1981*, H. LIMET et J. RIES, dir., Louvain-la-Neuve, Centre d'histoire des religions, 1983, p. 299–303 et 323–325, bibliographie). Voir J.-G. GOULET et A. PEELMAN, *Pro mundi vita, La réalité amérindienne et l'Église catholique au Canada*, bulletin n° 93 (Bruxelles, 2ᵉ trimestre 1983) : 29-30.

2

La chanson [92]

Le premier dossier ethnographique qui, à notre avis, s'impose est celui de la chanson traditionnelle avec ses strophes, ses refrains, ses laisses et ses couplets transformés en implorations, en prières, promesses et invocations. Nous sommes dans un contexte de tradition orale : ce qui compte, c'est moins l'origine et la date du texte que son contenu, sa transmission et sa valeur de représentation. Combien y a-t-il de ces chansons ? Les chiffres exacts sont impossibles, car tout n'a pu être noté. Quelques-unes de ces pièces, dites *québécoises*, sont venues de France ; elles ont été adaptées et transposées pour de nouvelles situations. Celles qui ont plus directement trait à la religion sont parfois chantées à partir des airs d'église. En certains cas, un clerc en a rédigé sur des mélodies connues. On y trouve des récits, des complaintes, des adieux.

L'exemple le plus typique et le plus tenace — trente versions au moins — est « Le Chrétien qui se détermine à voyager » [93]. Le message est clair :

Si tu veux faire un bon usage de ce danger,
Va prier Dieu dévotement, avec Marie.

Surtout :

« ... promets-lui sincèrement de réformer ta vie. »

---

92. Cf. Conrad LAFORTE, *Le catalogue de la chanson folklorique française*, coll. « Les Archives de folklore », 18–23, Québec, Les Presses de l'Université Laval, 1977–1983, 6 vol. Pour en faciliter l'usage, chaque volume est muni d'un index alphabétique des titres des chansons et d'une table des matières ; du même auteur, « Le répertoire authentique des chansons d'aviron de nos anciens canotiers (voyageurs, engagés, coureurs de bois) », Maurice LEBEL, dir., dans *Société royale du Canada* n° 38, année 1982-1983, p. 145–159. Pour une étude plus spécifique des chansons de voyageurs, draveurs, navigateurs et marins, voir Madeleine BÉLAND, *Chansons de voyageurs, coureurs de bois et forestiers*, coll. « Ethnologie de l'Amérique française », Québec, Les Presses de l'Université Laval, 1982, 432p. ; aussi Georges ARSENAULT, *Complaintes acadiennes de l'Île-du-Prince-Édouard*, Montréal, Leméac, 1980, 261p. Plusieurs de ces chansons ont été chantées au Québec. On pourra consulter Carmen ROY, *Littérature orale en Gaspésie*, 2ᵉ éd., Montréal, Leméac, 1981, p. 283–434 ; Benoît LACROIX et Conrad LAFORTE, « Religion traditionnelle et les chansons de coureurs de bois », *Revue de l'Université laurentienne, (Religion populaire et travail. Popular Religion...)*, 12, 1 (nov. 1979) : 11–42.

93. Pour paroles, musique et citations à venir, cf. M. BÉLAND, *Chansons de voyageurs...*, p. 141–146.

Attention ! le démon rôde près de la mer :

« Tu es ici près du démon, qui guette ta pauvre âme. »

Arrives-tu aux rapides, le danger augmente :

« Ah ! prie la Vierge Marie. » Au besoin, « fais-lui des vœux. »

Est-ce déjà l'heure du portage ? Ne jure pas, ne te mets point en colère. « Pense à Jésus portant sa croix » qui « a monté au Calvaire » [94].

Chanson ou cantique, on ne sait trop, il s'agit maintenant du plus chrétien de nos textes. Dans les promesses et les prières, on y rencontre Dieu, Jésus, Marie et même le diable. La peur sacrée y est toujours présente, avec l'idée que la mort est une réalité irréversible. Vraisemblablement composée par un clerc ou un religieux, la complainte des « Cinq Noyés de Gaspé » [95] est chantée par le peuple. C'est l'époque du flottage. Le danger se précise. « Seigneur, secourez-nous,... nous périssons ! » Dieu agira-t-il ? Pourquoi le ferait-il pour cinq draveurs « victimes du devoir » qui ont communié le matin ? Le ciel n'est-il pas plus désirable que la terre ?

> Quittez donc, leur dit-il [Dieu], cet abîme terrestre
> Et venez partager les joies pures de mon ciel.

Une morale s'en dégage à la manière médiévale. Ils ont de la chance de s'être noyés, à nous de les prier en désirant les revoir :

> Combien doit être grand leur bonheur dans les cieux !...
> Intercédons pour eux le repos éternel.
> Allons s'agenouiller souvent près de leurs tombes
> Et disons-leur adieu, au revoir, dans les cieux !

Un autre exemple est « L'Adieu d'un noyé » [96], dont on a dépisté la version à Nicolet. Récit charmant malgré tout : un noyé est prêt à accepter ce qui lui arrive :

> Écoutez, chers parents, s'il vous plaît de l'entendre,
> La mort de votre enfant qui va bien vous surprendre.
> Vous espériez le revoir au printemps,
> Mais Dieu n'a pas voulu si grand contentement.

Il veut qu'on informe son père de la tragédie, qu'on l'enterre au cimetière ; il espère même défrayer les frais funéraires. À son frère de continuer la tradition familiale et l'entraide :

---

94. *Ibid.*, p. 142.
95. *Ibid.*, p. 370-371.
96. *Ibid.*, p. 372–373.

Et toi, mon frère Léon, j'implore ta prière,
Car il n'y a que toi pour soulager mon père.
Rappelle-toi ce qu'il a fait ;
Tu en seras béni, c'est Dieu qui l'a promis.

La finale, moins rassurante, nous ramène au purgatoire toujours possible et à l'inévitable jugement dernier. Mais... *au revoir* quand même !

Mon corps est séparé de mon âme qui souffre.
Priez pour moi, ne m'oubliez jamais.
Au dernier jugement nous nous reverrons tous[97].

Peut-être devrions-nous ajouter à ce dossier les *Cantiques de l'âme dévote...*[98]. Imprimé à Paris en 1723, ce livre circule au Québec jusqu'au début du XXe siècle ; il fut l'un des premiers textes édités sur place. Les airs profanes utilisés sont ceux de l'époque, en France. « Un jour le Berger Tyrsis » sert de mélodie à un cantique à Notre-Dame de la Garde pour les mariniers[99]. À la fin du recueil[100], sur des airs tout aussi profanes, celui de « La feuille morte a des apas » par exemple, des réflexions sont chantées à propos de l'Arche de Noé, d'un navire non identifié[101], d'un rocher battu par les vagues[102] ou d'un vent qui souffle[103]. Le naufrage symbolise le péché[104]. Puis apparaît encore la même mentalité édifiante et moralisante :

La Mer par sa profondeur,
D'un Dieu t'exprime l'Essence,
Et dans sa vaste largeur,
Tu vois sa sainte présence.
Perds-toi d'esprit et de cœur
Dans cet Océan immense,
Y vivant ainsi qu'un poisson
De l'esprit de l'Oraison[105].

---

97. *Ibid.*, p. 373.
98. Cf. Laurent DURAND, *Cantiques de l'âme dévote dits de marseilles* (sic), chez Fleury Mesplet et Charles Berger, 1re édition canadienne 1770, 619p., mais d'abord imprimé à Paris pour le Canada en 1723. Nous nous référons à l'édition de 1723.
99. *Ibid.*, p. 89–93. Encore chanté en France (*v.g.* Port-en-Bessin) durant les années 1930.
100. *Ibid.*, p. 575.
101. *Ibid.*, p. 578–579.
102. *Ibid.*, p. 581.
103. *Ibid.*, p. 584.
104. *Ibid.*, p. 585.
105. *Ibid.*, p. 592-593.

Les légendes [106]

Le dossier des légendes est plus exemplaire pour nos propos. Avec ses conduites et ses violences, la mer appelle le sacré et favorise l'imaginaire, comme nous l'avons dit. La légende ne cesse, contrairement au conte et un peu comme la chanson, de nous renvoyer à des faits historiques qu'elle enjolive, bien sûr ; elle rappelle des temps, des lieux, des personnes, des objets et des rites particuliers à l'Église catholique. C'est ainsi qu'on apprend que les pêcheurs respectent les dimanches, disent chaque jour leurs prières du matin et du soir, font maigre le vendredi, ne travaillent pas le Vendredi saint et désirent, dans la mesure du possible, profiter des loisirs du temps des Fêtes.

D'autre part, comme lieux sacrés, il y a le ciel où habitent Dieu, les anges et les saints ; du purgatoire viennent les Âmes qui circulent ici et là. Un lieu redouté entre tous, symbolisé par les bas-fonds de la mer, est l'enfer. En mer ou pas, le pêcheur considère l'église paroissiale et les chapelles votives avoisinantes avec grand respect : ce sont les endroits privilégiés du culte auxquels s'ajoutent le cimetière, l'emplacement des croix en bordure, celui des statues qui regardent la mer, et certains rochers. On verra à Trois-Rivières une chapelle commémorative dédiée à Notre-Dame du Rosaire, à cause d'un miraculeux pont de glace à l'hiver 1878 [107]. Quant au Rocher Panet [108], il est rendu célèbre par deux empreintes de pieds sur la pierre vive et par l'absence totale de végétation. Un jour, en effet, gardés par une femme qui avait vendu son âme au démon, le curé Panet et son chien se noient. Sans doute que les paroissiens sur la rive n'ont pas assez prié. À l'Île aux Coudres, c'est la Roche Pleureuse [109]. Transformée en pierre, Louise pleure toujours le capitaine Charles Desgagnés, son jeune fiancé, parti vers les vieux pays et jamais vu depuis.

Ce goût pour le sacré fait intervenir surtout Dieu et le diable. Dieu a beaucoup à faire pour contrecarrer les audaces du Malin [110] qui, pour

---

106. Il n'existe pas de corpus définitif des légendes du Québec, (Jean DU BERGER, *Les légendes d'Amérique française*, Québec, Les Presses de l'Université Laval, 1973, 301p.). Jean-Claude DUPONT aura résumé et même illustré (peinture dite naïve), en 1984, une cinquantaine de légendes maritimes dont il donne, pour chacune, deux références bibliographiques (*Légendes du Saint-Laurent, Récits des voyageurs*, Québec, 2700, rue Mont-Joli, Sainte-Foy, G1V 1C8, 57p.). Nous utilisons les thèmes de ce dernier fascicule.

107. Cf. J.-C. DUPONT, *Légendes du Saint-Laurent...*, p. 7.

108. *Ibid.*, p. 23.

109. *Ibid.*, p. 26.

110. *Ibid.*, p. 2, 3, 6, 9, 14, 19, 23, 30, 31, 33, 36, 38, 49. Dieu, peu nommé, habite cependant la plupart des récits *v.g.*, p. 9, 12, 13).

mieux disputer l'hégémonie des esprits des gens de mer déjà vulnérables par les dangers encourus, se tient sur les rives et guette. Il a même dirigé un canot-fantôme [111] pour rendre service à des forestiers désespérés de ne pas revoir leurs blondes et leurs familles. Marie interviendra ; sa miséricorde n'a pas de bornes [112]. Il y aura aussi les anges [113], les saints, surtout sainte Anne [114] et les âmes du Purgatoire [115]. Tel ou tel défunt identifié [116] apparaîtra pour prévenir les uns, libérer les autres des méchancetés diaboliques.

Entre temps, le pêcheur, le marin, en somme l'homme de la mer, peut compter sur un être prestigieux qui vit tout près : le prêtre. Il est puissant, pieux ; il bénit, il sermonne, il veille. Si, par quelque aventure regrettable, il refuse de prier ou d'offrir un sacrement, s'il tient une conduite indésirable, peut-être sera-t-il ce revenant qui vient la nuit dire la messe à l'Île Dupas [117] ?

Il faut préciser que nos légendes maritimes abondent en récits de revenants identifiables ou métamorphosés. Un capitaine de goélette, mort sur le Saint-Laurent, s'ennuie tellement de son voilier que Dieu, pris de pitié, le change en goéland. Mais un marin frappe mortellement le goéland : aussitôt le bateau part à la dérive [118]. À L'Islet, une grande oie blanche se pose sur les battures : c'est l'âme d'un jeune marin noyé — il y a deux cents ans passés — qui vient revoir la mer [119]. Les lamentations qu'on entend la nuit, au phare de la petite Île-aux-Oies, sont celles du fils simple d'esprit, d'un Français de sang royal ; il crie son désespoir, tandis que sa gardienne est changée en ange [120]. Sur les îlets Méchins, Côte-Nord, un ogre appuyé sur un arbre arraché grogne si fort qu'il pourrait vous faire mourir de peur ; un missionnaire arrive, crucifix au cou : l'ogre disparaît et les Indiens débitent l'arbre pour en faire une grande croix [121].

---

111. Cf. Catherine JOLICŒUR, *Le Vaisseau Fantôme : Légende étiologique*, coll. « Les Archives de folklore », n° 11, Québec, Les Presses de l'Université Laval, 1970, 337p.

112. J.-C. DUPONT, *Légendes du Saint-Laurent...*, p. 7, 24.

113. *Ibid.*, p. 10, 20.

114. *Ibid.*, p. 34, 50.

115. *Ibid.*, p. 22.

116. *Ibid.*, p. 4 à 8, 11, 13, 14, 20 à 22, 26 à 28, 32, 33, 37, 39, 43 à 47, 50.

117. *Ibid.*, p. 5 ; aussi p. 12, 23, 27, 34, 35, 37, 43, 45.

118. *Ibid.*, p. 13.

119. *Ibid.*, p. 22.

120. *Ibid.*, p. 20.

121. *Ibid.*, p. 43.

Parmi les objets et les rites qui viennent en quelque sorte matérialiser le même folklore maritime, il convient de mentionner les croix, les crucifix, les médailles, les reliques, les chapelets, les images et d'autres objets de piété qui ont pour but de conjurer un malheur ou de dissiper une crainte. Parfois confiant, souvent apeuré, toujours dépendant, l'homme associe la religion aux risques de son existence. Comme il est ému, par exemple, quand les cloches sonnent d'elles-mêmes [122] ! c'est pour lui un signe, parmi d'autres, de l'authenticité de son univers spirituel.

Les mêmes légendes témoignent de certains rites [123], dont les plus populaires en milieu maritime demeurent la prière orale, le chapelet, les signes de croix, les processions et les bénédictions du prêtre.

Nous nous devons finalement de citer la légende maritime qui rappelle dans son heureux déroulement les récits de la Genèse et signifie, une fois de plus, les liens sacrés qui existent entre la mer et ses « habitants » :

> Au commencement du monde, tous les éléments de la nature étaient entremêlés ; et le tonnerre, les eaux, les glaciers, les vents et les rochers dégageaient un bruit d'enfer. Dieu, occupé à créer les humains, les animaux et les plantes, demanda à Lucifer de mettre de l'ordre dans le fleuve Saint-Laurent. Satan se chargea de creuser le fleuve et de situer les îles à la condition d'y régner par la suite. Après avoir mis en place la Côte-Nord et planté les caps Trinité et Éternité, tout fier de son travail, il défia Dieu d'en faire autant. Mais ce dernier suscita alors un coup de vent qui jeta Lucifer en bas des caps. Il s'enfuit vers le Sud, et à chaque pas qu'il faisait sur le fleuve, il en surgissait une île. Il s'installa alors sur l'île Verte et les gens l'adorèrent pour le remercier d'avoir fair surgir de la si belle terre, de la verdure et des animaux.

> Des Basques, chasseurs de baleines, arrivèrent un soir sur l'île et y plantèrent une grande croix blanche. Les habitants des lieux coururent alors vers Satan lui demandant de chasser les intrus ou d'adorer avec eux le Dieu des Basques. Une grande tempête s'éleva, et au milieu des éclairs et du tonnerre, Satan fut pétrifié.

> Depuis, certains soirs, quand la mer est calme, vis-à-vis de la croix, sur le roc de l'île, on peut apercevoir des silhouettes de femmes qui chantent des louanges au créateur. Sur un rocher, les pistes du diable sont toujours visibles [124].

---

122. *Ibid.*, p. 35.

123. *V.g.*, Nicole CLOUTIER, « La peinture votive à Sainte-Anne-de-Beaupré », Benoît LACROIX et Jean SIMARD, dir., *Religion populaire, religion de clercs ?* coll. « Culture populaire », n° 2 (Québec, Institut québécois de recherche sur la culture, 1984) : 149–179.

124. J.-C. DUPONT, *Légendes du Saint-Laurent...*, p. 36. À comparer avec le mythe de l'émergence du rocher chez les Indiens Omaha : « Au début,

Le conte

Le conte, histoire entièrement inventée ou presque, appartient à l'imaginaire du pêcheur. Il suggère. Comme une fable. Si nous lisons, en effet, les dix contes populaires gaspésiens publiés par Carmen Roy et si nous examinons les pages qu'elle consacre au même sujet dans *Littérature orale en Gaspésie*[125], nous constatons que la substance religieuse est mince ; les allusions à la religion ne réussissent pas à dire exactement la conception que les gens du milieu s'en font. Bien entendu, il est question du baptême, du parrainage, du mariage, de la mort et des funérailles. Ces éléments font partie du récit ; ils n'en dégagent pas pour autant la dimension religieuse. Nous nous retrouvons avec des références rapides, quelques détails réduits au minimum, qui nous amènent à conclure que le conte n'entend pas raconter la religion de ses héros, au sens historique du mot, mais à plaire, à distraire et, à l'occasion, à moraliser. Le même constat, nous le faisons en étudiant les dits, les dictons, les proverbes, la météorologie, la médecine et la toponymie maritimes[126]. Bref, pour découvrir le sens profond des attitudes religieuses des gens de mer au Québec, il faut plutôt s'en remettre au dossier des significations.

---

toutes choses étaient dans l'esprit de Wakonda. Toutes les créatures, y compris l'homme, étaient des esprits. Elles erraient dans l'espace entre la terre et les étoiles (les cieux). Elles cherchaient un endroit où elles pussent parvenir à une existence corporelle. Elles montèrent jusqu'au soleil, mais le soleil n'était pas propre à être leur demeure. Elles se dirigèrent vers la lune et trouvèrent qu'elle n'était pas bonne pour être une demeure. Puis elles descendirent sur la terre. Elles virent qu'elle était couverte d'eau. Elles flottèrent dans l'air vers le nord, l'est, le sud, l'ouest, et ne trouvèrent pas de terrain sec. Elles étaient douloureusement peinées. Soudain du milieu de l'eau surgit un grand rocher. Il prit feu et les eaux, changées en nuages, se dispersèrent dans l'atmosphère. La terre sèche apparut ; les herbes et les arbres poussèrent. Les nuées des esprits descendirent et devinrent chair et sang. Elles se nourrirent des graines des herbes et des fruits des arbres, et le pays retentit de leurs cris de joie et de leurs expressions de gratitude envers Wakonda, créateur de toutes choses. » (H.B. ALEXANDER, *Le Cercle du Monde*, Paris, Gallimard, 1965, p. 63-64.)

125. *Op. cit.*, p. 250–279 ; *Contes populaires gaspésiens*, coll. « La grande aventure », Montréal et Paris, 1950, 96p.

126. Cf. *Folklore de la mer et religion*, p. 67–77 (questionnaire et notes). En lisant certains récits (*v.g. Les mémoires de J.-E. Bernier,* traduction de Paul Terrien, Montréal, Éd. des Quinze, 1983, p. 89, 126, 191, 195, 205) on trouvera des références rapides au fait religieux.

3

« Il n'y a rien de plus terrible que la mer pour abattre un homme » dit *l'Odyssée*[127]. « Si tu vas en guerre, prie une fois, commence un proverbe polonais ; si tu vas en mer, prie deux fois. » À elle seule, et de tout temps, la mer mobilise le ciel et la terre, les vivants et les morts, et jusqu'aux animaux appelés à jouer quelquefois des rôles inattendus. Elle renvoie les peuples, et sans qu'ils s'en rendent toujours compte, aux mythes de la naissance et de la renaissance, aux souvenirs des jours fastes et des jours néfastes. Océans, golfes, mers, fleuves, rivières et lacs sont des lieux de conflits entre les forces ascendantes du bien et les forces descendantes du mal. Ainsi une expédition de pêche peut être nourricière ou meurtrière ; seule la terre ferme apparaît comme un refuge, « port de salut » de la symbolique chrétienne.

C'est pour se prémunir contre le danger que navigateurs, marins, draveurs et pêcheurs recherchent une sorte de communion entre l'univers céleste, l'univers terrestre et l'univers aquatique. D'où tant de rites, tant de promesses et de prières. En se signant avec de l'eau bénite à tout propos, en sacralisant l'eau de Pâques, l'eau de mai, la rosée et l'eau de source, le Québécois catholique démontre, à sa manière, que cette nourrice universelle[128], l'eau, pourrait devenir aussi un élément de destruction, de mort et de péché.

Il serait peu conforme aux méthodes de l'ethnologie religieuse d'imposer aux conduites parfois spontanées des gens de mer, qui ne sont ni universitaires ni ethnographes diplômés, des considérations trop étudiées. La multiplicité et la variété de leurs rites montrent autant leur confiance que leur crainte ; ils veulent conjurer leur peur en même temps que pratiquer leur religion, religion à caractère paroissial et familial. Sans se poser de questions, ils croient en Dieu, aux anges, aux saints, aux âmes du Purgatoire et au diable, selon l'enseignement reçu à l'école, à l'église et à la maison[129]. Prédisposés à la foi jusqu'à la

---

127. VIII, 138.

128. *Folklore de la mer et religion*, p. 21–25. Sur différents usages *sacrés* de l'eau au Québec, voir Denise RODRIGUE, *Le cycle de Pâques au Québec et dans l'Ouest de la France*, coll. « Les Archives de folklore », n° 24, Québec, Les Presses de l'Université Laval, 1983, p. 145, 147, 236, 256.

129. Le premier rituel catholique appliqué au Canada français, dit *Rituel du diocèse de Québec publié par l'ordre de Monseigneur de Saint-Vallier, évêque de Québec*, Paris, Langlois, 1703, 671p., prévoit des bénédictions contre les tempêtes (p. 517, 570), les bénédictions de navires (p. 505). Par ailleurs, il n'existe pas de liturgie des biens de la mer comme il en existe pour les biens de la terre, dite des Rogations.

crédulité, le champ de leur croyance risque d'être plus vaste que celui des requêtes de la religion prescrite. Ils ont besoin de cette mer, qu'ils craignent néanmoins. Par tous les moyens, ils recherchent la paix avec celle qui continuellement les provoque. L'expérience multiplie leurs réflexes. « La mer, c'est beau, c'est grand, c'est méchant, c'est mystérieux, c'est fatal » disait un vieux draveur avant de promettre une messe à la bonne sainte Anne, si... sa « pêche » aux billots réussissait.

Pensons un instant au fleuve Saint-Laurent. Pour les riverains, il est à l'image de Dieu, maître des temps et des espaces : il a le bras long, il est puissant, mobile, possessif à ses heures ; il nourrit comme une mère, il est fort comme un père. Encore une fois, peuvent-ils agir sans la médiation des rites qui, en un sens et selon leurs convictions, ont souvent fait leurs preuves ?

Ce Québécois de la mer est-il effectivement aussi chrétien, aussi catholique qu'on le dit ? Où commence la superstition ? Où finit l'adoration ? Religion de salut ou religion d'intérêt et de peur ? Fatalité cosmique ou dépendance volontaire ? Un Dieu aimé ou un Dieu craint ? Bien sûr, les références au sacré sont nombreuses. Avec les dimanches observés, les fêtes tant attendues et les saisons de Noël et de Pâques, on peut parler d'un temps religieux chrétien. Il en est ainsi de l'espace dans lequel évoluent les personnages, Dieu, les anges, Marie, les saints, les Âmes, le diable : en haut, c'est le ciel ; en bas, c'est l'enfer ; ici, c'est la terre et peut-être le purgatoire... Quant aux rites et aux objets, nous l'avons vu, ils sont ceux de la religion quotidienne : signes de croix, prières et invocations, images pieuses, crucifix, croix, médailles, cloches. Tout tend à prouver que le « contexte » est largement catholique et traditionnel. Sur plusieurs aspects, religion matériellement catholique ? Oui. L'est-elle formellement ?

Bien entendu, nous ne pouvons pas évaluer la vie intérieure des personnes ; nous ignorons les cheminements des consciences et nous ne demeurons qu'à l'extérieur du phénomène. Mais, dans la problématique qui est la nôtre, nous éprouvons un certain malaise. L'idée que ces gens se font de Dieu est-elle chrétienne ? Dieu serait-il un être tout-puissant presque despote qui attend les malheurs et les difficultés pour se manifester ? Sans les prières et les promesses, interviendrait-il ? Car, s'il le veut, il n'y aura pas de tragédie ; s'il en décide autrement, il y aura noyade. — Vous voulez revoir votre enfant ? « Dieu n'a pas voulu un si grand contentement »[130]. Admettons, cependant, qu'il est plutôt difficile devant une mer en colère d'établir avec son auteur un rapport filial. À

130. « L'adieu d'une noyé », 1er couplet, dans M. BÉLAND, p. 372.

moins d'une force d'âme particulière, l'homme et la femme de la mer risquent d'être sans cesse submergés par la défiance.

De plus, nous découvrons, à travers certains écrits légendaires et la plupart des chansons maritimes, une tendance à vouloir justifier Dieu non plus à partir de l'insondable mystère de la liberté mais de l'événement. C'est simple : si la mer est belle, Dieu aime ; s'il y a tempête, il est fâché. De même qu'il faut draver, risquer sa vie pour sa famille, de même il faut accepter tout de Dieu, « puisque c'est ta destinée ». Quand la résignation devance la réalité, on est près du fatalisme. Ce n'est pas exactement ce que le Christ avait prévu. Dire que la souffrance est bonne en soi, que Dieu la souhaite pour produire une conversion est loin de l'enseignement du christianisme pour qui la souffrance reste un mal, même si elle devient salvatrice.

Remarquons en outre que, dans les récits, chants, légendes et contes, la Vierge Marie est plus importante que le Christ. Rarement nommé, le *Seigneur* dont il est question est le Jésus mort des croix et des crucifix ; il n'apparaît pas en ressuscité. Or, sans la foi explicite en la résurrection, l'homme de la mer est laissé à ses seuls réflexes. Saint Paul parlerait ici de foi illusoire [131].

Pour compenser l'absence d'un Christ vivant et corriger la peur d'un Dieu puissant comme la mer, le riverain, l'homme de la mer, croit à l'errance des Âmes, aux apparitions et à la réincarnation [132]. Il vit dans la perspective immédiate de l'au-delà, du jugement dernier, du

---

131. Cf. I *Corinthiens* 15, 17.
132. Les récits légendaires, que résume l'ethnologue Jean-Claude DUPONT dans les *Légendes du Saint-Laurent*, montrent une bonne fréquence d'apparitions. C'est ainsi qu'entre Lévis et Québec on voit une tête flotter (p. 11). À Kamouraska, un curé parti en pèlerinage vers Sainte-Anne-de-Beaupré se noie avec plusieurs paroissiens, et depuis ce temps-là des pèlerins vêtus de cagoules se promènent sur les rochers (p. 32). À l'embouchure de la rivière Madeleine, on entend des lamentations jusqu'à imaginer un capitaine, un enfant, et un ecclésiastique qui aurait refusé de baptiser (p. 45). Expliquons ce goût pour les apparitions par un besoin de voir, de savoir et d'être rassuré. L'isolement joue aussi un rôle auprès du peuple maritime. Il y a, en outre, l'influence du contour géographique accidenté des régions côtières. Des espaces trop vastes ou incertains invitent au doute et à l'imaginaire, sans oublier les caprices de la mer à conjurer et la tendance à tout expliquer. Il est, enfin, normal que des chrétiens, qui savent l'importance des récits d'apparitions dans la Bible, ceux du Christ ressuscité en particulier, qui ont le culte des âmes du Purgatoire et connaissent quelque peu l'hagiographie, éprouvent le besoin d'entrer en contact avec l'au-delà.

purgatoire, de l'enfer, mais aussi — moins souvent semble-t-il — du ciel. Il arrive toutefois que certains affirment que la vie d'ici-bas n'est rien, comparée aux « joies pures du ciel ». Pourtant, par des promesses, des prières, par le recours aux médailles et autres objets du genre, les gens de mer indiquent amplement leur désir de demeurer sur la terre le plus longtemps possible. Mesurons, une fois encore, la distance qui existe et qui existera toujours entre une foi idéalisée par les clercs et la foi vécue par le peuple. À force de trop croire, ne finit-on pas parfois par mal croire ?

Par ailleurs, ni le besoin, ni la crainte, ni les présages ne peuvent expliquer toute la richesse du folklore religieux maritime au Québec. Au-delà des mythes religieux cosmiques, au-delà de l'héritage médiéval et d'une religion fortement traditionnaliste, nous retrouvons dans le peuple la même recherche d'harmonie entre ciel et terre, le même culte des ancêtres, la même croyance à la survie des âmes, ainsi qu'un goût instinctif du sacré qui fait de l'être humain, où qu'il soit, une personne éprise de cohérence et de dépassement.

D. L'Oratoire Saint-Joseph (1904–1979), fait religieux populaire [133]

Même si j'arrive de la colline rivale, celle de l'Université de Montréal à quelques minutes d'ici, il s'agit dans cet essai de considérer en premier lieu, le plus objectivement possible, l'Oratoire Saint-Joseph en tant que phénomène religieux populaire, avec ce qu'il véhicule d'histoire, de dévotions, de traditions et de souvenirs du frère André. En second lieu, nous tenterons d'évaluer, au niveau de la foi chrétienne elle-même, le dossier qui constitue la première phase de notre exposé.

Reprenons. Dans la première partie, permettez-moi d'être davantage le chercheur des traditions religieuses populaires d'Occident et, dans la seconde, le prêtre qui tente d'apprécier un bilan.

Espérons que saint Joseph, gardien des mystères du salut, comme la liturgie le nomme, vienne à mon secours et m'empêche de faire les erreurs savantes des gens qui lisent trop.

---

133. Texte d'une conférence prononcée à la journée d'étude tenue à l'Oratoire Saint-Joseph du Mont-Royal, le 9 septembre 1979. Cette conférence était illustrée par des diapositives et un montage audio-visuel préparés par Lucille Côté, s.s.a. Texte publié dans les *Cahiers de Joséphologie*, 27, 2 (juill.–déc. 1979) : 255–265.

1. L'Oratoire : phénomène religieux populaire

Un dossier complet sur l'Oratoire, sur la dévotion à saint Joseph et le culte du frère André voudrait qu'on tienne compte de quatre catégories de sources issues de ce sanctuaire depuis 1904 : les *sources visuelles* (images, statues, fresques, ex-voto, calendriers, lampions, lampes votives, etc.) ; les *sources sonores* (chants, cantiques, récits, concerts, théâtres, etc.) ; les *sources manuscrites* (lettres reçues, prières et demandes écrites sur feuilles volantes, intentions rédigées dans des cahiers *ad hoc*, etc.) ; enfin les *imprimés* (livrets de piété, règles de confréries, biographies, annales, *Cahiers de Joséphologie, L'Ami du Frère André*, etc.).

Mais prenons-en notre parti : le dossier complet est impossible, interminable. Tant mieux ! La réalité que nous étudions déborde ce qui est vu, entendu et raconté.

Partons de quelques faits qui révèlent l'existence d'un phénomène de religion populaire en Occident depuis 75 ans, et qui s'appelle *l'Oratoire Saint-Joseph du Mont-Royal*. Je désire remercier les Frères et Pères de Sainte-Croix, leur Centre de documentation (1949), le Centre de recherche (1953), les rédacteurs de *L'Oratoire* et la direction du Centre d'études sur la langue, les arts et les traditions populaires des francophones de l'Université Laval, pour tous les appuis fournis à ce court survol.

*

*   *

Quelques chiffres, dates et faits depuis 75 ans.

a. En ce qui concerne les *sources visuelles*, nous pourrions évoquer aussitôt les statues et les statuettes représentant saint Joseph : saint Joseph auréolé avec l'Enfant Jésus dans les bras ; le Saint de la crypte auréolé d'or, un lys à la main ; la statue au pied du Mont-Royal dévoilée le 10 juin 1923, gardée par quatre anges aux ailes bien effilées : Joseph avec un lys, Jésus dans ses bras ; puis la statue de la Fontaine des grâces où Joseph se trouve seul pour nous accueillir. Œuvres d'inconnus, mais œuvres aussi d'Henri Charlier, de Sylvia Daoust, de Marius Plamondon, de Louis Parent, et d'autres encore.

Avec les statues, les images. Nombreuses. Propagées et provoquées par ce que symbolise l'Oratoire : images de Joseph en tablier avec ses outils ; assis (plus rarement) ; debout (au travail le plus souvent) ; ou Joseph réveillé par l'ange, Joseph qui tient Jésus enfant emmailloté.

Il serait intéressant de constater l'influence directe et indirecte de l'Oratoire Saint-Joseph sur l'imagerie populaire en cours. Dans un livre préparé par Jean Simard sur la religion populaire au Québec, les collaborateurs ont choisi d'illustrer leurs textes par plusieurs photos : six sur le frère André ; trois sur la venue des pèlerins : l'une concerne le tombeau du frère André, deux autres représentent des ouvriers québécois allant offrir leurs outils à saint Joseph, puis les faire bénir par le cardinal Léger ; une autre sur un pèlerinage de malades à l'Oratoire ; une sur la foule des pèlerins un 13 octobre 1960, anniversaire des apparitions à Fatima ; dans un autre cas, un handicapé implore Joseph ; trois images de saint Joseph : Joseph auréolé tenant Jésus dans ses bras, le lys est là. Toutes ces illustrations réunissent saint Joseph, le frère André et l'Oratoire.

De plus, dans le domaine visuel, une enquête pourrait être faite sur les fresques, les niches domestiques, les calendriers et les images encadrées dans les maisons traditionnelles du pays. En général, on dira que tout est *populaire* dans ce domaine, le produit aussi bien que la vente. Pour sa part, le calendrier de l'Oratoire connaît un énorme succès visuel : 102 000 ventes en 1977 ; 106 000 en 1978.

Dans le même ordre d'idées, témoignent le Musée de l'Oratoire, les verrières, le Chemin de la croix, les lampes votives de sept jours (58 832 en 1977 et 74 550 en 1978), les lampions d'un jour (473 200 en 1977 et 570 800 en 1978). Il y aurait à tenir compte, dans ce dossier visuel à évaluer, des bouteilles d'huile de saint Joseph demandées par des pèlerins et des correspondants : 42 500 demandes en 1977 et 46 600 en 1978.

Depuis 1976, les célèbres expositions de crèches organisées par le père Jean-Guy Gagnon, c.s.c., et Pierre Labine, et combien d'autres expositions de peinture et d'art sacré, comme le *Miserere* de Rouault, ont attiré des milliers de gens. Nous pourrions parler des imposantes *Marches du pardon* depuis le 17 novembre 1950 ; du va-et-vient au pavillon Jean-XXIII à compter de 1965 : 6 500 malades y furent accueillis en 1978. Initiatives populaires, sans compter les émouvants pèlerinages des malades qui visualisent, à leur manière, la Passion de Jésus.

b. Laissons le visuel, puisque nous ne pouvons pas tout énumérer, et parlons de l'Oratoire, phénomène de culture religieuse populaire, à partir des *sources sonores*.

Aussitôt, nous pourrions reprendre tous les cantiques populaires chantés à saint Joseph depuis 75 ans, retrouvés ici et là dans les

Annales de Saint-Joseph, *page couverture en 1912.*

300 Cantiques en 1940, dans les *Cantiques choisis* de Charles-Émile Gadbois en 1954, et ailleurs encore. Depuis longtemps saint Joseph était chanté en Amérique. Dans les *Cantiques de l'âme dévote* de 1770, à la page 138, il y a un long cantique à saint Joseph, époux de la Sainte Vierge.

Revenons à l'Oratoire et allons au Chemin de la croix pour entendre, cette fois, les Jongleurs de la Montagne dans le *Jeu de la Passion* (d'Henri Ghéon ou de Monique Miville-Deschênes), théâtre en plein air vu par 6 822 personnes en 1978. Nous n'oublions pas *Le grand attentif*, 1955, les *Premiers gestes*, le *Noël des Jongleurs*, etc., pièces créées à tous égards par le père Émile Legault, c.s.c. Il faut aussi signaler le succès étonnant du carillon à 56 cloches, depuis 1955 ; les concerts d'orgue d'été qui ont attiré 4 170 auditeurs en 1978. Les Petits Chanteurs du Mont-Royal n'ont cessé de rassembler les foules par la qualité parfois héroïque de leurs chants d'Église.

Après 75 ans, il reste un nombre imposant de témoins vivants encore des premières heures de l'Oratoire et de la foi de son portier. Il y aurait lieu peut-être de les sélectionner, de les interroger et de constituer des archives orales qui étonneraient par leur vitalité et leur fraîcheur.

Comme signes de piété, nous rappellerions que, de décembre 1940 au 24 janvier 1972, la prière du matin fut diffusée d'ici au poste CKAC ; en 1960, on relevait en moyenne une écoute de 138 000 foyers. De 1946 à 1972, le même poste transmettait la messe dominicale. La prière du soir se fera à CKVL de 1964 à 1976. Même Radio-Canada a jadis mis en ondes la messe des malades tous les mercredis, de 15 h à 15 h 30. Ces programmes étaient populaires au sens fort du mot.

c. Venons-en à notre troisième catégorie de sources : les *sources manuscrites*. Elles sont plus abondantes que nous ne saurions le penser, puisque nous ignorons le nombre de lettres envoyées par les pèlerins à leur famille, à leurs parents, en relation avec leur visite à l'Oratoire.

Si nous avions le temps, nous lirions ensemble les 29 500 billets que le frère André avait déjà reçus en 1909, puis la correspondance et les notes des pèlerins depuis 75 ans, ainsi que les écrits autographes recueillis en vue du procès de béatification. Dès 1912, l'Oratoire reçoit en moyenne 45 000 lettres par année ; certaines années, il y en aura jusqu'à 395 000.

La conclusion va de soi : des gens de toutes les conditions possibles ont écrit de leur main et continuent à écrire à cause de ce double phénomène populaire entre tous : le frère André et son Oratoire.

d. Si nous passions aux *imprimés*. Il suffirait de continuer la recherche de Charles Nadeau, *Saint Joseph dans l'édition canadienne*, une bibliographie de 1 352 titres parue il y a douze ans, ou d'aller consulter les travaux de la Société nord-américaine de Joséphologie, 1962, surtout les *Cahiers de Joséphologie*, pour nous apercevoir comment l'Oratoire, à lui seul, nourrit des livres et des études de tout style. Pourquoi insister, quand l'étude du chanoine Étienne Catta, 1965, comprend exactement 1 146 pages. De leur côté, le *Frère André* de Henri-Paul Bergeron, c.s.c., promu à tant de succès et de traductions, et *Le Frère André illustré* de Marcel Plamondon ont accumulé des tirages à toute épreuve : près de 60 000 annuellement. Déjà en 1926, *L'Oratoire Saint-Joseph* d'Arthur Saint-Pierre, Montréal, 144 pages, dont la moitié du volume traite des miracles à l'Oratoire, fut très populaire.

Un autre imprimé : les *Annales de Saint-Joseph du Mont-Royal*. Édition française depuis 1912, édition anglaise depuis 1927. En 1912, on tire 5 000 exemplaires, aujourd'hui il y a 85 000 abonnements à l'édition française réunie à l'édition anglaise. Mentionnons *L'Ami du Frère André* qui, depuis 1956, suscite un vif intérêt et stimule le dévouement.

C'est tout récemment, en 1979, que Jean Simard, en collaboration avec Jocelyne Milot et René Bouchard, publiait chez Hurtubise HMH, à Montréal, *Un patrimoine méprisé. La religion populaire des Québécois*, livre de 309 pages. Un chapitre entier, p. 92–109, est consacré à l'Oratoire Saint-Joseph et au frère André, grâce à la participation de Marie-Marthe Brault, auteure d'une thèse ethnologique sur le sujet. Que remarque-t-on dans ce chapitre ? La médaille de saint Joseph déposée dans un tronc d'arbre, les Frères de Sainte-Croix portant le nom de Frères de Saint-Joseph, le besoin de faveurs et de guérisons du public, la réputation de *saint* du frère André, le frère André devenu propagandiste de la dévotion à saint Joseph ; de plus, on y signale la dévotion du frère André pour la Passion de Jésus.

*
*   *

Nous sommes ainsi revenus aux sources sonores et visuelles. En somme, l'Oratoire, depuis 75 ans, offre un heureux *phénomène de religion populaire chrétienne* en ce sens, très littéral d'abord, qu'y viennent et viendront toujours des gens de tous les âges et de toutes les catégories sociales et religieuses.

L'Oratoire est pour tout le monde. Quelle classe religieuse, quelle caste sociale n'y a pas été représentée depuis toutes ces années ? Qui n'est pas venu au tombeau du frère André ? Quel cardinal, quel évêque de passage à Montréal n'a pas visité l'Oratoire ? Si tous les pèlerins et visiteurs avaient signé leur nom, nous aurions des surprises. Est-il nécessaire de donner des chiffres pour démontrer qu'ici se retrouve le peuple ? Le 10 octobre 1920, 50 000 membres de l'A.C.J.C. sont réunis à l'Oratoire. En 1922, il y a 50 000 ouvriers pour la fête du Travail. Le 10 mai 1931, 500 chômeurs y viennent à pied des églises de Montréal. À la neuvaine de mars 1955, on y compte 1 cardinal, 14 évêques, 300 prêtres, 603 séminaristes, 1 200 religieuses, 34 chorales, 138 pèlerinages organisés, 19 751 pèlerins en groupes, 138 000 pèlerins spontanés, 12 300 étudiants et professeurs.

L'Oratoire est un des rares endroits où un cardinal, un archevêque, peut retrouver son monde, le peuple de Dieu. Nous y attendons Jean-Paul II... si la bonne sainte Anne le veut bien !

En 1978, l'Œuvre du pèlerinage des malades (O.P.M.) accueille 7 734 malades pour les mercredis, 17 583 pour la neuvaine de mars, 6 957 pour la neuvaine du mois d'août, 134 malades en civières, 737 handicapés en chaises roulantes. Grâce au dévouement de 150 organisatrices, plus de 221 autobus, 270 taxis et 73 ambulances transportent ces membres souffrants du Christ, et 50 bénévoles officiels en prennent soin au sanctuaire.

Il s'agit d'un vrai phénomène de religion populaire avec tout ce que réclament les besoins et les caprices du peuple en matière de rites, de dévotions et de croyances. De l'Eucharistie solennelle, du grand concert d'orgue au magasin des objets de piété, passent toutes les ferveurs, toutes les manies et toutes les superstitions du peuple. Et pourquoi pas ? Les sévérités des théologiens ne sont pas toujours pures, et ceux qui aiment le peuple comprennent et acceptent ses excès de confiance autant que ses larmes de supplication. Nous trouvons à l'Oratoire tout ce que la dévotion populaire a exprimé depuis des milliers d'années.

Bien d'autres faits pourraient être rappelés. Il y a sûrement des oublis impardonnables. Il faut sans cesse compter, en ce domaine, sur l'indulgence des auditeurs et des lecteurs.

2. Évaluation pastorale

Comment caractériser ce dossier ? Il s'agit bel et bien d'un phénomène de culture populaire tel que les spécialistes l'étudient aujourd'hui quand ils pensent aux institutions et au mental collectif. En effet, l'Oratoire Saint-Joseph a les caractéristiques d'un phénomène religieux populaire fortement coloré et défini par le christianisme qui l'inspire.

Le père Henri Bernard, c.s.c., a déjà développé cet aspect de l'Oratoire comme *lieu* de dévotion populaire ; il a indiqué comment le pèlerinage à l'Oratoire n'est ni une accentuation ni une opposition à la foi savante, mais plutôt une *complémentarité* à toutes les formes populaires de piété. Car ce qui rend populaires les origines de l'Oratoire, c'est moins la désapprobation de certains clercs ou la participation accrue des laïcs que la personne du frère André. Le frère André, homme peu instruit qui sait à peine signer son nom, dit-on, est issu du peuple ordinaire. Il a vite ému, rallié et fait bouger les masses. Son action charismatique de thaumaturge a fait de l'Oratoire une création populaire. Des 56 personnes convoquées à son procès de béatification, 46 sont des laïcs de toutes les conditions sociales : c'est le peuple qui considère le frère André comme un saint.

a. L'Oratoire est un phénomène populaire global, total et humain jusque dans ses manifestations. On ne saurait l'étudier et le comprendre simplement par la médiation des textes imprimés. Il faut y être venu, tenir compte du visuel, du sonore, avant de s'en remettre à l'écrit. Cette obligation d'étudier audio-visuellement l'Oratoire prouve son caractère essentiellement populaire. Tous les chemins mènent à l'Oratoire.

Nous sommes devant un fait d'une grande richesse. À l'Oratoire, le champ humain déborde l'institution ecclésiastique qui l'anime. Il est plus vaste aussi que ce à quoi la dogmatique voudrait le restreindre. À l'Oratoire, il y a du rationnel et de l'irrationnel, de l'imaginaire et du réel vécu. Phénomène global de culture religieuse populaire, il serait téméraire de s'en remettre à des catégories trop définitives. Vouloir écarter au départ tout ce qui, ici, est dit miraculeux et merveilleux, séculariser le frère André pour en faire un guérisseur plutôt qu'un thaumaturge grâce à Jésus, c'est réduire le *phénomène populaire*, c'est éviter d'en cerner toute la cohérence interne et c'est le diminuer pour ne plus le voir globalement tel qu'il se présente au peuple qui en est le cœur.

b. Phénomène religieux populaire, en ce sens que le peuple vient ici pour répondre à son besoin instinctif de visualiser le sacré, d'expérimenter le surnaturel par des gestes aussi élémentaires que voir la chapelle du frère André, toucher son tombeau, baiser une relique, une statue, dire des mots à valeur presque magique, faire ou accomplir une promesse, un vœu, utiliser l'eau, l'huile, dans leur signification cosmique.

c. Ici se vit un donné humain, naturel, qu'on retrouve à La Mecque, à Kyôto, à Jérusalem : l'homme est essentiellement pèlerin, son sens du voyage le dit bien. Il est fait pour avancer et marcher dans la vie. Les paralysés en venant ici se sentent portés par les autres, comme réhabilités dans leur rôle de pèlerin. L'Oratoire répond à cette fonction de l'*homo viator*, surtout en ce pays démesuré où l'on sent le goût de vaincre la distance, de conquérir l'espace qui l'encadre. Que le sanctuaire soit sur le flanc d'une montagne, lieu traditionnel du sacré, qu'il soit inaccessible, cela représente quelque chose de fondamentalement important pour le peuple.

d. À l'Oratoire, le peuple arrive pour une expérience vécue du temps sacré. Expliquons-nous. Qui vient à l'Oratoire doit accomplir une démarche dans le temps. Il brise le temps quotidien pour se donner un temps de visite et de mobilité. Voilà une manière de dominer le temps.

e. Phénomène populaire au sens ethnologique du mot. En 1927, on a enregistré 2 072 guérisons et 9 634 faveurs obtenues ; 140 500 communions sont distribuées et déjà une correspondance de 95 755 lettres est établie. Chaque année on reçoit des centaines d'ex-voto.

Mais pourquoi pas ? Comme nous avons tous besoin de merveilleux et d'extraordinaire, il y en a en ces lieux et le peuple en ajoute. Autrefois, aux premiers jours du téléphone, les gens appelaient pour savoir l'heure des miracles ! Aujourd'hui, ils viennent pour goûter la foi, pour voir la croyance, pour être surpris, émus, pour s'étonner. Il ne faut pas le leur reprocher. Le merveilleux est une nourriture nécessaire. Qui ne s'émerveille pas, qui n'attend pas de miracle, a perdu son enfance... Dommage !

f. Le peuple entre à l'Oratoire pour éprouver une solidarité nouvelle. En tout pèlerinage, on veut rencontrer du monde. En ce lieu stable qui ne bougera pas, on se retrouve pareil à tout le monde. Encore une fois, il faut reconnaître ces phénomènes humains pour ce qu'ils sont et non déprécier la valeur sociologique, voire thérapeutique et humaine du pèlerinage, qui permet de mieux incarner son sens spirituel. Par ailleurs, la guérison n'est pas seulement la rencontre de deux croyances : celle du guérisseur et celle du patient. L'élément à ne pas délaisser est la confiance qu'on a en la Toute-puissance divine. La guérison s'opère à trois : le malade, le médiateur et Dieu.

g. On définit souvent les phénomènes de religion populaire du fait qu'ils sont transmissibles et durables. Or il est facile de démontrer que la dévotion à saint Joseph en ce pays, depuis le choix de ce saint comme patron du Canada en 1624 et aussi depuis 1664 avec l'une des plus célèbres confréries de la Nouvelle-France, celle de la Sainte-Famille, est un phénomène de longue durée. Le frère André avait le sens de la continuité et de la généalogie.

Phénomène populaire de longue durée ? Jamais on n'a cessé de venir au « prie-Dieu de la montagne » (cardinal Léger) ; depuis 75 ans, des gens de tous les âges et de toutes les conditions y viennent. En outre, une chose est certaine : parce qu'il est l'héritier d'une dévotion biblique, l'Oratoire va continuer. Sa durée est viable ; il représente, tel un stade, un Colisée, une réalité devenue traditionnellement *nécessaire et irréfutable*. Après 75 ans, il mérite d'être classé comme un fait de longue durée et transmissible, ainsi qu'il est dit dans notre jargon d'historien.

La durée de l'Oratoire est surtout assurée parce que ce sanctuaire est un phénomène religieux essentiellement chrétien. On y célèbre, selon la liturgie internationale d'aujourd'hui, la Parole de Dieu, l'Eucharistie, le sacrement du Pardon. En Amérique du Nord, quel lieu sacré peut se vanter pour 1978 d'une assistance de 525 154 personnes à la célébration eucharistique, de 66 114 confessions individuelles, de 378 000 communions, de la visite de 926 groupes de plus de 40 personnes, sans oublier le passage d'au moins 800 000 autres pèlerins et visiteurs ? Précisons que, du 10 au 19 mars 1979, 68 573 personnes ont participé à l'Eucharistie, soit 24 % de plus qu'en 1978. Sauf durant les années 1970-1973, les jeunes sont toujours venus ici. 15 groupes en 1970 et 291 en 1978.

Pour le peuple, et sans qu'il en soit vraiment conscient, il se passe à l'Oratoire, comme dans les grandes cathédrales du Moyen Âge, un phénomène prophétique. Ici, l'édifice symbolise la grande communauté humaine, le monde idéal en miniature. On y adore, on s'y recueille ; le peuple vit non pas l'éclatement de la communauté humaine en petits groupes, mais l'unité dans la grande communauté des rachetés. Rassemblements, abolition des ethnies, noces anticipées, avant-goût d'une société purifiée, voilà la vocation eschatologique de l'Oratoire depuis 1904.

*

*   *

Nous avons voulu évoquer l'Oratoire, son frère André, comme fait populaire, fait religieux sans cesse récupéré et continué par la « multinationale » des pèlerins. Alliance réussie du sacré et du profane, l'Oratoire et ses responsables ont raison de fêter. Le peuple chrétien qui y est venu depuis 75 ans mérite qu'on le salue et qu'on le remercie. C'est sa fête.

E. Lionel Groulx et ses croyances [134]

Entendons tout de suite par *croyances* chez Joseph Lionel Adolphe Groulx, enfant, étudiant, prêtre, historien, écrivain et jusqu'à l'ultime minute de ses quatre-vingt-neuf ans et quatre mois le 23 mai 1967, l'adhésion ferme à l'égard de certains idéaux reçus ou appris, devant lesquels son intelligence et sa volonté ont tour à tour réagi soit d'une manière positive, soit d'une manière franchement négative.

Les sources pour un tel sujet ne manquent pas [135]. Elles sont pour la plupart réunies en un seul lieu : au 261, avenue Bloomfield, à Outremont, Québec. Il y a les sources visuelles : films, photos, images, objets ; les sources sonores : films encore, disques, bandes magnétiques ; puis les sources écrites : des centaines de pages autographes, pages de son journal, carnets de contes, notes de lectures, plans de sermons, conférences spirituelles, etc., avec les imprimés qui comptent de nombreux livres, opuscules, articles et autres textes.

En attendant la biographie spirituelle qui s'impose, nous nous en remettons forcément à l'essentiel de l'imprimé. Deux livres semblent plus significatifs : *Les Rapaillages*, dont la première édition remonte à 1916, et *Mes Mémoires*, ouvrage posthume d'où provient la majorité des extraits qui vont suivre. N'a-t-il pas écrit lui-même à la fin de sa vie

---

134. Extrait de *Hommage à Lionel Groulx*, Maurice FILION, dir., (Montréal, Leméac, 1978) : 95–118.

135. Une étude exhaustive des croyances de L. Groulx suppose la connaissance des inédits, du journal en particulier, de la correspondance, et une recherche qui demanderait sûrement plusieurs années. Introduction provisoire à cette étude, dans *L'Action nationale*, 57, 10 (juin 1968) : 831–1115. Sur les écrits datés à la suite, Jean GENEST, *ibid.*, p. 1039–1115 ; pour un aperçu global mais rapide, B. LACROIX, *Lionel Groulx*, coll. «Les Classiques canadiens», Montréal, Fides, 1967, 96p. Nous citerons *Les Rapaillages* dans l'édition première de 1916 (chez Albert Lévesque, 144p.) et *Mes Mémoires*, en 4 tomes, Fides, 1970–1974. On relit toujours avec plaisir sur « Lionel Groulx intime » les propos savoureux de Juliette LALONDE-RÉMILLARD, dans *L'Action nationale, ibid.*, p. 857–875 ; aussi Madeleine DIONNE, « Notre chanoine », *ibid.*, p. 1013–1038.

que *Mes Mémoires*, dont la rédaction commencée en 1958 et terminée quelques mois avant sa mort, résume «les idées que j'ai essayé de mettre en circulation» [136]? Après de multiples vérifications, nous pouvons confirmer que rien à ce jour ne contredit substantiellement son témoignage.

Le plus étonnant dans la confrontation de ses théories avec la pratique de sa foi est l'ambiguïté entre ce que nous pourrions appeler les impératifs de la culture savante et sa manière toute simple, enfantine parfois, populaire et traditionnelle, de vivre au jour le jour sa foi d'homme et de prêtre-écrivain.

Sans vouloir distinguer outre mesure ce qu'il tend constamment à unir et à hiérarchiser [137], nous essaierons de dégager les grandes lignes de ses options profanes et religieuses pour en venir à ses conduites personnelles face à sa propre foi et à la religion de son milieu.

Ce qui suit n'a évidemment de sens que si l'on se souvient que cet homme fier et obstiné se croit, depuis au moins 1915, chargé d'une mission providentielle envers ses compatriotes canadiens-français. « À un petit peuple en train de perdre son histoire, sa civilisation, son âme, ma tâche aurait consisté à lui rappeler son passé, les éléments spirituels de sa culture, de sa civilisation, et par là, lui faire retrouver son âme, et du même coup, le destin que Dieu y a inscrit [138]. »

1. Ses croyances

Pour la vie d'un peuple

C'est dans un contexte de vision quelque peu prophétique que vont les vraies options de Lionel Groulx. D'abord il lance un appel à l'idéal et à la formation par la pensée. Son peuple ne survivra qu'en regardant toujours plus loin et plus haut. L'universel l'appelle [139]. À qui veut l'entendre, déjà en 1928, il proclame qu'il faut « nous sauver nous-mêmes, maintenir dans la vie de notre race l'habitude des hautes pensées et leur valeur tonique ; ... demeurer des maîtres de vérité, une apologétique vivante [140] ». Les obstacles soulevés de l'extérieur sont si forts que nous devons nous fortifier du dedans. Quoi de plus formateur

---

136. *Mes Mémoires*, tome 1, p. 14.
137. *Ibid.*, tome 1, p. 278 ; tome 2, p. 19.
138. *Ibid.*, tome 1, p. 13-14 ; cf. « Lionel Groulx intime », p. 861 ; voir note 135.
139. Cf. *Mes Mémoires*, tome 2, p. 339.
140. *Ibid.*, tome 2, p. 339-340.

pour la pensée, dans la vie d'un homme et d'un peuple, que de rêver large et grand !

Au début du siècle, la pensée et l'action communautaire ont pour noms conscience collective, idéal, éducation, sens national, croisade. *Une Croisade d'adolescents* date de 1912. Groulx a de la suite dans les idées ; il reviendra en 1934, à la Palestre nationale, exprimer en des termes presque identiques sa foi première en l'action communautaire : « Quant à moi, je dis : ayez d'abord confiance dans l'action en profondeur. Commencez par le commencement. Formez par l'éducation la conscience collective, le sens national. Donnez à une génération un idéal véritable [141]. » Cet idéal, il faut le connaître mais aussi le vouloir.

Sa deuxième préoccupation : la formation par la volonté. Qui veut, peut. « J'insiste sur l'une de mes idées favorites : le rôle de la volonté dans la vie d'un peuple [142]. » Dans une grande conférence à la Bibliothèque Saint-Sulpice, lieu des rendez-vous culturels de l'époque, en novembre 1935, il dira :

> N'acceptons... sur notre destinée le joug d'aucun déterminisme absolu... Toute notre histoire est là qui affirme la puissance de la volonté dans la vie d'un peuple... Donc le choix dépend de notre liberté, ou d'être demain une ébauche de nation... ou de réaliser, dans sa splendide plénitude, le rêve que Talon exposait un jour à Colbert : « ... que cette partie de la monarchie française deviendra quelque chose de grand » [143].

Ce n'est pas tout d'avoir de l'idéal et de la volonté, encore faut-il agir. Justement le milieu tout désigné pour agir avec intelligence et efficacité est la patrie [144]. Surtout que Groulx constate, par l'étude et l'enseignement de l'histoire, qu'il existe peu de pays au monde qui aient pu s'élever comme le sien au vrai sentiment national avant de jouir de l'indépendance [145]. La preuve en est faite : il suffirait, à son avis, de créer, en le voulant constamment, cet État français en Amérique [146]. Cette volonté d'être, cette volonté de durer va au-delà de la conjoncture politique, puisqu'elle s'adresse avant tout à l'homme de ce pays : « ... fiers de notre civilisation, nous nous devons de la faire durer. C'est

---

141. *Orientations*, Montréal, Éd. du Zodiaque, 1935, p. 233.

142. *Mes Mémoires*, tome 2, p. 329.

143. *Mes Mémoires*, tome 2, p. 329.

144. *Ibid.*, tome 2, p. 307 et suiv. ; références aux principaux textes des *Mémoires*, dans leur index, tome 4, p. 407.

145. *Ibid.*, tome 4, p. 24.

146. Sur ce dossier toujours ouvert, J.-P. GABOURY, dans *L'Action nationale*, 57, 1968, p. 948 et suiv.

le legs indivis des ancêtres qu'il faut transmettre comme tel à nos descendants [147]. »

En 1921, à Ville de LaSalle, dans une de ces tirades qui lui sont chères et dont seul il a le secret, à propos de la Nouvelle-France en Amérique, il s'écrie :

> Croyons, nous aussi, fils des chevaliers qui ont fait la Nouvelle-France, croyons que ni les cheminées d'usine, ni les gratte-ciel, ni la main de l'homme, ni le souffle du temps n'effaceront jamais du sol américain, les vestiges du grand empire que nos pères y ont esquissé, ni l'ombre des croix qu'ils y avaient plantées [148].

Sa foi en l'idéal et dans la volonté, entretenue par un grand rêve à vivre au jour le jour, est appuyée, depuis qu'il est jeune, par le culte des ancêtres. En 1920, il publiera un opuscule enflammé : *Chez nos ancêtres* [149], sorte de préface élargie à *Notre maître le passé* édité en 1924. L'histoire ne se résume pas à parler des vivants. Nos morts nous précèdent ; ils nous accompagnent. Fortifier sa foi en la nation, c'est justement relier la terre des vivants à celle des morts, sans lesquels la patrie n'existerait même pas. Qui oublie son passé, quel qu'il soit, ou le renie, forcément se déracine.

Pour une foi double

Groulx serait-il aussi enthousiaste si les Canadiens français n'avaient qu'un rôle *profane* à jouer en Amérique du Nord ? La question ne se pose pas ; il n'a rien d'un dualiste. Pour lui, il ne fait aucun doute que les Français d'ici ont un destin communautaire unique : implanter en ce continent un élément spiritualiste et devenir, politiquement et culturellement, un État autonome. Toute nation déchoit de l'idéal qu'elle se propose, tant que l'éclair qui l'entraîne n'a pas de dimension spirituelle. Et même, à quoi bon rechercher la seule grandeur politique ou matérielle [150] ? À quoi servirait l'univers, voire l'autonomie, si on y perd son attachement aux valeurs spirituelles ? « On aura beau faire, il y a tout de même un idéal de l'homme, un idéal de la société, un idéal de la civilisation qui disparaîtront avec la disparition de la foi [151]. »

---

147. *Mes Mémoires*, tome 3, p. 19.
148. *Ibid.*, tome 2, p. 47.
149. À la Bibliothèque de l'Action française, 102 pages sur « la vie paroissiale, familiale, champêtre et militaire des aïeux ».
150. *Mes Mémoires*, tome 2, p. 336 et suiv.
151. *Ibid.*, tome 4, p. 358.

Il y a, en plus, que notre histoire fut empreinte de mysticisme. Les nôtres ont survécu à toutes les épreuves possibles au nom d'une langue qui véhiculait une croyance ; ils sont devenus, dans leur Église, un des premiers peuples missionnaires du monde. Cela suffit pour penser, croire et enseigner que Dieu a choisi ce « petit peuple » pour qu'il témoigne de façon spécifique de son identité canadienne-française-catholique.

Foi catholique et culture française : sans ces deux ailes, dirait-il, il est impossible à l'oiseau de voler. C'est non seulement une vocation, un héritage d'ancêtres, mais aussi une sauvegarde, un appel au mieux, une originalité et un élément de permanence dans l'histoire, que d'être français et catholique. Ces composantes représentent, à leur manière, l'idéal, l'universel et la volonté ferme de durer dans un monde qui ne cesse de les défier.

Si son amour des Français de France est nuancé et limité par certaines de leurs maladresses, son admiration pour la culture française est sans réserve :

> Aurai-je trop espéré de la jeunesse, de ma foi ? Un professeur des sciences sociales à l'Université de Montréal aurait proposé ce sujet de recherche à ses étudiants : *Que serait-ce qu'un Canadien français idéal?* J'aurais répondu, pour ma part, ce serait d'abord un homme. Là réside notre première dignité. Ce serait un homme de culture française, marqué à jamais par quinze siècles d'une invariable tradition d'esprit ; tradition pourtant assimilée par un Français d'une certaine variété, un Français du Canada, celui-ci marqué par son pays, par une histoire à part, et par cette façon d'être qui fait que l'on est soi et pas n'importe qui. Ce serait aussi, bien entendu, un catholique. Catholique, il le serait, au premier chef, pour les valeurs essentielles de sa foi ; mais encore — et je le dis, en dépit des crispations possibles de beaucoup de clercs — parce qu'un Canadien français catholique se relie plus que tout autre aux traditions profondes et authentiques de sa race. Il serait celui qui aurait absorbé, incarné la portion la plus parfaite de l'héritage historique. Et voilà pour lui conférer, dans le monde, dans la mosaïque des peuples, une figure originale [152].

> Et quand nous parlons de culture française, nous l'entendons, non pas au sens restreint de culture littéraire, mais au sens large et élevé où l'esprit français nous apparaît comme un maître incomparable de clarté, d'ordre et de finesse, le créateur de la civilisation la plus saine et la plus humaine, la plus haute expression de la santé intellectuelle et de l'équilibre mental [153].

Autant le fait d'être de culture française le rassure, autant sa foi catholique confirme qu'il faut cet État français en Amérique :

---

152. *Chemins de l'avenir*, Fides, 1964, p. 136.

153. *Mes Mémoires*, tome 2, p. 19.

C'est parce que nous sommes convaincus que, même dans l'ordre chrétien, un peuple ne remplit pleinement sa mission que s'il reste soi-même ; c'est parce que nous croyons que l'œuvre du peuple canadien-français sera d'autant plus large et féconde qu'il aura mieux sauvé sa parcelle d'originalité, les principes d'action qui lui sont propres : ses admirables qualités latines et apostoliques, ses affinités avec le catholicisme, c'est pour toutes ces hautes raisons que nous voulons le garder français [154].

« *Vous êtes nés catholiques. Le savez-vous ?* »

Alors qu'il atteint ses quatre-vingt-sept ans, il s'adresse aux jeunes et leur crie, comme Menaud à sa montagne :

> Le savez-vous assez ? Vous me l'accorderez : l'avantage est tout de même d'un certain prix que d'entrer dans la possession d'une foi qui proclame, en chacun de nous, la primauté de l'âme, la qualité d'homme en sa plénitude, ce par quoi nous dominons de haut la création, je veux dire tout le cosmos...
>
> Voilà votre chance, jeunes gens. Voilà votre pays, votre culture, votre foi. Et vous seriez moroses ! Je sais d'autres jeunesses, d'Afrique ou autres pays en éveil, qui, devant pareilles perspectives, exulteraient de joie [155]...

Groulx parle en croyant, il parle aussi en historien. La foi musulmane a souvent sauvé l'Islam, comme la foi juive a réuni Israël ; il croit que le catholicisme, un catholicisme *revu et corrigé*, garantit la vie et la survie du peuple québécois et de la nation canadienne-française en Amérique multiculturelle. Ce qui le séduit dans le christianisme, c'est sa double capacité d'incarnation et de transcendance. Il admire, en outre, le rôle social de l'Église, un rôle civilisateur qui invite constamment l'être à s'incarner et à rêver d'impossible : « J'apercevais là, du reste, une transcendance d'objectif ou de fin qui ne m'a jamais gêné... Ma pensée établissait la coordination des plans : le temporel et le spirituel [156]. »

Ce qu'il aime encore du catholicisme historique, c'est sa manière franche de guider les collectivités jusqu'à favoriser leur pleine autonomie :

> Il (le catholicisme) accepte les nations, les petites comme les grandes. Il les accepte, non seulement comme des fatalités, ou, si l'on préfère, comme des résultats géographiques et historiques ; il les accepte comme des entités juridiques et morales dont le droit à l'existence ne se discute point. Ce droit, le philosophe le fonde sur un droit éminent de la personnalité

---

154. *Mes Mémoires*, tome 2, p. 21.
155. *Chemins de l'avenir*, p. 107 (cf. *Mes Mémoires*, tome 4, p. 298 et suiv.).
156. *Mes Mémoires*, tome 2, p. 20 ; aussi *ibid.*, tome 4, p. 198.

humaine: droit à son milieu culturel, éducateur. Le catholicisme, lui, transpose ce droit sur un plan supérieur: le droit du baptisé, du prédestiné à l'éternel, encore et toujours homme, de rester en possession de ses supports humains: milieu, climat ou atmosphère qui, par l'agrandissement de l'homme, facilitent l'agrandissement du chrétien...

Le catholicisme ne dissocie point l'humain et le divin, le naturel et le surnaturel; il les dispose dans une hiérarchie. Or hiérarchiser, c'est placer les êtres selon une ligne, selon l'échelle de leurs valeurs, ligne ascendante, sans doute, mais non ligne coupée, disjointe, mais ligne continue où tout s'attache, se soutient, dans la loi d'une harmonieuse unité. En regard de la sanctification de l'homme, ou, si l'on veut, de son élévation au plan surnaturel, le devoir du catholique ne saurait donc consister à s'évader de l'homme, mais, à l'exemple de l'Incarnation, de permettre à la grâce d'assumer l'homme [157]...

Au nom de l'intelligence

C'est à des étudiants de l'Université de Montréal que le chanoine, octogénaire, dira tout ce qu'il a sur le cœur. Il sait leurs inquiétudes et leurs rêves. Il partage les uns et les autres. Ensemble, lui, eux, ils ont raison: « La perfection de l'homme se conquiert socialement [158]. » Comment expliquer que de grands théologiens catholiques — « ils ne savent même pas leur petit catéchisme » — se cantonnent dans la transcendance de la foi? Oh! qu'il peut être dur ce croyant et ce patriote!

Nier la patrie, le milieu national, ou simplement se comporter comme s'ils étaient choses indifférentes, négligeables, ce n'est pas seulement acte d'ignorance, vaine sottise; c'est ravir à l'action de la grâce tout un ordre de valeurs morales, c'est prétendre sauver l'homme, sans, en même temps, sauver son milieu, abandonner ce milieu comme une proie fatalement vouée à l'infection païenne. Peut-on, de façon plus déplorable, manquer de foi en sa foi, assumer, à l'égard de sa vocation de chrétien, pire rôle de fuyard [159]?

L'anticléricalisme émotif des années 60 n'est rien en regard de ses observations signées et documentées sur la trahison de certains curés, prêtres, religieux, voire évêques. A-t-il toujours raison? Fort de sa sincérité, il oublie parfois celle des autres. Ses propos dénonciateurs, qui précèdent de plusieurs années ceux du Frère Untel, représentent une volonté de rupture et de renaissance sans égale dans l'histoire du catholicisme québécois. Non qu'il mette en doute ses croyances fondamentales, ni la bonne volonté de l'*establishment* ecclésiastique, ni

157. *Ibid.*, tome 4, p. 198.
158. *Ibid.*, tome 4, p. 199.
159. *Ibid.*, tome 4, p. 199.

surtout les structures officielles de son Église, il en veut plutôt, au nom du caractère moral et universel de la culture catholique, au manque de culture et d'intelligence des clercs.

Sa première critique concerne la formation donnée au clergé à la fin du siècle dernier :

> Nos professeurs, pour un bon nombre des Sulpiciens, Français de France, étaient d'admirables hommes de prière et d'oraison. Véritables ascètes que ces bons « Messieurs », professeurs convenables, sans pourtant beaucoup d'influence sur la communauté. Des hommes distants, austères, d'une piété grise qu'on eût dit vidée de toute joie. Des hommes qui vivaient au Canada depuis vingt, trente et quarante ans, mais sans en être... Religion trop négative, prêtre inadapté à son milieu : deux déficiences ou deux défauts qui pourraient expliquer les déficiences de la religion canadienne, et d'abord l'insuccès partiel au moins du ministère sacerdotal : prédication négative, ministère inadapté [160]...

Le même clergé francophone se met sur les épaules à peu près toute l'éducation supérieure. La tâche est trop lourde. À peine arrivé au Grand Séminaire, le futur prêtre deviendra professeur de latin, surveillant, économe dans une école, et quoi encore. Lionel Groulx se souvient de ses années d'études dans le très catholique Séminaire de Sainte-Thérèse-de-Blainville : rien dans l'enseignement religieux et la direction spirituelle n'attache au Christ et même ne le dévoile. Or, comment être chrétien, et prêtre *a fortiori*, sans le Christ ? Il proteste [161], il rage. Au moment où « tranquillement » une crise s'amorce, notre chanoine s'efforce de situer le problème religieux. Le texte qui paraît dans *Notre Temps*, le 21 juin 1947, trouve un faible écho dans les esprits encore inaptes à comprendre et à établir le diagnostic qui s'impose. Ce texte, il le reprend en substance dans *Le Quartier latin*, journal des étudiants de l'Université de Montréal. *Mes Mémoires* le cite au complet [162].

Groulx croit voir juste. Il ne saurait en être aujourd'hui blâmé. Il faut, et le plus tôt possible, pense-t-il, une révision complète de nos attitudes religieuses. Le mal est dans notre esprit. Nous avons reçu trop de certitudes en tant que croyants. La foi collective ne suffit plus. Chaque individu se doit d'identifier son héritage et de nettoyer sa maison. Le pays a besoin de nouvelles élites, d'un nouveau style de vie, de plus de beauté culturelle et d'une prédication de la foi qui illumine

---

160. *Ibid.*, tome 1, p. 74-75.
161. *Ibid.*, tome 1, p. 45-46 ; 65-66.
162. *Ibid.*, tome 4, p. 200–205.

sa croyance : « Nous sommes tentés de conclure que le peuple canadien-français a peut-être besoin de demander humblement l'intelligence de sa foi [163]. »

Même s'il arrive au bouillant chanoine de se laisser entraîner dans des jugements qui ne respirent pas nécessairement l'objectivité d'un historien et la confiance dans les nouvelles élites, qu'il appelait pourtant avec impatience, il rebondit et reprend courage. *Gesta Dei per nos* ! Un fait, qui est aussi une raison d'espérer, ne cesse de l'intriguer : ce clergé franco-canadien, si rigoriste, souvent rétrograde et facilement recroquevillé sur place [164], a dans toutes les parties du monde des missionnaires d'une rare qualité apostolique. C'est son ultime fierté qu'il crie dans une conférence à Québec, le 14 septembre 1953 :

> Pour le reste, quand j'aurais perdu ma foi en tous les hommes, il me resterait une ressource qu'on ne m'ôtera jamais : mon espoir en la Providence de Dieu qui, tant de fois, aux pires impasses de notre histoire, nous a sauvés et souvent malgré nous. Le fera-t-elle encore ? Je le crois, je l'espère, pour tant de prières qui s'élèvent du fond du cœur de nos meilleurs croyants, et je le sais, du fond même des cloîtres. Dans l'économie actuelle de la rédemption du monde par le Christ, je ne vois pas de raison pour laquelle un peuple catholique, fidèle à sa mission apostolique, s'en irait à la décadence ou à la mort. Non, je ne puis me mettre dans l'esprit que nous soyons l'une de ces petites civilisations éphémères destinées tout au plus à servir de matériaux à quelque grande civilisation en voie de naître. Je me refuse à penser, en dépit de nos misères, que nous serions devenus la vigne du cantique du prophète, la vigne si soignée, si choyée par Dieu et qui, pour être devenue stérile ou ne donner que du verjus, aurait mérité la réprobation divine, la vigne que Dieu ne voudrait plus ni cultiver, ni tailler, la vigne foulée aux pieds et sur laquelle il serait défendu aux nuées de laisser tomber la pluie. Nos petits missionnaires répandus de par le monde répondent ici pour nous. Et c'est par eux que j'espère. Car si j'aime mon petit pays, notre petit peuple, pour les liens du sang et de l'histoire qui m'attachent à lui, et pour la forme d'humanisme ou de culture qu'il pourrait incarner, je l'aime d'abord parce que, dans le drame du monde, depuis le Christ, il tient un rôle essentiel : celui d'un magnifique missionnaire de la foi [165].

---

163. *Ibid.*, tome 4, p. 205.

164. *Ibid.*, tome 1, p. 101.

165. *Pour bâtir*, Montréal, 1953, p. 149. *Le Canada français missionnaire : une autre grande aventure*, Montréal et Paris, Fides, 1962, 532p., est aussi un de ses ouvrages les plus chers (*Mes Mémoires*, tome 4, p. 291 et suiv.).

2. Foi savante et religion populaire

Au premier abord, nous pourrions penser que cet homme préfère les grands horizons, les vents du large et que tout chez lui est orienté vers la collectivité, *son* peuple, *son* Église. Nous savons d'ailleurs son amour pour les grandes synthèses de l'histoire ainsi que son goût pour les idées et pour tout ce qui est de l'humanisme grec et romain. Pourtant il est impossible de le ranger dans la catégorie des intellectuels qui ne vivent que pour eux-mêmes et qui ne sortent de leur terrier que pour visiter les livres.

Comme Groulx peut être près des siens ! Sa porte est ouverte à tout le monde, il est toujours prêt à rendre service ; il aime la nature et les fleurs. Il est divisé aussi. Ne se laisse-t-il pas trop aller à la vie intellectuelle ? N'est-il pas trop engagé dans l'action nationaliste ? Parle-t-il assez de Dieu ? Prie-t-il assez ? Prêche-t-il assez ? Même s'il a à son crédit un dossier étonnant d'activités religieuses doctrinales et ecclésiales : sermons, homélies, conférences, retraites aux prêtres, aux religieux et aux laïcs, il doute encore, au moins pour la paix de sa conscience. De toute façon, des accidents de santé ne lui permettront pas de se livrer à un ministère paroissial trop actif. Ses prédications nombreuses seront des haltes de joie et de ressourcement. Il aimera parler aux éducateurs, aux jeunes surtout [166].

En relisant *Mes Mémoires* et les récits pittoresques des *Rapaillages*, nous sommes moins surpris de ses scrupules occasionnels que de la distance qui existe, et dont il semble conscient, entre sa foi savante de prêtre instruit et la religion populaire traditionnelle de son milieu qu'il admire et pratique.

Foi « classique »

Aux prêtres, par exemple, Groulx prêche la doctrine officielle de l'Église, les grandes vérités de la théologie thomiste, la seule en vogue au Québec : Dieu, le Christ, l'Eucharistie, les vertus, la pureté, la vocation. Ses schémas sont aussi classiques que ses propos : concis, en trois points, avec quelques idées sûres et indiscutables. Même lorsqu'il s'intéresse avec tant de plaisir à nos fondateurs religieux canadiens, ses textes obéissent à la structure conventionnelle des hagiographes européens : l'origine des saints, l'enfance, le rappel des vertus, les miracles, les avantages et la manière de les invoquer [167].

---

166. Confidences et propos de Juliette LALONDE-RÉMILLARD et Madeleine DIONNE, *L'Action nationale*, 57, 10 (1968) : 857–875 ; 1015–1038.

167. Parmi les sujets de thèse et travaux possibles, un *Lionel Groulx, hagiographe*, voir note 195.

Religion populaire

Que nous l'interrogions de plus près sur ses croyances personnelles, sur ses dévotions privées, ses rites quotidiens, sur ce qu'on est convenu d'appeler depuis quelque temps la religion populaire [168], nous voici en présence d'un tout autre homme. Non qu'il croie aux feux follets et aux loups-garous, ce sage instruit n'hésite pourtant pas à courir les sanctuaires, à pratiquer des dévotions, à porter des médailles, des reliques, un scapulaire. Tous les jours il dit sa messe, récite son bréviaire, son chapelet, visite le très Saint Sacrement. Il va souvent en pèlerinage, confiant, toujours heureux, avec un besoin avoué de miracles. Sa dévotion aux âmes du Purgatoire n'a d'égal que son culte des ancêtres. Son amitié pour Thérèse de Lisieux touche au plus intime de son cœur nostalgique.

Cet homme est religieux à la façon de ses pères dans la foi. D'une mémoire étonnante, à quatre-vingts ans il se rappelle la première image reçue pour avoir « réussi » son *Ave, maris stella*; il se souvient d'une effigie de Jésus adolescent, qui circulait alors dans les écoles des rangs. Ce qu'il regrette de sa première communion, c'est d'y avoir été préparé en apprenant le Petit Catéchisme par cœur dans un texte sans illustrations. Jamais il n'oubliera de parler, et dans *Mes Mémoires* et dans *Les Rapaillages*, des images et des *portraits* au mur de la maison : images de saint Michel, de la bonne sainte Anne, chromos de saint Antoine de Padoue et de Marie-Madeleine. Il décrit avec émotion sa grand-mère qui prie en tricotant [169], tout comme il n'oublie pas son père G. Emond bénissant les enfants au premier de l'An ou disant son bénédicité [170]. Évidemment, le fait d'avoir sa mère à côté de lui jusqu'en 1943 l'aide à revivre ces souvenirs. Il écrira sur la mort de sa mère les pages les plus révélatrices de ses sentiments [171]. Que de fois il la revoit en pensée et revient à la surface l'image de l'aveugle égrenant son chapelet ! C'est peut-être à elle, femme de piété et de générosité merveilleuses, qu'il doit la fidélité aux rites quotidiens de sa religion. C'est elle qui conduisait les grands à la communion et qui enseignait le catéchisme aux illettrés du rang avec le même soin qu'elle lisait, à la maison pour son époux et ses enfants, tels et tels extraits d'annales et de journaux.

---

168. Une fois de plus, voir *Les Rapaillages* et le tome 1 de *Mes Mémoires*.

169. *Les Rapaillages*, p. 120 et suiv.

170. *Mes Mémoires*, tome 1, p. 27, 411.

171. *Mes Mémoires*, tome 4, p. 91–103.

Une ombre, cependant, sur ses souvenirs religieux d'enfant : le trop célèbre *Miroir des Âmes*, venu de France, réimprimé au Canada français et dont, encore en 1924, l'Imprimerie de l'Éclaireur à Beauceville offre des exemplaires au prix de trente-cinq cents. Cette brochure pour la sanctification, « en vue de sauver son âme et de travailler avec diligence pour ne pas périr éternellement », contenait seize planches capables de faire trembler un enfant qui veut tout voir et tout comprendre : « Que de fois nos yeux d'enfants se sont penchés sur les scènes de l'enfer, scènes de démons encornés... ! Que de fois aussi nous avons suivi avec tremblement la montée des rares élus par la pente étroite et escarpée, vers la porte d'un paradis qui nous paraissait si haut perché ![172] »

Tout petit, monsieur le Curé le conduisait au cimetière avec les autres enfants. Son culte des âmes du Purgatoire date-t-il de ces instants ? ou est-ce simplement un héritage reçu à la maison ? Il avoue avoir beaucoup aimé lire et comparer les inscriptions sur les tombes. *Les Rapaillages* renvoie, en outre, au temps où marchant au catéchisme, initiation catéchétique de l'époque, il allait examiner la vieille croix du rang des Chenaux ou encore feuilleter tel vieux livre de messe laissé sur la table.

Chaque fois qu'il se rappelle la vie chrétienne de tous ces gens, ancêtres et contemporains, il n'a que des éloges pour cette religion colorée de tant de générosité dans les gestes et les paroles :

> Leur foi et leur grand sens moral se révéleront à nous par des paroles qui avaient l'air de rien, à de menus faits qui font plutôt sourire, mais qu'on dirait empruntés à je ne sais quelle légende dorée de création paysanne. Et remarquez bien que ces vieux sont loin, très loin de l'église : l'hiver, les neiges les emprisonnent. Mais l'esprit du Bon Dieu, qui souffle où il veut, a développé une foi vraiment étonnante en ces simples gens à l'âme claire comme le miroir de leur lac[173].

Au collège de Valleyfield, la piété populaire est vivante. C'est ainsi, par exemple, que « ... avant d'aller passer leur récréation au dehors, les élèves, du moins en ce temps-là, se tournent vers un crucifix appendu au mur, et chantent trois invocations au Sacré Cœur, à la Sainte Vierge ou à quelque saint marquant »[174]. Il y accomplit d'autres rites encore : confessions, communions, retraites, neuvaines, etc.

---

172. *Ibid.*, tome 1, p. 35.
173. *Les Rapaillages*, p. 41.
174. *Mes Mémoires*, tome 1, p. 86.

Comment est-il devenu prêtre ?

Je suis né de parents chrétiens, gens de la campagne et de la terre, pour qui l'appel au sacerdoce restait la suprême ambition familiale. Élève des Frères, enfant de chœur, tout jeune j'ai joué, comme tant d'autres, l'Eliacin. J'ai célébré, en rites divers, je ne sais combien de messes enfantines : messes basses ou chantées où entraient, je le crains, autant de jeu que de piété. J'ai fait ma première communion à huit ans. Le grand acte m'a profondément ému, sans m'apporter l'appel suprême et coutumier. C'est à l'âge de dix ou onze ans que se présenta à moi, de façon expresse, l'idée de la vocation, et par un motif fort peu surnaturel. Je désirais grandement poursuivre mes études, être de ceux qui s'en allaient vers ce que l'on appelait alors, à notre école, le « grand collège »... Or, un jour, à l'école, la leçon de catéchisme portait sur le vœu ; le Frère nous en avait exprimé la nature, et surtout la puissance d'impétration. La classe finie, ma résolution bien en tête, je me dirige vers l'église ; j'avance jusqu'à la balustrade ; et là, face au tabernacle, je fais gravement le vœu de me faire prêtre, si le Bon Dieu m'accorde d'aller au « grand collège » [175].

Sa conclusion est d'une franchise à toute épreuve : « Geste candide. Intention qui manquait sûrement de pureté [176] ».

Le 28 juin 1903, il est ordonné prêtre. Il faudra des épreuves, des crises, un « grave épisode » pour que le premier choix devienne une vraie acceptation d'adulte. Mais depuis, « jamais plus, sur ce point de la vocation, le moindre doute ne viendra m'effleurer [177]. »

Prêtre, il oriente son ministère vers les jeunes et les adolescents. Il lit, relit les *Lettres* de Lacordaire et de Perreyve à des jeunes gens, si célèbres à l'époque [178], il enseigne la religion du devoir bien fait, il croit à la prière, il multiplie les visites au tabernacle, mais il sait que la foi est avant tout un don : « Demandez-la à Dieu, chaque jour, et vous l'aurez. »

Ces jeunes sont généreux ; il faut les aider parfois à ne pas devenir trop ascètes. Plusieurs sont en crise de puberté. Freud n'est pas encore passé. L'heure est aux techniques plutôt spiritualistes : savoir se mortifier, se posséder, observer le règlement, communier, faire des sacrifices, prier la Sainte Vierge, son ange gardien. Et « que je meure plutôt que de faire un péché ! [179] »

---

175. *Ibid.*, tome 1, p. 67-68.
176. *Ibid.*, tome 1, p. 68.
177. *Ibid.*, tome 1, p. 71.
178. *Ibid.*, tome 1, p. 101.
179. *Ibid.*, p. 180.

Autres temps, autres mœurs. Toutefois les angoisses, les problèmes restent semblables et les solutions concrètes demeurent moins faciles que les mots :

> Et je dis, après maintes expériences, qu'il est facile de gagner un collégien, enfant, adolescent ou jeune homme, à cet ascétisme. Ils se laissent prendre à l'espoir de se débarrasser de l'instinct, de leurs caprices, de dompter leur tempérament, de conquérir ainsi leur liberté, de se donner une personnalité bien à eux, de trancher sur la grisaille de leur entourage. Et quand, à ces motifs d'ordre naturel, l'on ajoute les motifs plus élevés de la vie surnaturelle : faire plaisir au bon Dieu, d'abord faire sa volonté divine, développer en soi les germes de son baptême, laisser s'accomplir les sublimes métamorphoses de la grâce ; pour Dieu toujours, parvenir à la virilité spirituelle, vivre par là une vie d'apôtre, offrir ses petits sacrifices pour des camarades qui en ont besoin, pour relever le milieu moral autour de soi, gagner des âmes à Jésus-Christ, se mêler intimement à la grande vie de l'Église universelle, — on peut et on doit aller jusque-là, — je soutiens qu'une âme d'enfant bien faite mord avec facilité, avec joie, à ces vastes perspectives, pour peu qu'on sache monnayer ces grandes vérités selon la réceptivité de chacun. On verra même ces enfants ou adolescents s'enflammer d'ardeur sacrée. Et j'écris ce mot, au souvenir de ce que j'ai pu constater tant de fois. À ces moyens d'ordre naturel et surnaturel, j'en ajoutais un autre qui m'a toujours paru d'une extra-ordinaire efficacité : la lecture de livres de caractère moral ou spirituel : vies de saints, vies des grands catholiques, lettres, journaux intimes de ces personnages. Pour combattre l'influence d'un milieu trop souvent médiocre, rien ne vaut, à mon sens, comme de jeter le collégien dans la compagnie des grandes âmes. Ensemble, quelques confrères, nous nous étions composé une bibliothèque de ces sortes de livres. Il y en avait pour tous les âges. Nous les faisions lire. Je priais mes dirigés d'en lire un au moins par mois, sans préjudice bien entendu, à leurs autres lectures commandées par leurs études. Moyen à ne pas dédaigner. Maintes fois, je constatai qu'un enfant normal ne résiste pas à cette influence souveraine des grandes amitiés. Après deux ans, trois ans de vie en ces compagnies de choix, l'âme est retournée, gagnée à une noblesse de sentiment et de pensée qui ne la quittera plus [180].

Prêtre durant soixante-quatre ans, il connaît toutes les formes extérieures de la religion traditionnelle et celles de l'après-Concile. Il aime fréquenter les presbytères où l'on discute fort. Ses amitiés sacerdotales ne se comptent pas. Son curé idéal est encore celui qui est fidèle à son assignation, assidu au confessionnal, capable de prier avec les siens et de les accompagner jusqu'à la mort [181].

---

180. *Mes Mémoires*, tome 1, p. 100-101.
181. *V.g.* tome 1, p. 273-291.

Je cherche un miracle

Il s'émerveille sans toujours évaluer sa piété. Ardent, sincère, passionné, cela ne l'empêche pas d'avoir des distractions émouvantes quand, voyageant à l'étranger, il entend, par exemple, prier en français : quel triomphe pour sa foi [182] !

Pour les sceptiques des années 1970, il est presque gênant de constater que ce grand intellectuel racé et cultivé promet de faire un pèlerinage à Sainte-Anne-de-Beaupré [183] ; qu'il attribue aux anges la neige des funérailles de son grand ami l'abbé Hébert, « un miraculé de Sainte-Anne-de-Beaupré [184] ». Au moindre rite vécu où il sent la piété populaire, il s'émeut, il veut voir, dit-il, des miracles. À Rome, devant Pie X, sa joie est sans pareille. À Assise, évidemment, il est charmé. À Lourdes, il participe à tout ; les récits qu'il nous laisse sont pittoresques, épiques, presque naïfs, d'une foi sans limite. Qui sait tout ce qu'on peut espérer quand on s'appuie sur une foi spirituelle profonde ?

... Je prends part aux processions aux flambeaux, le soir, à celles du Saint-Sacrement devant les malades alignés. C'est que je cherche un miracle, un seul, un petit, si petit soit-il. Je me baigne aux piscines, dans l'eau glacée venue de dessous terre. Pas de jour que je n'adresse à la Sainte Vierge cette prière qui ressemble assez, hélas, à celle des scribes de l'Évangile, demandant un signe au Christ : « Bonne Mère, je viens de loin, je ne puis venir souvent à Lourdes ; faites-moi voir un miracle, afin que s'augmente ma foi. » Les miracles, il s'en accomplit presque tous les jours en ce lieu. Je le constate par le journal de la Grotte. Mais, à ces miracles, comment assister, s'y trouver présent ?... Comment se trouver là au bon moment ? La veille de mon départ, je désespère tout de bon de voir ma prière exaucée. Je reviens de dire ma messe à la grotte. Près des robinets qui distribuent aux pèlerins l'eau miraculeuse, j'emplis, comme de coutume, la petite gourde empaillée que je me passe en bandoulière sur l'épaule. Et je m'arrête près des piscines : celles des hommes. Pour le pèlerinage de ce jour-là, c'est l'heure du bain des malades. L'opération s'achève. À l'intérieur de l'enclos ceinturé d'une haute clôture de fer, un prêtre de mine campagnarde, face à ses pèlerins hors de la clôture, récite avec eux le chapelet, ponctuant le début des dizaines par les oraisons coutumières : « Jésus, guérissez nos malades ; faites marcher nos infirmes, nos boîteux... » Les malades sortent l'un après l'autre des piscines, les uns pacifiés, quoique non guéris ; les autres avec une infinie lassitude dans le regard. Près de l'endroit où je me trouve, un dernier malade attend son tour. De teint et de chevelure fortement bronzés, l'homme, un homme visiblement du Midi, peut avoir quarante ans. Il a eu, à ce qu'il semble, le pied écrabouillé en quelque accident. Il se tient debout sur ses béquilles,

---

182. *V.g.* tome 3, p. 159.

183. *V.g.* tome 1, p. 169.

184. *Mes Mémoires*, tome 1, p. 175 ; 286.

son pied malade enveloppé d'un large paquet de mauvaise étoffe. Homme de foi, le long de sa béquille de droite, j'aperçois qu'il porte, attachée à son poignet, sa chaussure. Près de lui, sa femme et une fillette d'une douzaine d'années, de pauvres gens, pauvrement habillés. Son tour venu, l'homme entre dans la piscine. La femme, la fillette éclatent en sanglots. À l'intérieur de la clôture de fer, la voix du prêtre continue le chapelet et domine tout. Moins de cinq minutes s'écoulent. La porte de la piscine s'ouvre. Un homme apparaît, d'une pâleur mortelle, les yeux hagards, éblouis, semble-t-il, par quelque secrète lumière. Mais il est là, sans béquilles, son pied malade chaussé. La stupeur saisit la petite foule. La foudre tombée sur elle ne l'eût pas davantage atterrée. Le curé en a la voix coupée, les pèlerins de même. Secondes d'émotion haletante. Souffle du surnaturel qui passe. Le fantôme blanc de la Vierge de Massabielle flotte dans l'air... Figé sur place, aussi troublé que les pèlerins, je les regarde s'en aller vers la Grotte. Un cantique de gratitude et d'action de grâces monte du fond de mon âme. J'avais mon miracle. La Sainte Vierge avait exaucé le pèlerin qui venait de loin. Et elle ne l'avait pas exaucé à moitié [185].

Tout cela, Groulx le retranscrit en 1960, et pourtant l'événement remonte à cinquante ans plus tôt. La même flamme intérieure, la même foi vivante et tenace lui fera dire, en toute simplicité, son dernier *Pater* en français le 23 mai au matin, quelques secondes avant de mourir [186].

Une dévotion pour toute épreuve et à toute épreuve

Il faudrait un jour étudier sa dévotion, son culte ultra-sentimental pour sa petite sainte à qui il consacre, dès 1929, un opuscule de quarante-deux pages, intitulé : *Sainte Thérèse de Lisieux, une grande vie* (Montréal, Imprimerie du Messager).

Sa confiance et sa gratitude pour cette élue prennent différents visages. Le 3 janvier 1931, pour ne donner qu'un exemple, invité à la Sorbonne pour quelques cours d'histoire du Canada et pris à l'improviste, il écrit pour rassurer sa mère : « En tout cas, soyez tranquille : mon bon ange et la Petite Thérèse se sont engagés à prendre soin de moi. J'ai dans ma poche la relique de la Petite Thérèse. Et si elle veut que j'aille à Lisieux, il faut bien qu'elle me transporte de l'autre côté de l'eau [187]. »

Le chanoine avoue avoir une « dévotion d'une grande ferveur, et même, oserais-je dire, une sorte d'amitié fraternelle » pour la jeune carmélite normande, sa contemporaine, morte à vingt-cinq ans en 1897. Au retour d'un pèlerinage à Lisieux en 1931, il a son reliquaire :

---

185. *Mes Mémoires*, tome 1, p. 128-129-130.
186. Cf. J. LALONDE-RÉMILLARD, *L'Action nationale*, 57, 10 (1968) : 874.
187. *Mes Mémoires*, tome 3, p. 59.

« Depuis, les précieuses reliques ne m'ont jamais quitté. Le matin je ne sors pas de ma chambre que je ne les aie là sur ma poitrine, sous ma soutane. Chez moi, en voyage, partout la Petite Thérèse m'accompagne. Un jour je l'oublie à Vaudreuil. Je fais un voyage exprès de Montréal pour l'aller chercher [188]. »

À sainte Thérèse de l'Enfant-Jésus, il consacre aussi ses grands voyages. Dans *Mes Mémoires*, il rédige sur elle dix pages à la suite [189]. Il lui doit tout, dira-t-il : la guérison d'un neveu, son succès à Paris, un logement pour sa mère, des rencontres presque miraculeuses, le soulagement de ses amis très chers, dont Esdras Minville.

En provenance de Lisieux, il rentre à Paris en 1931. Il écrit ses impressions à son ami Omer Héroux qui les publie dans *Le Devoir* : « J'ai mis tout mon cœur, toute ma ferveur de pèlerin en l'un des lieux du monde qui me sont le plus chers [190]. »

Il ne prise pas tout à Lisieux. La châsse « un peu parée peut-être » l'étonne. La chapelle du Carmel (restaurée depuis) est d'un goût plutôt discutable ; il essaie cependant de comprendre la piété des humbles [191]. Heureusement, il y a les Buissonnets, la maison familiale, intouchable, et le petit parc derrière : il s'y laisse à souhait « mélancoliser par la nostalgie des choses divines [192] », songeant à sa Thérèse Martin qui continue à attirer les foules, alors que tant de grands hommes, une fois morts, sont si vite oubliés.

Venons-en à l'aveu *unique*. Pourtant il n'est pas du style aux confidences trop intimes. Par pudeur, si on excepte son journal et les notes inédites de ses carnets personnels, il parle rarement de sa vie *mystique*. Mais il lui est arrivé à Lisieux un fait qu'il n'est pas près d'oublier. Vingt-sept ans sont passés, à quatre-vingts ans encore il se rappelle :

> ... Par bonheur je me trouvai de passage à Lisieux un jour où les pèlerins affluaient peu. J'ai pu prier et méditer dans la chapelle sans être troublé par une foule. Dois-je le rappeler ? Une émotion profonde, intense, me saisit lorsque après quelques pas, j'aperçus, au-delà de la grille, si proche de moi, dans sa châsse, la petite Sainte. Était-ce pur saisissement nerveux ? Je me sentis secoué, bouleversé intérieurement, mais sans rien de violent, comme si par quelque fluide merveilleux, la Petite Thérèse eût

---

188. *Ibid.*, tome 3, p. 82.
189. *Ibid.*, tome 3, p. 75–85.
190. *Ibid.*, tome 3, p. 78.
191. *Ibid.*, tome 3, p. 79.
192. *Ibid.*, tome 3, p. 80.

voulu me faire sentir sa présence. Je dus m'asseoir et rester là quelque temps à pacifier mon émoi...[193].

Une, deux conclusions ?

Ces faits et ces textes suffisent, nous l'espérons, pour laisser entrevoir à notre lecteur comment Lionel Groulx, épris d'idéal et de ce qu'il y a de mieux pour son «petit peuple», fut en même temps profondément religieux et jusqu'au bout des ongles. Mais, il n'aurait pu croire autant à son Dieu et à ses saints, s'il n'avait cru autant à son pays. Tels les grands prophètes d'Israël pour qui l'expérience de Dieu et de l'Alliance est passée par la médiation des cultes domestiques et par la libération de la terre sainte.

Il nous arrive, à nous, de parler du catholicisme comme d'une dimension possible de notre culture «nationale»; lui, il aura pensé jusqu'à la fin que le sacré est l'enveloppe de la culture plutôt qu'une de ses caractéristiques. Aussi, dès que la foi de ses pères, la sienne, paraît mise en question et qu'elle est malmenée par la critique, il interpelle, attaque au nom du «mariage» providentiel de la foi catholique traditionnelle et de la culture française. «Ce que Dieu a uni, mes frères, ne le séparez point.» Puisque cette *synthèse* nous rend si uniques, pour ne pas dire si nécessaires en Amérique du Nord, il ne veut pas qu'elle soit détruite. Aucune autre petite nation n'a réalisé une telle fusion dont chacune des composantes, laissée à elle-même, n'aurait sûrement pas réussi un tel exploit[194].

Oubliait-il, un peu malgré lui et à cause de l'éducation de son enfance, que la culture profane appelle le sacré et qu'elle peut lui préparer un terrain noble tout autant qu'une religion populaire traditionnelle? Il se contredira en demandant, d'une part, la révision de nos attitudes de croyants catholiques — c'est l'article de *Notre Temps* — et en refusant, par ailleurs, surtout dans les *Chemins de l'avenir*, la sécularisation de nos structures cléricales. Admirons davantage qu'il ait unifié en lui, par sa vaste culture et sa foi, les raisons du devoir patriotique et les croyances religieuses les plus diversifiées, allant des grands dogmes catholiques, dont il aime l'architecture intellectuelle[195], aux petites dévotions personnelles les plus secrètes.

---

193. *Mes Mémoires*, tome 3, p. 82-83.

194. *V.g. Chemins de l'avenir*, p. 105–107.

195. Une autre thèse possible : *Lionel Groulx théologien*, en suivant de près l'itinéraire ouvert par J. GENEST, (*L'Action nationale*, 57) avec les précisions de *l'Œuvre du Chanoine Lionel Groulx*, Montréal, 1964, Publications de l'Académie canadienne-française, 197p.

Croix de chemin, Sainte-Geneviève-de-Pierrefonds, photo de Lucille Côté, s.s.a.

À la fin de sa vie, cherchant à deviner, non sans appréhension, les axes de la culture nouvelle, il lit et annote un livre de Bernard Rey sur une vie cosmique renouvelée [196] et pourtant, aussitôt après, il peut descendre l'avenue Bloomfield en disant son chapelet.

Tel est le chanoine Groulx parmi nous. Cet homme si instruit, l'un des esprits les plus puissants du Canada français, serait-il simplement, et à son insu, demeuré le petit Lionel des Chenaux qui, à quatre-vingts ans, s'émeut au souvenir de sa grand-mère, mais tout de suite peut se battre pour les siens qui, comme son père, doivent souvent s'exiler pour gagner le pain?

Quand, dans son *testament* [197] et après s'être à juste titre honoré d'avoir « vécu passionnément pour son petit pays et son petit peuple qui, parce que catholiques, m'ont toujours paru la grande entité spirituelle en Amérique du Nord », il souhaite que sa mort soit sa « dernière messe de prêtre », il fait, une fois encore sur sa terre bien-aimée de Vaudreuil, le double vœu auquel il n'a jamais failli : donner sa vie, toute sa vie, à son premier confident, le Christ Jésus, et à ses meilleurs amis, les gens de son pays.

F. Une civilisation marquée par le christianisme [198]

S'agit-il présentement au Québec *catholique* d'une rupture ou d'une continuité, d'une évolution ou d'une révolution? Peut-on parler aussi d'une contre-culture religieuse? Issue de la vieille civilisation

---

196. Cf. Bernard REY, *Créés dans le Christ Jésus. La création nouvelle selon saint Paul*, Paris, Éd. du Cerf, 1966. Annoté jusqu'à la page 19; derniers mots soulignés : *les grands axes... de la création nouvelle.*

197. Cf. *Mes Mémoires*, tome 4, p. 320-321, « Mais qu'importe ! La mort, le Bon Dieu me fait cette grâce de n'en éprouver nulle peur excessive. Je crois, je crois, je crois, presque impudemment, dirais-je, au Dieu des miséricordes infinies. Souvent, en ces dernières années, j'ai fait cette prière ou cette offrande : "Prenez-moi, Seigneur, quand vous voudrez, comme vous voudrez. Je ne vous demande qu'une grâce : celle d'un moment pour me retrouver et vous retrouver dans un dernier acte de contrition et d'amour. Oui, j'espère en celui qui s'appelle si souvent, en ses Écritures, *Pater misericordiarum* ! J'espère en lui parce que tous les matins à la messe, il se plaît à nous le rappeler : il veut être *non aestimator meriti, sed veniae*". » Voir aussi, tome 4, p. 355.

198. Plus directement reliés à l'objet de cet essai : Nive VOISINE, *Histoire de l'Église catholique au Québec 1608–1970*, Montréal, Fides, 1971, p. 95–110; Denis MONIÈRE et André VACHET, *Les idéologies au Québec*,

européenne, la civilisation québécoise ne sera ni la première ni la dernière à se référer au christianisme pour s'identifier. Qu'on pense aux écrits de Malraux, de Camus, de Freud même. Tout l'Occident vit une crise de la conscience *religieuse* et s'interroge plus qu'il ne l'avoue sur la valeur des idéaux traditionnels.

Les questions qui se posent aux Québécois, canadiens-français, sont essentielles : le lien historique, et comme tel irréfutable, entre leurs origines catholiques et l'Église désarmée des dernières années, oblige-t-il l'avenir ? Les mêmes Québécois sont-ils tellement marqués par la religion catholique que jamais plus ils ne pourront s'expliquer ou même survivre sans elle, du moins sans se reporter à ces points de repère ?

Si, justement, nous entendons dans cet essai les mots tels que l'usage les impose, il est bon que nous nous arrêtions sur les problèmes qui rappellent notre passé autant qu'ils interrogent notre avenir collectif. Sachons, cependant, que tout ce qui a trait à l'explication d'une religion en profondeur « est empreint, Freud le dit, d'un caractère grandiose que toutes nos explications ne suffisent pas à éclairer ». Les religions ont déjà forgé des civilisations, préservé des durées, nourri des espoirs, mais elles ont aussi accompagné des décadences. Dire et répéter que la religion est *opium du peuple* ou *ferment de civilisation* ajoute peu à ce qui se vit présentement dans notre milieu. Jusqu'à quel point, en effet, cette vie catholique, individuelle et collective, est-elle engagée dans un processus d'intégration ou de désintégration ? Comment et pourquoi une contre-culture serait-elle possible au sein même de la religion traditionnelle des Québécois ? Quel prix payer encore, ou ne pas payer, pour que la religion soit, ou ne soit pas, à sa manière, instrument de libération personnelle de l'homme d'ici ? À moins qu'il ne compose avec les temps nouveaux pour *spiritualiser* la civilisation industrielle, le catholicisme risque de n'être socialement et pour longtemps qu'une religion de décor.

Montréal, Gouvernement du Québec, 1976, 156p. ; Jean-Paul MONTMINY et Stewart CRYSDALE, *La religion au Canada : bibliographie annotée des travaux en sciences humaines des religions (1945-1970)*, coll. « Histoire et sociologie de la culture », n° 8, Québec et Downsview, Ont., Les Presses de l'Université Laval et York University, 1974, p. 10–73 ; A. LATREILLE, « Pratique, piété et foi populaire dans la France moderne aux XIXe et XXe siècles », dans *Popular Belief and Practice*, G.J. CUMING and D. BAKER, dir., Cambridge Univ. Press, 1972, p. 277–290.

1

a. Croisade et colonisation

Récapitulons l'histoire de cette civilisation marquée par un christianisme médiéval devenu peu à peu missionnaire et colonisateur. La religion catholique et romaine des Canadiens français est, à partir du XVIIIᵉ siècle et jusqu'au milieu du XXᵉ siècle, essentiellement traditionnelle et populaire [199]. Ce qu'elle était d'ailleurs en arrivant au pays. Venus de Normandie, du Perche, du Poitou, la majorité de nos ancêtres transmettent tels quels les rites et les croyances de leurs parents nés pour la plupart en France médiévale. Une interprétation plus livresque voudrait qu'ici au Québec, comme en Europe, tout dépende du Concile de Trente qui aurait discipliné le « christianisme sauvage du Moyen Âge » : c'est ignorer le folklore canadien-français, la continuité historique qui l'appuie et les conditions concrètes dans lesquelles le catholicisme québécois est né, lui qui a boudé tour à tour, dans sa mentalité et ses réflexes, la réforme anglo-protestante de ses vainqueurs et la Révolution française. Celle-ci, on s'en doute, était devenue d'autant plus inacceptable à une population largement analphabète qu'elle avait la réputation de tuer les rois et les prêtres.

b. Une religion coutumière

À partir de 1760, à cause des événements que l'on sait, la religion catholique locale, en situation forcée de repli, se fait de plus en plus traditionnaliste. Les élites et les militaires retournent en France. Filtrés par un clergé peu instruit, défiant et rigoriste [200], les rapports culturels avec la patrie vaincue deviennent occasionnels.

Même sans véritable base théologique, la religion des Canadiens français sera un facteur étonnant de conservation et de survie pour la minorité encerclée. Orale et rurale, dépendante de la parole de ses prêtres, caractérisée par le recours au merveilleux et la médiation des saints, amie des rites reçus, cette religion coutumière a provoqué des initiatives dans tous les domaines du défrichage, fussent-ils politique et culturel. Catholicisme généreux, cohérent, structuré, mais inachevé.

---

199. Cf. *Religion populaire des Québécois*, Montréal, Institut de pastorale, 2715, Côte-Sainte-Catherine, 1977, 160p. Il s'agit en l'occurrence du numéro 96 de *Communauté chrétienne*, dans lequel se trouve le plan des premiers colloques consacrés à la religion traditionnelle des Québécois.

200. Consulter à ce sujet les travaux de Claude GALARNEAU de l'Université Laval : *Dictionnaire pratique des auteurs québécois*, Montréal, Fides, 1976, p. 269–271.

c. Un abus de pouvoir ?

Omniprésent, omnipuissant, le clergé est à l'origine d'œuvres de toute espèce, allant du théâtre paroissial au syndicalisme ouvrier urbain. Mais, à quelques exceptions près, les prêtres, les religieux ne réussissent pas, faute de temps et d'argent, à se donner une élite de penseurs, de savants et de mystiques comme il s'en trouve à l'époque dans la mère patrie où la culture est prodigieuse à tous égards. Le fait de dominer tout le secteur de l'éducation, du primaire à l'universitaire, devient une surcharge. Par la force des choses, les clercs vont au plus urgent et ils vont trop vite ; ils construisent « en grand », même quand la conjoncture économique et politique ne les favorise guère. Pourtant, au même moment, le Québec devient l'un des premiers pays missionnaires du monde et il remplit, dans les coins les plus reculés du globe, un rôle exemplaire dans l'instruction et l'éducation des masses [201]. La qualité de son action apostolique à l'étranger dépasse souvent celle de ses réalisations locales sans cesse soumises à des difficultés internes et à des rivalités de clocher.

d. Crise de structures ?

Quant au peuple, profondément croyant, il s'accommode, sous la tutelle de ses curés, de toutes sortes d'obéissances subtiles et entêtées. Son catholicisme uniforme donne l'image d'une grande ferveur et d'une foi héroïque. Mais la nouvelle culture urbaine, discursive et critique, va-t-elle accepter ou mettre en doute, jusque dans ses supports les plus naturels, le meilleur de l'héritage ? La crise préparée par l'industrialisation du début du XXᵉ siècle et par la contre-culture des années 1950–1960 produira-t-elle une désintégration ? ou une réévaluation ? Telle est la question qui se pose à l'historiographie québécoise encore trop limitée dans le temps pour se permettre des conclusions autres que des jugements provisoires.

2

L'originalité de la contre-culture au Québec [202] tient d'abord à ses origines cléricales comme à sa façon de se créer une élite laïque, quand

201. Cf. Lionel GROULX, *Le Canada français missionnaire : une autre grande aventure*, coll. « Fleur de lys », Montréal et Paris, Fides, 1962, 532p.

202. Contre-culture ou nouvelle culture ? Cf. Ghislaine HOULE et Jacques LAFONTAINE, *Écrivains québécois de nouvelle culture*, Montréal, Bibliothèque nationale du Québec, 1975, 137p. Il est significatif que ni le fait religieux, ni le fait québécois marxiste ne trouvent place dans ce palmarès néo-américain de notre vie littéraire de la dernière décade.

il s'agit de donner au « peuple de Dieu » l'initiative de ses actes et de ses motivations. N'oublions pas que la crise éclate surtout durant les années 60, alors que le catholicisme est marqué par un Concile (1962–1965) dont les options ressemblent étrangement à celles de la Révolution tranquille. Notre premier ministère de l'Éducation est voté au moment où le pape Jean XXIII, ouvrant les portes du Vatican, appelle l'Église romaine à de nouveaux dialogues et invite chaque croyant à un plus grand respect des consciences.

a. Contre-culture québécoise d'origine cléricale

Commençons par Lionel Groulx (+1967). L'article qui paraît dans *Notre Temps*, le 21 juin 1947[203], est d'une franchise à toute épreuve : la foi collective du «petit peuple» ne suffit pas; l'héritage doit se transformer en projets; de nouvelles élites sont nécessaires; l'intelligence doit remplacer la loi et il faut d'autres manières de vivre la foi catholique. Le texte est capital et, tel quel, prophétique; il est plus prophétique en tout cas que le *Refus global* de 1948[204], texte trop élitiste pour avoir un écho auprès des croyants davantage remués par le départ mystérieux de monseigneur Charbonneau, en 1950.

Un second texte à retenir, vrai modèle de contre-culture populaire et représentatif du Québécois ordinaire, s'intitulera *les Insolences du Frère Untel*. Tout est là : le ton, l'humour, la rage, la finesse. Succès immédiat. Avant de devenir un livre aux Éditions de l'Homme en 1960, les propos des *Insolences du Frère Untel* paraissaient d'abord, en partie, sous forme d'articles dans *Le Devoir*. Au moment où intervient Jean-Paul Desbiens, c'est son nom et il est frère mariste, les idéologies éclatent[205]. *La Relève*, la J.E.C., *Cité libre*, le M.L.F. et même *Parti pris* abordent, chacun à leur manière et selon la sensibilité bouillante du milieu, la question religieuse. Phénomène multiple. Contre-culture d'élite laïque cette fois, avec des voies nouvelles de libération. Mais, personne n'ébranle autant le peuple que Jean-Paul Desbiens qui, en s'attaquant à l'éducation catholique, touche à l'intouchable. Il suffit de comparer *les Insolences...* aux écrits de Jean

---

203. Cf. « Lionel Groulx et ses croyances », dans *Hommage à Lionel Groulx*, Maurice FILION, dir., Montréal, Leméac, janv. 1978, p. 95–118.

204. Au moment de sa parution, le *Refus global* reste, en effet, pour la majorité des croyants, un acte isolé, celui d'un grand artiste en crise. Peu perçoivent la symbolique que voile l'aventure surréaliste (Robert ÉLIE, *Borduas*, Montréal, l'Arbre, 1943, 24p. et le *Borduas* de Guy ROBERT, Montréal, Les Presses de l'Université du Québec, 1972, 340p.).

205. Cf. André J. BÉLANGER, *Ruptures et constantes...*, coll. « Sciences de l'homme et humanisme », n° 8, Montréal, Hurtubise HMH, c1977, 279p.

Le Moyne, le plus autorisé des critiques laïques chrétiens de l'époque, pour constater comment ce dernier mêle à ses propos aristocratiques jusque dans le style une dignité souveraine qui contraste avec la langue « québécoise » du frère Untel. Le même frère Untel, lui, aura réussi à traduire en un langage amusé mais correct ce qui se dit dans la rue, à la ville, au village, dans le rang, partout où se joue le sort de l'éducation.

Quelques mois passent et une revue dirigée par des clercs, mais indépendante et libre de toute idéologie importée, poursuit le débat. *Maintenant* (1962–1974) entend rejoindre la jeune élite laïque qui doute, le clergé traditionnel qui sursaute, le peuple qui veut du neuf et les autres qui sont prêts à tout risquer pour sortir l'éducation religieuse de l'anticléricalisme des temps modernes. La religion doit désormais faire face à une critique ouverte, ferme, continue, sans ménagement, qui s'attaque à la société close canadienne-française. Chacun y dit, y pense ce qu'il veut... et ce qu'il peut.

b. Fin du catholicisme « naïf » ?

Un autre fait de la contre-culture religieuse populaire québécoise est le rejet brutal d'un certain catholicisme « naïf ». Le peuple québécois adopte mal la nouvelle manière de penser et de dire sa religion. Après un moment d'hésitation, il prend ses distances. Pourtant il aime qu'on lui parle de Dieu[206] en français, qu'on le ramène aux Évangiles ; cependant il prise peu, en général, le message de ses diplômés en liturgie sacrée qui, tout à coup, lui enlèvent ses statues, ses autels, son culte marial, ses dévotions et ses saints. La dernière intervention du pouvoir clérical au Québec se solde par un échec public. Non que le peuple cesse d'être religieux : il deviendra même plus superstitieux en quittant la pratique dominicale. Certains trouveront des cultes parallèles ; d'autres se joindront à des mouvements spiritualistes venus de l'Amérique anglophone, tel le mouvement charismatique. Les traditionnalistes se regrouperont mais sans réussir à s'imposer. La *question religieuse* restera encore longtemps au centre de notre univers culturel, irrémédiablement marqués que nous sommes par ce christianisme français et médiéval.

---

206. Cf. B. LACROIX, « Le Dieu merveilleux des Québécois », dans *Le merveilleux : deuxième colloque sur les religions populaires, 1971,* Fernand DUMONT, Jean-Paul MONTMINY et Michel STEIN, dir., coll. « Histoire et sociologie de la culture », n° 4 (Québec, Les Presses de l'Université Laval, 1973) : p. 67–80 : « Dieu dans la religion populaire franco-québécoise : sondages et perspectives », *Communauté chrétienne*, 10, 58-59 (juill.–oct. 1971) : 236–247.

c. Un peuple entêté

Au moment où nous écrivons ces lignes, le Québécois est surtout préoccupé de confort et de sécurités matérielles immédiates. Il n'est pas porté à endosser l'athéisme militant de ses mini-élites ni prédisposé à des luttes de classe « à l'européenne ». Il accepte difficilement que soient mis en doute, même sous prétexte de libération, le courage et la foi de ses ancêtres catholiques, sans pour autant suivre la religion formaliste de ses parents. Bref, le même Québécois, toujours peu enclin à suivre ses élites, préfère les messages plus réconfortants de ses poètes-chansonniers qui l'invitent à rêver au passé et à relever les défis du pays à bâtir.

« Petit peuple » sans idéologie, généreux pourtant, le peuple québécois se défie de nouveaux engagements, fussent-ils religieux, qui dérangeraient des modes de vie assez conservateurs malgré les apparences.

3

Pour s'épanouir, le catholicisme québécois devra s'inspirer d'objectifs plus positifs que ceux de la simple contre-culture. L'âme de notre peuple est prête, en effet, à recevoir des invitations libératrices qui lui parlent de fraternité, de partage et d'amour accompli. Autant les gens ne veulent plus d'une religion subie à la manière des anciens, autant ils laissent percevoir quelques lignes essentielles de leur nouvelle culture religieuse, par exemple les ministères des laïcs et le partage des tâches dans l'Église. Énumérons, sans vouloir ou sans pouvoir tout de suite les ranger qualitativement, quelques réalisations de notre *révolution tranquille*.

a. Une Église désarmée

Le premier aspect à noter est sans contredit la disparition du pouvoir clérical. Processus bien engagé, mais il faudra toujours veiller sur les clercs trop vite libérés. Pour le moment, l'Église du Québec a largement et loyalement payé la note : les paroisses sont remises aux Fabriques, les hôpitaux et la plupart des maisons d'éducation ont des structures presque complètement séculières pour ne pas dire davantage ; l'enseignement privé demeure le fait d'une minorité suffisamment persécutée pour ne pas abuser de sa situation. L'étonnant en tout cela est de constater la facilité avec laquelle le peuple a accepté la laïcisation de ses institutions et même celle de ses maîtres, prêtres et religieux :

comme s'il allait de soi que cette puissance cléricale serait un jour dissoute. L'humilité et la pauvreté des moyens serviront mieux l'Église que le prestige, l'éclat et surtout le pouvoir.

b. Des consciences réveillées

L'avenir d'une religion dépend en large part de l'éveil de l'intelligence et des consciences. De ce point de vue, la libération des consciences catholiques des Québécois fut d'une rapidité inattendue. On est allé au bord de la révolte ouverte. Face aux croyances et aux conduites proposées par l'Église catholique, le peuple cesse de pratiquer plutôt que de risquer de nouveaux harcèlements. À propos de la régulation des naissances par exemple, ni pape, ni curé, ni vicaire, ni parents ne sont maintenant rois et maîtres des foyers chrétiens. Éveillées jusqu'à l'excitation, les consciences s'interrogent [207] et capitulent. La culpabilité cède à la pression sociale. À tort ou à raison l'opinion publique impose ses critères. La liberté y gagne-t-elle ? Plus d'anathèmes en tout cas, plus de sanctions, plus de condamnations. Le message catholique est énoncé ; au peuple de l'interpréter. Mais, aussi longtemps que la conscience individuelle ne prendra pas l'initiative de soumettre les requêtes légitimes de sa propre autonomie à d'autres normes qu'à celles de l'opinion des autres, l'équilibre des conduites chrétiennes risque de ne pas être atteint.

c. Foi reçue, foi pensée, foi choisie

Constatons, d'autre part, la naissance d'une élite catholique d'hommes et de femmes, universaliste, œcuménique et libérale dans ses propos. Le clergé se dit prêt à servir la population ; les évêques sont devenus des pasteurs soucieux de l'Évangile plutôt que de la loi. Les croyants veulent de plus en plus une adhésion personnalisée avant toute forme de culte extérieur ; le baptême et la vie sacramentelle sont soumis à cette première liberté de choix. L'éducation permanente et la connaissance active de la Parole de Dieu font de la « nouvelle » religion catholique au Québec le lieu d'un *devenir* plutôt qu'un *état* traditionnel de pratiquants hebdomadaires. Peuple moins pratiquant, mais plus croyant ? Au moins la foi apparaît comme une grâce, un don, un choix.

d. Fêtes cosmiques, fêtes humaines

Peut-être moins explicite mais tout aussi importante pour le peuple, la religion du jeune Québécois, né de parents chrétiens, suit

---

207. « À cause d'une conscience québécoise », dans *Maintenant*, nouvelle série, cahier 2 (juin 1975) : 9.

l'évolution sociale et technique. Il s'agit moins de la dimension verticale de l'univers à la manière du catholicisme traditionnel qui accorde à son Dieu les privilèges d'une toute-puissance absolue que d'une religion vécue au niveau horizontal des relations humaines et dans la solidarité des personnes. La relation fraternelle pratiquée par le Christ absorbe la dépendance, lieu traditionnel d'adoration et de louange, et oriente la vie terrestre de la personne vers des êtres avant tout relationnels. « N'est pas de Dieu, qui n'aime pas son frère. » « Qui aime est né de Dieu. »

Telle est la réalité fondamentale de la civilisation occidentale dont nous sommes les fils et les filles. Il est devenu possible à cette vieille *culture* européenne chrétienne de réviser ses rites, sa liturgie ancestrale, ses mots mêmes, pour se créer des fêtes sacrées davantage reliées au social et au collectif. La fraternité des humains s'invente à la façon tendre et humble du Christ et non plus selon l'antique manière cléricale et féodale d'un pouvoir paternaliste dominateur.

e. À l'écoute des Amériques

Nous croyons percevoir un autre signe des temps nouveaux dans le fait que plusieurs de nos théologiens, c'est un exemple, interrogent leurs frères sud et nord-américains. Au contact de ces chrétiens, ils en arrivent à moins de théorie, à plus d'action, à plus d'autonomie idéologique et à plus de créativité concrète.

f. L'autonomie naturelle

Le catholicisme militant d'aujourd'hui influence notre peuple dans un sens plus précis encore. Il tente de lui expliquer son existence d'après le droit naturel qu'ont les nations à devenir les artisans de leur propre destin. Sans oublier les devoirs de l'altruisme intercontinental et pour mieux aider les Québécois à affirmer leur identité, identité profondément marquée par le christianisme, plusieurs de ces chrétiens continuent à rappeler les valeurs ancestrales sans lesquelles un peuple adulte ne saurait se maintenir. Bien sûr, l'Église n'a pas à trouver une formule politique magique, encore moins à restaurer le pouvoir clérical : elle a déjà été trop présente au peuple québécois pour ne pas tenter aujourd'hui, mais avec plus de discrétion, de lui offrir les données de son expérience multiséculaire.

g. Adieu aux mal instruits !

Une ombre au tableau : la pauvreté de la culture religieuse. L'enseignement religieux est actuellement compromis. Il arrive, par exemple, que de jeunes Québécois intelligents ignorent tout ou presque tout de leur patrimoine judéo-chrétien à cause de leurs maîtres révoltés. Ces « maîtres » seraient-ils plus intelligents que Feuerbach, Comte, Freud, Bergson ou Weber qui, tout en résistant à certaines déviations religieuses de leur milieu, n'en ont pas moins démontré une connaissance approfondie du christianisme ? Le lien entre religion et civilisation est tel en Occident que l'oublier, c'est risquer de devenir inculte. Oui, ce lien culturel entre la religion catholique et le Québec est *historique*, irréfutable, comme l'est un fait. Irréversible ? Une religion ne peut pas être imposée à ceux qui n'en veulent point, surtout lorsqu'elle se définit en termes de gratuité divine. Mais croire et vouloir que le Québec ne soit plus « religieux », c'est offrir à la jeunesse une vision « close », peu généreuse malgré les apparences et sans cesse contredite par l'histoire de notre culture. Notre peuple mérite mieux que la trahison de quelques-uns de ces *fils* mal instruits.

*

*   *

De nouveaux indices invitent à plus d'optimisme. À travers la sécularisation des êtres et des choses, un nouvel homme est en voie de naître. La matière n'appelle-t-elle pas l'esprit ? À la *Révolution tranquille* succède une *renaissance du sacré*. Qui nous provoque à ce défi de la onzième heure ? Jésus plus vivant que jamais. Si quelqu'un ne naît pas de nouveau, dit-il, il ne peut voir le royaume de Dieu (cf. *Jn* 3, 5). Pour vivre dans la fidélité de ses souvenirs, dans la vérité de son cœur et de son esprit, le peuple québécois est appelé à dépasser l'étape des refus. Faisons-lui confiance, comme nos ancêtres nous ont fait confiance.

G. La langue, gardienne de la foi ? [208]

Problématique

La langue, gardienne de la foi : vrai ou faux ? Le lien entre les croyances religieuses d'un peuple et sa langue est-il si sacré ? Au Québec, ce lien doit-il être plus nécessaire qu'ailleurs ? Quels avantages, théoriques ou pratiques, la religion catholique en tant que religion

---

208. Extrait de *Le statut culturel du français au Québec : actes du congrès Langue et société au Québec, tome II*, Michel AMYOT, dir. (Québec, Éditeur officiel du Québec, c1984) : 103–106.

universelle offre-t-elle ou n'offre-t-elle pas aux Québécois en quête d'identification? Le *français* est-il une langue qui peut servir ou desservir les mystères du sacré judéo-chrétien? Que reste-t-il à penser ou à faire pour que la religion, quelle qu'elle soit, favorise la langue de ses adhérents?

Tout l'exposé consistera à signifier des pistes de réflexion comme à confronter l'usage d'une langue quotidienne appelée à la sacralisation des rites et des coutumes.

1

En tout, quatre questions dont voici la première: le lien entre croyance religieuse d'un peuple et sa langue est-il divin, sacré et définitif? Tout de suite on répond négativement. Croire est une chose, parler ou écrire une langue est une autre chose. Croire est un acte intérieur, parler est un acte plus extérieur. Croire ne signifie pas nécessairement que je vais parler, ou que je vais parler parce que je crois, ou que je vais parler comme je crois. Nous avons déjà l'exemple des sourds-muets croyants, comme nous avons des gens incroyants qui parlent. En somme, le lien premier entre la foi et la parole est un lien accidentel, historique, rarement sacré et indispensable.

Néanmoins, constatons que ceux qui ont des croyances vécues ont tendance à les exprimer dans leur langue d'origine. Bref, il existe un lien entre croyance et langue courante, mais ce lien n'est pas absolu.

Là seulement est essentielle et sacrée, du moins pour le croyant, la langue dite de la révélation juive, chrétienne. C'est ainsi que les chrétiens parlent des *Saintes Écritures*. Langues saintes, réservées, mais non pas courantes et populaires au sens où nous l'entendons.

2

Deuxième question: le lien entre la foi traditionnelle du peuple canadien-français, en l'occurrence la foi catholique, et sa langue, la langue française, est-il un lien nécessaire et sacré? La réponse est encore négative. Le lien est peut-être évident, mais il n'est pas dit qu'il existera toujours. D'abord parce que la foi catholique n'est pas liée à une seule langue qui serait le français. La preuve est simple: la majorité des catholiques parlent l'anglais, l'espagnol, l'allemand, etc. Jusqu'en 1964 on parle en latin et en français dans les églises du Québec. On chante en français durant l'office latin ou on chante en latin pendant que d'autres lisent des textes français. Il arrive que l'on sorte ou dorme durant les sermons en français. Je veux dire que le lien entre religion et langue française n'est pas un lien strict ou même essentiel. Le catholicisme, que je connais, s'exprime en plus de cent langues sans pourtant menacer la religion elle-même. La présence d'un pape polyglotte est un acquis mais pas pour autant une obligation.

Ainsi le rapport religieux avec les langues est un rapport multiple et diversifié qui inclut telle ou telle langue. En ce sens que les religions traditionnelles entretiennent avec la langue des rapports plutôt libres. En outre, il y a des francophones qui ne veulent rien savoir du catholicisme et qui, pourtant, se disent directement reliés à la langue française. De plus, le catholicisme n'a pas strictement besoin de la langue française pour exister et la langue française peut très bien se dire et s'exprimer en dehors de toute affiliation religieuse. Une fois de plus, nous dirions qu'il existe, qu'il a existé un lien historique, un lien de fait [209], mais non un lien juridique, entre la foi catholique et la langue française.

Alors pourquoi a-t-on dit longtemps : *la langue, gardienne de la foi* ? Quand à Montréal, au Monument national le 20 novembre 1918, Henri Bourassa, alors directeur du *Devoir*, a prononcé sa célèbre conférence devant les abbés Groulx et Perrier, il l'a en effet intitulée *La langue, gardienne de la foi* [210]. Voyons un peu son argumentation : elle est révélatrice du climat de l'Action française de l'époque et des idées du conférencier [211]. Son raisonnement est à la fois nuancé et simple : il correspond à une double conception de la foi et de la langue. La foi catholique serait une foi universaliste avec un système de valeurs et d'idéaux qui engagent non seulement le passé, mais aussi l'avenir du petit peuple menacé. La foi catholique est aussi véhiculée par une

---

209. Nous devons au père Richard ARÈS, s.j., d'avoir examiné à fond le dossier démographique des rapports entre langue française et foi catholique au Canada. En s'anglicisant, plusieurs de nos compatriotes catholiques se sont en même temps éloignés de la religion (*v.g. Relations*, n°s 280, 284 (1964) ; 372 (1972) ; 392, 399 (1974) ; 408, 410 (1975) ; 430 (1977) ; 439 (1978) ; sans oublier, du même auteur, « Survivance et déclin d'une chrétienté », dans *Histoire et sociologie de la culture*, Québec, Les Presses de l'Université Laval, 1981, tome 3, p. 288-289.

210. Henri BOURASSA, *La langue, gardienne de la foi*, Montréal, Bibliothèque de l'Action française (1918), 84p. L'avantage de cette édition est aussi dans ses appendices (Textes de Benoît XV, commentaires de Mgr L.-A. Pâquet, des pères Rouleau et Leduc).

211. Pour un rapide coup d'œil, lire Lionel GROULX, *Mes mémoires*, Montréal, Fides, (1917), tome 2, surtout p. 61-62.

Église qui a longtemps duré et qui va durer encore longtemps. Donc, dit Bourassa, la foi est une force exceptionnelle de conservation et de pérennité. Quant à la langue française, elle est, dit-il, la plus parfaite des langues modernes ; elle est le fait d'une civilisation supérieure, supérieure en tout cas à celle de l'Amérique anglophone matérialiste, protestante, marchande et pragmatiste. C'est la langue française d'ici, supérieure à celle de Paris, qui a accompagné nos missionnaires partout où ils sont allés. Et ils sont allés partout où cela leur était possible. Même si Bourassa s'exalte, il ne va peut-être pas aussi loin que certains théologiens québécois de l'époque, tels Mgr Pâquet (+1942) et l'abbé Perrier, qui parlent d'une langue française quasi sacrée, issue en tout cas des langues latine et grecque, les premières à traduire l'Évangile en Occident [212]. C'est si vrai que cette langue française supérieure est gardienne de la foi, que là où les Canadiens français adoptent l'anglais, ils sont portés à laisser aller aussi leurs croyances catholiques.

De toute façon, insiste Bourassa, la langue est un cadeau divin, elle doit servir Dieu, la vérité et la justice ; elle est l'élément le plus nécessaire en pays nord-américain pour la conservation de la foi. Défendre sa langue, c'est défendre son cœur. Défendre sa foi, c'est défendre son âme. Les deux font le vrai patriote digne de ce nom. Foi et langue : ancres de salut ! Un autre ardent nationaliste, Lionel Groulx, écrira en 1932 : « La langue et la foi, et l'une et l'autre mêlées dans une sorte d'union mystique [213]. » Mais il n'aime pas trop la formule de Bourassa : « Au lieu de parler de langue et de foi, reprend-il à Trois-Rivières le 4 juillet 1934, j'aime mieux parler d'âme et de foi [214]. » Quoi qu'il en soit, l'expression de Bourassa fera fortune. Entre temps, les anglophones protestants de Toronto prédisent que nous serons plus français que catholiques.

3

Mais, nous pourrions nous demander, en troisième lieu, quels avantages une religion comme la religion catholique offre finalement à la langue française. Le catholicisme n'encourage-t-il pas toutes les langues ? Ne s'accommode-t-il pas à tous les idiomes ?

---

212. Cf. H. Bourassa, *La langue, gardienne...*, p. 5.

213. Lionel Groulx, *Le français au Canada*, Paris, Delagrave, 1932, p. 227.

214. Cf. « L'éducation nationale à l'école primaire », conférence à Trois-Rivières, le 4 juillet 1934, dans *Orientations*, Montréal, Éd. du Zodiaque, 1935, p. 154. Ou encore « Langue et survivance », *ibid.*, p. 201 et autres.

Les grandes religions traditionnelles sont conservatrices. En ce sens, elles rendent service aux communautés linguistiques en plusieurs sphères de réflexions, et non les moindres : elles sont opératoires, vivantes et durables.

De plus, les religions jouent souvent un rôle idéologique auprès du peuple ; elles inspirent donc des actes, elles obligent à parler, à discuter ; elles peuvent être facteur de cohésion. Une religion aussi vaste et aussi universaliste que le catholicisme reste un atout important pour la survivance de la langue française et un lieu d'affirmation spirituelle quasi unique.

Il y a, en outre, le fait que la foi catholique a déjà tout un passé linguistique et culturel étonnant. Nous avons encore aujourd'hui beaucoup de mots sortis directement du langage religieux, tels que vertu, messe, oratoire, résurrection, rétribution, prieur, prélat, abbé, ange, apôtre, clergé, diacre, cloître, évêque, évangile, ermite, hymne, etc.

Nous n'oublions pas l'effet culturel important d'une religion à mystères sur une langue. Le mystère est un défi pour les mots, les expressions. Comme la science, l'ésotérisme. De ce point de vue, l'histoire de la théologie enseigne que le français est une langue qui sait dire le sacré, le mystère, le sentiment religieux : c'est une langue qui peut être noble et contemplative et qui peut bien traduire des textes comme ceux de la Bible. L'exemple récent (1977) de la Traduction œcuménique de la Bible (Alliance biblique universelle — Le Cerf) vient de le prouver.

4

Quatrième et dernière question : que faut-il prévoir à cette heure-ci pour rendre la religion plus opérante, surtout auprès des masses francophones en tant que telles ? Le plus urgent, à notre avis, est de rendre la foi catholique plus intelligible et moins artificielle. La religion affaiblit une langue quand elle manque d'intelligence et de culture. Les bonnes intentions ne suffisent pas. Au lieu de *langue, gardienne de la foi*, pourquoi ne dirait-on pas un jour : *culture, gardienne de la foi*, à condition de se souvenir que, selon la théologie, la foi est d'abord un don avant d'être un lieu de culture ? De toute manière, quand une religion ne fait que conserver, répéter, qu'elle ne fait que des lois et de la morale, qu'elle devient ritualiste plutôt qu'animatrice et mystique, elle joue un rôle négatif sur la langue. Le peuple se venge en sécularisant ses plus beaux mots, voire en blasphémant, comme le font amplement les Canadiens français.

Nos conclusions seraient les suivantes : 1. On peut être catholique, juif ou musulman sans parler nécessairement français ; on peut être Québécois sans être catholique, donc la langue n'est pas nécessairement gardienne de la foi. 2. La langue ne crée pas la croyance, elle l'enveloppe, elle l'aide, elle l'anime, elle sert à la conserver, surtout dans son vocabulaire essentiel. 3. À moins d'une forte culture pour l'appuyer, la religion risque de s'exprimer dans un langage purement légaliste et répétitif.

À la lumière de ces faits, un théologien dirait, sous l'angle où nous nous sommes rencontrés : non plus la langue, gardienne de la foi, mais *la foi* occasionnellement *au service de la langue*. Encore faut-il nous souhaiter une religion plus près des mots du peuple, davantage intériorisée, plus évangélique, en un mot plus culturellement québécoise. Ce n'est pas la langue qui sera la meilleure gardienne de la foi, mais plutôt la culture qui assure à cette foi son rôle traditionnel d'éducatrice des peuples [215].

H. À propos des jurons : préface [216]

Ce livre de culture orale et de savoir populaire, qu'il convient d'ouvrir sans préjugés ni faux-semblants, respire tour à tour la science des faits, l'amour des mots et la bonne humeur. Même s'il est su et connu des historiens de la culture qu'il y a en tout système religieux des mots magiques, des adjurations et conjurations, des bénédictions et malédictions, il convient de se demander, devant un dossier de dires aussi imposant, pourquoi nos ancêtres et leurs descendants français catholiques du Canada et du Québec ont autant juré et sacré.

Oublions un instant certains aspects pittoresques de notre sacratologie nationale pour nous rappeler que les blasphèmes constituaient autrefois, et déjà dans l'Ancien Testament, plus de mille ans avant

---

215. Au moment où nous rédigeons, les discours plus officiels de l'Église catholique sur la culture prévoient justement cet enracinement culturel qui, tout en reconnaissant les diversités, sauveraient les cultures locales de l'asservissement général. *Documentation catholique*, n° 1832, 20 juin 1982, Paris, Bayard-Presse, p. 604–606.

216. Jean-Pierre PICHETTE, *Le guide raisonné des jurons : langue, littérature, histoire et dictionnaire des jurons*, coll. « Mémoires d'homme » (Montréal, Les Quinze, 1980) : 7–11.

notre ère, une offense grave : « Quiconque blasphème le nom de Yawheh, toute la communauté le lapidera » lit-on au verset 16 du livre vingt-quatrième du *Lévitique*. Le Christ n'a-t-il pas été supplicié pour avoir, disait-on, blasphémé le Nom de Dieu ? Les derniers rois de France n'ont guère été plus tolérants puisqu'il arrive que, même en Nouvelle-France, par la volonté du Roi, on poursuive sans répit les blasphémateurs.

À cet égard, la conquête britannique aura eu des résultats plutôt positifs. En effet, nos meilleurs sacreurs ont profité de ce que les lois de la Couronne aient été moins sévères que celles de la Métropole, d'autant plus que les Anglais ne comprenaient pas trop ces jurements étrangers à leur culture, réservés aux initiés, et qui encore aujourd'hui restent intraduisibles pour les plus fervents de nos « bilinguistes » diplômés.

Quoi qu'il en soit, il n'est guère de lecteur cultivé qui, en parcourant ces pages d'injurotologie appliquée, ne se demandera tout de suite face à tant de parades verbales pourquoi les Canadiens français, les hommes surtout, de tout âge et dans toutes les régions, ont pu se créer autant de mots blasphématoires à même un langage religieux aussi répétitif. Comment expliquer que ce peuple minoritaire, dont on a dit qu'il fut le troisième peuple *missionnaire* du monde, soit aussi un des peuples les plus *sacreurs* de toute la chrétienté ? Que des évêques en pleine autorité et acharnés à les combattre (jusqu'à quarante références officielles de 1849 à 1951) n'aient pu enrayer ces *cris de guerre* en leur attribuant pourtant le titre posthume d'être gravement « peccamineux », « diaboliques et exécrables », cela aussi est étonnant. Nos ancêtres furent-ils aussi soumis à leur clergé qu'on nous l'a laissé croire ?

Les propos gaillards de cette presque encyclopédie permettent au lecteur de répondre à ces questions et de peser les causes, les motivations et diverses significations socio-culturelles d'un phénomène dont on ne trouve l'équivalent, paraît-il, que dans certains pays plus catholiques comme l'Irlande, la Lombardie, la Catalogne.

En soi, le juron est un défi, une protestation, un défoulement en même temps qu'un appel forcé, parfois moqueur, parfois vengeur, contre un danger, une peur, une surprise. Dans ce pays si excessif à bien des égards, face à une histoire faite de tant de revers et d'embûches, n'est-ce pas un peu normal que nous tentions l'impossible des mots pour contester, au moins en paroles, les situations qui paraissent désespérées ? C'est d'ailleurs dans les chantiers, les usines et dans les casernes — au temps des guerres —, là où la vie est plus rude, que les jurons se font le plus éloquents. Tout comme on trouve dans les milieux plus calmes et chez les personnes moins surmenées la litanie plus rassurante de l'antiblasphème : *Grand Dieu! Bonté divine! Juste ciel! Mon doux Jésus! Bonne Sainte Vierge!*

On sait que l'emploi d'un mot rare et prohibé peut parfois donner autorité à son usager, consacrer sa sincérité, l'aider à contourner sa timidité ou à apaiser sa colère. Ces concours, chapelets et litanies de sacres, ne sont-ils pas affirmation du moi, recherche d'un succès social, appropriation d'une situation de prestige, voire affiliation au groupe-témoin contre un adversaire de fortune? Si, justement, les femmes jurent moins et plus mal que les hommes, c'est peut-être que ces derniers toujours fidèles à eux-mêmes adorent les gros mots qui donnent de la contenance et démontrent la force de leur pouvoir. Cris de bêtes traquées, diraient les féministes.

Qu'il soit rite de transgression ou simple goût du mot défendu, le juron joue souvent un rôle de suppléance. La culture du pauvre! Un mot manque, vite je le remplace. Là où la culture est moindre, plus rares se font les mots. D'où tant de jurons à répétition et de redondances verbales. Mais n'exagérons rien, car le phénomène est avant tout oral. Qu'on enlève de la langue courante d'un Parisien huppé tous les *heu!* tous les *n'est-ce pas*, les *alors* et les *merde*, immédiatement apparaît l'espace occupé par le juron québécois. Pas si incultes, nos sacreurs, n'est-ce pas?...

Presque tous nos jurons, presque tous, viennent d'un Petit Caté-chisme catholique appris par cœur, récité quotidiennement à la maison, puis à l'école, condition *sine qua non* d'une insertion dans la société unanime des pratiquants et de la même participation au culte. Dans le contexte de culture orale et d'analphabétisme dans lequel nous avons longtemps vécu, il était normal que reviennent tout de suite à la mémoire de ceux qui rudement faisaient leur vie et leur pays ces mots privilégiés, premiers appris, derniers oubliés : Dieu, Vierge, Christ, baptême, tabernacle, hostie, ciboire, calice ou encore calvaire...

Contre l'emprise souvent excessive d'une religion omniprésente et d'un clergé surprotecteur dictant à ses « fidèles » les vérités à croire, le culte à pratiquer et la morale à observer, le blasphème devient, même chez les moins conscients de ses usagers, un rite d'autonomie et de libération à la portée de toutes les langues et de tous les niveaux de culture : Qui *sacre*, écarte, juge, délie au besoin la conscience, pose un défi contre la morale officielle qui le culpabilise. « Qui sacre, vide son sac et dégage son carcan » comme on disait en Bellechasse. Qui jure, conjure.

Non, rien ne s'explique au Canada français et au Québec sans les deux pôles de la religion et de l'oralité. Explosive, altruiste, créatrice, la culture orale sacralise aussi vite qu'elle désacralise. Les derniers résistants de l'élitisme qui croient encore que le peuple est passif et ne crée rien feraient bien d'ouvrir la présente étude pour examiner de près la typologie colorée du juron québécois. Quel besoin de parler ! Quel goût de la parodie aussi ! Imagination fabulatrice, esprit railleur, richesse inattendue dans les improvisations les plus risquées. Qu'ils sont drôles quand ils le veulent ! Pour les comprendre, il faut néanmoins être de ce pays. Ne sacre pas qui veut. Il faut connaître et le mot et l'accent, la rudesse du son et la croyance surtout. D'où le ridicule de certains jeunes sacreurs qui, sans foi ni loi, ne font plus que dire des blasphèmes en blanc ! Le vrai juron à lui seul exprime toute une culture.

Premier ethnologue qualifié pour étudier scientifiquement, et plus que par sondages épisodiques et éparpillement des données, le fait et l'usage du juron dans notre tradition, Jean-Pierre Pichette n'a pas oublié de signaler le contexte et les antécédents de nos sacres. Sans pour autant approuver les manques de goût ni céder au plaisir facile de choquer son lecteur, il choisit la route honnête qui consiste à dater, localiser, informer et à appeler les choses par leur nom. Nous lui sommes reconnaissant de distinguer l'héritage et l'usage, la joie et la rage, le rire et la colère des usagers du juron. Une étude comme la sienne propose aux professionnels de la science ethnographique un matériau culturel assez inattendu. L'histoire des mentalités religieuses populaires en tire également son profit, de même que la connaissance intérieure de notre patrimoine. N'est-ce pas assez significatif qu'aujourd'hui encore, quand plusieurs de ces *sacreurs* se sont tus faute de médiateurs compétents, le même peuple communicatif au suprême accorde à ses chanteurs, diseurs, poètes ambulants et autres prophètes de l'oralité un coin privilégié de son cœur ?

Bien sûr, l'essentiel du juron en tant que fait social et collectif va bien loin au-delà de l'anecdote et du pittoresque. Faute de situer, avons-nous dit, le juron québécois dans le double contexte de la mémoire religieuse de nos pères et de leur univers oral, on risque de le rendre aussitôt suspect. Pour éviter tout malentendu, l'auteur annexe à son étude — et à bon droit — le texte de certaines ordonnances royales, quelques mandements épiscopaux, afin que le lecteur se rende compte du piège des mots et du malheur de tout confondre, juron, cri, sacre, blasphème, sacrilège. Il suffit de relire le mandement Villeneuve pour apprendre que le juron canadien-français est condamné à l'avance si une théologie trop livresque distinguant mal matière et intentionnalité — le mot dans son sens naturel et le mot dans son sens usuel — décide tout de suite qu'il s'agit d'une déviation de la foi et de la morale. Pourtant le sacre est si bref, si instantané ! Comment le « clic » intérieur peut-il s'opérer, et aussi vite, entre le mot dit et le consentement à ce qu'il signifie ! Il est évident, à lire ces listes imposantes d'interjections « blasphématoires », qu'une assez large part de celles-ci, la majorité peut-être, ne sont que fantaisies verbales, habitudes de parler plutôt qu'actes vraiment irréligieux. Le seul fait de devoir s'abstenir de sacrer devant les femmes et les enfants suggère une tout autre norme. On ne blasphème pas en mer, non plus, disent les vieux pêcheurs de Gaspé. Plutôt qu'injures à Dieu et impiétés sacrilèges, regrettons des fautes d'éthique, des habitudes de taverniers mal dégrossis, des bluffs verbaux généralisés au point que, s'il avait fallu pendant un certain temps, et pas très loin de nous encore, appliquer littéralement la peine de mort aux Québécois sacreurs, il ne serait plus question de ce peuple aujourd'hui !

Grâce à sa méthode cumulative et à une lexicographie contrôlée, Jean-Pierre Pichette nous épargnera l'éternel soupçon du théoricien d'histoire des religions populaires qui veut toujours encadrer la moindre de ses informations dans une catégorie savante. Ici, l'enquêteur sur le terrain reprend ses droits de premier interprète. Le dossier reste ouvert. Parce qu'il aime les gens qu'il interroge, parce qu'il accepte leur familiarité évidente avec Dieu, les saints et leurs croyances, l'auteur de cette étude a le mérite de ne pas tomber dans le ridicule et le vulgaire, mais d'honorer ce qui de soi semblait si peu honorable. La toute jeune science de la culture orale québécoise profitera de ce texte riche de dix années d'écoute et de joyeux propos. Aussi, le discernement de ses éditeurs n'en est que plus louable.

Image de grand format vers 1900.

5

QU'EST-CE QUE LA RELIGION POPULAIRE ?

A. La religion populaire : opium du peuple ou facteur de civilisation ? [1]

Deux définitions. Quatre constats. Une conclusion insatisfaisante. Quatre explications. Tel est le bilan des dix minutes qui vont suivre.

Qu'est-ce que la religion populaire ? Qu'est-ce que la culture ?

Nous entendons par RELIGION POPULAIRE un ensemble de croyances, de rites et d'agirs qui sont ceux de la majorité. C'est-à-dire ? le *peuple* sans plus de distinction et surtout sans arrière-pensée sociologique.

La CULTURE se définira comme un ensemble de connaissances, de manières de penser, de dire et d'agir.

---

1. Intervention au colloque « Religion et culture », organisé conjointement par la revue *Critère* et l'Institut québécois de recherche sur la culture, colloque tenu à Montréal les 3, 4 et 5 juin 1981 ; dans *Critère*, 31 (aut. 1981) : 123–127.

Bien entendu, je ne peux parler que de ce que je connais : *la religion populaire au Québec* nommée traditionnellement *le catholicisme canadien-français*. En outre, j'en parlerai en tant qu'historien obligé à une relecture critique des faits.

Quatre *constats* préliminaires :

1. Ici, comme en plusieurs pays du monde, la religion est un fait aussi inévitable et historiquement aussi irréversible que la politique. Qu'elle soit un fait, cela ne la justifie peut-être pas d'être ce qu'elle est. La justification de sa manière d'être viendra d'ailleurs.

2. Autre point. Quoi qu'il en soit de la réalité, on dirait que le judaïsme observant et le catholicisme en particulier sont dans l'histoire pour y rester, et encore longtemps. Rien ne semble empêcher le judaïsme et le christianisme de poursuivre leur route. Rien ne les dérange. Surtout pas l'opposition qui devient vite un stimulant, voire un *ferment*.

3. Par contre, un troisième constat est nécessaire à la problématique d'aujourd'hui : depuis quelques décades, surtout en Occident, il existe à côté du pharisaïsme clérical un nouveau pharisaïsme laïque. Permettez que je cite Camus : « J'appelle *pharisien laïque* celui qui feint de croire que le christianisme est chose facile, et qui fait mine d'exiger du chrétien, au nom d'un christianisme vu de l'extérieur, plus qu'il n'exige de lui-même. Je crois en effet que le chrétien a beaucoup d'obligations, mais que ce n'est pas à celui qui les rejette lui-même d'en rappeler l'existence à celui qui les a déjà reconnues. Si quelqu'un peut exiger quelque chose du chrétien, c'est le chrétien lui-même » (*Actuelles*, Paris, Gallimard (1950) : 211-212).

4. Dernier constat. Le risque des grandes religions dites populaires est celui de tout pouvoir majoritaire : se donner raison sur tout à l'avance, s'idéaliser, se créer des rôles exclusifs de salut public, s'enrichir, vivre à même la crédulité populaire, refuser le dialogue avec les autres et souvent vouloir composer coûte que coûte avec le pouvoir politique. Cela, l'histoire du catholicisme québécois, médiéval jusqu'en 1960, le raconte.

Et la *conclusion insatisfaisante* dont il était question plus haut ?

Il nous faut bien admettre que l'Occident n'est plus sûr de lui. Nous en souffrons tous, car nous sommes des sceptiques instinctifs. L'avertissement du pré-socratique Héraclite d'Éphèse s'impose à nous comme un reproche absolu : « Le divin échappe à ceux qui manquent de confiance, et il ne leur est plus connu. »

C'est en sceptique que nous nous demandons si la religion populaire est *opium* ou *ferment*. C'est en sceptique qu'après beaucoup d'années d'études et de réflexions nous répondons : *oui* et *non, non* et *oui*. Cela dépend des jours et des générations. La religion devient *opium* quand elle n'excite que mon *ego* ; elle est *ferment* quand elle me rend altruiste, quand elle m'engage au dialogue et me dispose au service de la collectivité.

Il arrive, en effet, que la même personne, comme la même collectivité, se serve de la religion, de ses croyances, de ses rites et de ses coutumes ou comme d'un *ferment* ou comme d'un *opium*. *Opium*, la religion qui sert à s'évader, à se leurrer, à s'endormir dans la facilité. Jésus avait déjà dénoncé cet aspect, quand il disait : « Méfiez-vous des pharisiens. Ils ont des apparences de vertu, mais ce sont des sépulcres blanchis. La loi tue. L'esprit vivifie. » *Ferment*, la religion qui veut être stimulant, culture, animation. À des amis, Jésus disait : « Vous êtes comme le levain dans la pâte, vous êtes le sel de la terre, la lumière du monde. » Mais si le sel s'affadit, rien à faire. Si le levain s'isole, rien à faire. Que reste-t-il? L'*opium*. *Opium* ou *ferment*, il s'agit d'un choix difficile et répétitif entre deux conduites, personnelles ou collectives.

La religion qui se referme sur elle-même, sur ses privilèges, sur ses structures, devient vite *opium*. Si elle s'ouvre aux autres, si elle accepte la contestation, si elle anime la société qui la reçoit, elle est *ferment* et facteur de civilisation. Avec cette précision déterminante que la société religieuse catholique est et reste une société en devenir dans laquelle rien n'est acquis une fois pour toutes. Le peuple qui la compose ne cesse d'osciller entre l'adoration-ferment et la superstition-opium. L'adoration soulève. La superstition endort.

Mais *pourquoi en est-il ainsi*? Pourquoi en sera-t-il toujours ainsi?

La première raison tient à ce que la religion répond à un désir profond de rejoindre l'invisible, de se mesurer à l'infini, de rêver d'impossible, voire d'utopies. Désir aigu de dépassement, surtout si la réalité immédiate heurte. L'homme n'est pas que corps et matière. Les collectivités croyantes ne sont pas que lois et trusts. Comme dirait Montesquieu, elles sont plutôt Esprit et Loi. La religion, comme l'art d'ailleurs, s'inscrit à la suite de l'aspiration universelle des êtres à renaître, à devenir immortels. À cause de cet appel à réaliser plus que nous ne sommes présentement, le risque d'inertie, de fatigue ou de superactivisme est grand. *Opium* ou *ferment*!

La seconde raison pour laquelle la même religion populaire peut devenir *ferment* ou *opium*, c'est qu'elle renvoie chaque personne à son état premier et quasi infantile de dépendance vis-à-vis de Dieu. Le cosmos lui propose continuellement cette dépendance. Personne n'a inventé le cosmos. Personne ne peut se donner la vie. Notre existence à chacun est une existence reçue, avec des rêves qui se réalisent toujours partiellement. Cette situation existentielle, que ne cesse de rappeler le catholicisme, peut rendre le croyant fataliste, soumis, aveuglément soumis à sa part dominicale de drogue et d'opium. Il en sera tout autrement si, grâce au sacré qui l'habite, le croyant apprend qu'il est capable de promotion et de perfection. Le rite ici signifie ferment, rappel, désir d'une vie plus intense.

Une troisième raison nous fait constater que la religion populaire risque, en cette fin de siècle, d'être *opium* plutôt que *ferment* : nous assistons, à l'échelle de la planète, à la faillite de la raison, des idéologies, de la science et de la technique. Échec collectif face au bonheur. La grande tendance alors est de fuir la difficulté de vivre pour se « jeter » dans la religion, pour « faire » de la mystique ou de l'érémitisme accéléré. Un proverbe du Moyen Âge dit que le diable, devenu vieux, se fit ermite. Dans le *Roman de Renart*, quand ce dernier ne vint plus à bout du loup, il se changea en moine pour mieux le renarder ! Au lieu d'être un *ferment* de lutte, la religion devient un *opium*, une acceptation, une soumission, une passivité, une action désincarnée. À toutes les périodes troubles de l'histoire, le risque de désincarnation est grand. Le *ferment* qui n'agit plus dans la pâte se transforme en *opium*.

Enfin, et comme la violence qui répond à une faiblesse du système, la religion tentera de plus en plus de s'instituer gardienne universelle des mœurs et de la morale. Un immense danger ici la guette : celui d'abandonner son *ferment* mystique pour une morale obsessive. Elle tendra alors à supplanter ou voudra devancer les choix de la conscience individuelle. La tentation suprême des religions populaires (cela inclut les sectes et les mouvements à la mode du jour) est justement de sacrifier la raison au nom de la croyance, ou la science au nom de la mystique, de jouer au royaume de Dieu intériorisé plutôt que de vivre incarnées en lutte au milieu du monde. Au fait, une religion est culturellement valable si elle se donne des raisons humaines d'exister. Si elle ne veut que du divin, elle risque de devenir *opium* ; si elle s'incarne, si elle va à l'humain, elle promet mieux d'être *ferment*, tel que le Christ l'a souhaité en choisissant le risque de vivre humainement, de lutter et de mourir pour ses amis les humains.

*
*   *

À la question posée, et au nom de l'histoire du catholicisme populaire québécois, je répondrais que le catholicisme fut, à divers degrés et à divers titres, *opium* du peuple québécois et *ferment* ou facteur de civilisation, ainsi qu'en témoigne notre passé culturel.

Quant à savoir si notre religion catholique traditionnelle fut davantage *opium* ou *ferment*, il faudrait, pour le dire convenablement, connaître la biographie intime de tous les croyants.

À moins d'aimer les réponses faciles et l'*opium*, mieux vaut peut-être attendre que les études sur ces sujets complexes *fermentent* encore !

B. Communication et religion populaire [2]

Dès qu'une religion [3], savante ou populaire, s'enracine quelque peu dans la vie des hommes, elle ne peut être que communicative. Si cette religion se dit missionnaire et universaliste à cause d'une révélation à proclamer, et qu'ensuite elle se porte garante de livres sacrés, aussitôt se pose, au moins comme un fait, la question des médias de masse. C'est le cas de la religion chrétienne depuis ses origines apostoliques [4], et peut-être aussi de toute croyance religieuse, dès qu'elle s'alphabétise.

Il s'agit maintenant de mesurer l'impact des nouveaux moyens de communication sur l'avenir de cette religion dont on a souvent dit

---

2. Extrait de *Actes du XVᵉ Congrès des Sociétés de philosophie de langue française*, 1 (Montréal, Éditions Montmorency, 1971): 278-282.

3. *Religion* est entendu dans son sens habituel et global: croyances, culte, morale. — Le mot *populaire* ne doit pas être mis en opposition avec religion *officielle*, souvent proposée par les élites. Il s'agit d'une distinction objective, puisque rien n'empêche un homme du peuple de s'instruire, comme rien n'empêche le théologien le plus racé d'avoir à ses heures ses *dévotions* et ses *croyances* comme tout le monde. Cf. P. BOGLIONI, « Études du phénomène religieux populaire : perspective des médiévistes », dans *Cahiers d'études des religions populaires*, 9 (Université de Montréal, Institut d'études médiévales, 1971): 13-14; étude révisée et complétée dans *Foi populaire et foi savante*, Paris, Éditions du Cerf, 1976, p. 93-148.

4. Dès que Jésus quitte Nazareth, il se présente en tant que prophète et héraut de la parole ; il proclame à haute voix et par signes que celui qui le voit, voit le Père, que celui qui entend sa parole entend le Père (cf. *Jn* 12, 45-47). Entre temps les élites instruites de son milieu immédiat s'étonnent (cf. *Mc* 6). Hérode ne cesse de recourir au texte des Écritures pour vérifier la vérité de ce qu'il voit et entend au sujet de la Bonne Nouvelle.

qu'elle était la *religion du livre*[5], la Bible étant un *best-seller* dans le monde. Quel est le moyen privilégié de communication de l'Église du Christ : le visuel, l'oral ou l'imprimé ? Cette religion dans laquelle les effets de l'imprimerie ont été si puissants sera-t-elle, pour le meilleur ou pour le pire, submergée par la civilisation électronique ? Le peuple ne se trouvera-t-il pas plus à l'aise avec des images et des paroles qu'avec des écrits, fussent-ils inspirés par Dieu ? La distance culturelle qui existe depuis tant de siècles entre la religion officielle des théologiens et des exégètes catholiques et la religion de la masse va-t-elle enfin se résorber, s'il est vrai de supposer que plus une religion se fait orale et visuelle, plus elle devient *populaire*[6] ?

Cela nous amène à reconnaître le rôle capital joué par l'imprimerie sur la religion chrétienne et sa culture. Il suffit de lire le *Philobiblion* de Richard de Bury (+1345)[7] pour comprendre les enthousiasmes qui se préparent. Les Bibles se multiplient. Les livres de piété, les sermonnaires, les manuels de confession, de préparation à la mort, *et caetera*, envahissent le monde chrétien. Les élites cultivées augmentent en nombre et en qualité. Les textes religieux deviennent si nombreux qu'on peut se demander si, sans eux, l'imprimerie aurait eu autant de succès[8].

McLuhan dirait[9] : l'imprimé a changé le rapport culturel — et religieux — de l'homme avec l'oral. L'alphabétisé devient un cérébral.

5. Cf. A.C. Bouquet, *Sacred Books of the World* (Pelican Books A283), 1954. Un des historiens de l'éducation ancienne écrit même : « Le christianisme est une religion savante et ne saurait exister dans un contexte de barbarie », H.-I. Marrou, *Histoire de l'éducation dans l'antiquité*, 6e édition (Paris, Seuil, 1965) : 453.

6. Voir J. Lebreton, à propos du désaccord entre la foi populaire et la théologie savante au IIIe siècle, dans Fliche et Martin, *Histoire de l'Église* (Paris, Bloud et Gay, 1935), tome 2, p. 361–375 (avec notes et références). Toutes les grandes religions connaissent de tels problèmes. Déjà chez les Grecs, avec E.R. Dodds, *The Greeks and the Irrational* (Berkeley and Los Angeles, University of California Press, 1959).

7. Plusieurs éditions. Nous avons utilisé celle de Hippolythe Cocheris, *Philobiblion* (Paris, Aubry, 1856), surtout ch. 2 et 3, p. 11 et suiv.

8. Cf. Lucien Febvre et H.-J. Martin, *L'apparition du livre*, coll. « L'évolution de l'humanité », 49 (Paris, A. Michel, 1958). D'un point de vue plus technique : Marcel Cahen, *La grande invention de l'écriture et son évolution*, (Paris, Imprimerie nationale, 1958), 3 vol.

9. Cf. *The Gutenberg Galaxy. The making of Typographic Man* (University of Toronto Press, 1962 ; traduction française de Jean Paré, Montréal, HMH, 1967). Pour une synthèse rapide, avec bibliographie courante, J. Langlois, « Un prophète pour notre temps : Marshall McLuhan », dans *Science et esprit*, tome 23 (1971) : 5–35.

La lecture personnelle et silencieuse remplace la lecture publique et la lecture à haute voix ; l'œil, le livre plutôt, et non plus seulement l'oreille ou la parole entendue — je pense au *Fides ex auditu* de saint Paul[10] — devient le maître de vie, un maître idéal, selon Richard de Bury[11]. L'imprimé a dévalorisé, au moins *de facto* et pour longtemps, la tradition orale. Simplement parce qu'il est écrit, on dirait qu'en soi un document est meilleur. Théologiens et exégètes ont souvent oublié qu'une partie notable de la Bible était la pure transcription des traditions orales et des faits visuels. N'est-ce pas significatif que les intéressés aux religions populaires soient des anthropologues, des folkloristes et des ethnologues pour qui l'expérience sur le terrain, expérience audio-visuelle, reste fondamentale ? Il était normal, en un sens, que les artistes, surtout les peintres, tous gens de l'audio-visuel, se soient éloignés d'une Église qui paraissait trop liée par les textes[12]. Quant au peuple, sa réaction est toujours la même : il préfère l'oral, la prédication spectaculaire d'un Vincent Ferrier ou d'un Savonarole, et la piété visuelle dont une certaine imagerie pieuse démontre qu'elle pouvait être victime de l'imprimé et de tout ce qui est code écrit et dogmes transcrits[13]. Le besoin de l'imaginaire, et pas seulement celui de l'écrit en soi, a provoqué beaucoup d'apocryphes et l'éclosion des grandes légendes dorées du culte chrétien.

Percevons la chance qui s'offre aux Églises d'aujourd'hui, grâce aux nouvelles techniques de communication, d'utiliser films, radio, télévision, cinéma, affiches. Au lieu d'un Dieu Maître-Imprimeur, au lieu d'une vérité transformée en dogme, définie par des écrits et captive des mots qui veulent la protéger, voici une Parole vivante, communautaire, proclamée, transmise, représentée, visualisée dans le temps comme dans l'espace. L'écrit avait figé le mot ; le micro va l'amplifier. C'est une occasion pour les théologiens-exégètes de rejoindre le peuple, tandis que peu à peu l'imprimerie reprendra son rôle auxiliaire. Des expériences mystiques pourront naître de l'audio-visuel, comme de

---

10. *Romains* 10, 17.

11. *Philobiblion*, ch. 1, p. 17, avec la note 1 (litanie bibliographique, du XVIIᵉ siècle).

12. Cf. John KILLINGER, *The Failure of Theology in Modern Literature* (New York, Abingdon Press, 1963).

13. Cf. *Colloque d'histoire religieuse* (Lyon, octobre 1963), étude comparée de *la vie religieuse dans les pays français et germaniques à la fin du XVᵉ et à la fin du XVIᵉ siècle* (Grenoble, 1963). — Sur la vie religieuse populaire en Occident durant les années 1500, voir surtout les travaux de É. DELARUELLE, *ibid.*, 7–34 ; tomes 14 et 15 de l'*Histoire de l'Église* de FLICHE et MARTIN.

l'imprimé. Ce sera le retour au schème présocratique et médiéval du visuel et de l'oral en tant que premières sources du savoir, alors que l'écrit avait un simple statut officiel d'aide-mémoire [14].

Il existe toutefois une menace, celle de croire maintenant à la suprématie de l'électronique et de l'audio-visuel ; on a cru longtemps à la supériorité de l'imprimé. Loin de lui enlever de l'importance, on reconnaît que l'imprimé stabilise et protège l'esprit et la mémoire ; en somme, il assure la vraie continuité, celle qui enracine. Au surplus, le champ de l'oral et du visuel est si immense et si indéfini que, sans l'écrit qui vérifie périodiquement l'authenticité du texte vivant — ce qu'on appelait autrefois la tradition —, l'homme religieux moderne risque la dispersion ou le vide.

On ne saurait d'ailleurs modifier une forme de communication acquise depuis 1440 sans porter atteinte à la réalité, d'autant plus que les dangers rattachés à une culture religieuse qui ne serait qu'audio-visuelle sont énormes : que, par exemple, le critère de la croyance soit moins le message en lui-même que la manière dont elle est vue ou entendue ; que l'opinion publique toujours mobile, et non plus la Parole de Dieu, devienne l'interprète privilégiée des masses. Sans les théologiens, sans les exégètes et leurs études imprimées, le chrétien pourrait, une fois encore, imaginer son Dieu dans les nuages, comme un être suprême et éternel mais extérieur à sa propre vie. Le livre imprimé, la Bible en particulier, fixe davantage l'esprit et l'aide à rejoindre un Dieu intérieur et personnel, alors qu'une seule approche audio-visuelle encouragerait la distraction plutôt que la méditation. Le livre, *silencieux*, favorise mieux le dialogue du croyant avec son Dieu ; il rétablit l'équilibre nécessaire entre les services de la vue et de l'ouïe. Sa disponibilité est irremplaçable.

*
*   *

De toute façon, voici des temps nouveaux. Inventeur ou technicien, l'homme religieux restera à la recherche de l'Absolu. Elle était, cependant, bien nécessaire, avouons-le, cette réaction contre la *lettre qui tue* en faveur de l'*esprit qui vivifie* [15].

---

14. Avec O. VUIA, *Remontée aux sources de la pensée occidentale* (Paris, Centre Roman de Recherches, 1961) : 37-38. Même réaction des historiens du Moyen Âge, avec B. LACROIX, *L'historien au Moyen Âge* (Paris et Montréal, J. Vrin, 1971) : 50-57, 70-78.

15. Cf. II *Co* 3, 6.

C. La mythologie religieuse traditionnelle des Canadiens français [16]

La religion dont il sera question s'appelle *catholique*. Transplantée, importée plutôt de l'Ancienne à la Nouvelle-France par un vécu inspiré directement du Moyen Âge occidental, elle a survécu en terre nord-américaine jusque vers 1960 sans éprouver sérieusement les bouleversements de la catholicité européenne, c'est-à-dire la Renaissance, la Réforme et la Révolution française. En ce sens, nous devons nommer *traditionnelle* la religion catholique du Canada français depuis le XVIIe siècle jusqu'au milieu du XXe siècle [17].

Religion d'héritage ? Fidélité aux ancêtres ? Culte cosmique ? Sûrement tout cela à la fois. De plus, le peuple aime l'imitation et la répétition. Il croit, et souvent très vite. Devant les indications rituelles, il obéit plutôt au nom de l'efficacité. Il ne se préoccupe pas trop des « grandes vérités » de la foi : croire n'est-il pas assez ? « Les prêtres pensent pour nous. » Son sens historique n'est pas des plus précis : Adam, Abraham, Moïse, lui font penser aux ancêtres de sa famille. La légende le passionne autant que l'événement. Il adapte, il transpose, il imagine à même sa croyance, et l'affectivité du moment joue constamment dans sa manière d'être religieux.

Dans un tel contexte il est normal que la mythologie intervienne. Bien entendu, nous donnons à *mythe* une signification globale : un récit parfois court, une action, une succession de faits qui commentent, affirment la croyance, le mystère. Autre cependant est le mythe qui dit et illustre une action, autre est la croyance qui l'appelle, la précède ou la suit, sans oublier, bien sûr, que le mythe reflète mieux l'imaginaire

---

16. Conférence donnée à l'Université d'Ottawa à l'occasion du XXVe anniversaire du Centre de recherche en civilisation canadienne-française, dans *Revue de l'Université d'Ottawa*, 55, 2 (1985) : 63–75.
   Aucun ouvrage exhaustif à ce jour sur ce thème ; d'où le caractère nécessairement préliminaire des propos qui suivent. Sur le mythe en général, v. les trois articles parus dans *Encyclopaedia Universalis*, tome 2, Paris, 1968, p. 526–537 ; et le texte classique de Mircea ELIADE, *Aspects du mythe*, coll. « Idées », s.l., Gallimard, 1963, 247p. Sur le mythe, la culture et le catholicisme, quelques brèves indications bibliographiques de Walter T. BRENNEN, dans *Listening*, 18, 2, 1983, p. 129-130.

17. Voir notre article « Histoire et religion traditionnelle des Québécois (1534–1980) », dans *Stanford French Review*, 4, 1-2 (Spring-Fall), 1980, p. 91–41 ; ou *Culture populaire et littérature au Québec*, coll. « Stanford French and Italian Studies », vol. 19.

qu'il ne saurait le définir. Chaque fois l'apport culturel reste important. Ainsi, nous ne demanderons pas au Canadien français catholique de distinguer, à la façon de ses « élites », entre savoir et croire. Son expérience religieuse quotidienne se traduit mal en discours conceptuel linéaire. Il prend la parole, il raconte, il s'exprime à travers des récits, des contes, des chansons, des proverbes et des mots familiers. Il cherche des éléments de solidarité et d'expérience nécessaires à son besoin instinctif de croire et d'espérer. Entre les mystères religieux et les récits mythologiques qui l'inviteraient à s'interroger sur la réalité, il préfère la foi brute qui se transmet par le verbe et par le geste. L'efficacité du rite et le merveilleux le préoccupent au plus haut point et « nos » exposés critiques sur la mystique des textes et des gestes ne l'intéressent guère.

C'est pour illustrer ces divers comportements religieux du peuple canadien-français que nous voulons examiner rapidement les croyances parfois élémentaires et les rites répétitifs face aux éléments cosmiques fondamentaux : l'*air*, la *terre*, le *feu* et l'*eau* ou, selon l'ordre présocratique d'Héraclite d'Éphèse, le feu, l'eau, la terre et l'air. *Comment et en quels sens, négatif et positif, ces quatre éléments, déjà associés à la mythologie populaire, illustrent-ils la religion traditionnelle catholique au Québec, en Acadie, en Ontario et jusque dans l'Ouest canadien* [18] *?* Après les témoignages et les faits, viendront les significations.

1

Feu, eau, terre, air

a. Le feu

Le Canadien français qui a suivi les cours d'histoire sainte à l'école et qui a marché au catéchisme est alerté par toutes sortes de faits et de récits bibliques peu rassurants [19]. Au commencement du monde, lui a-t-on dit, il y avait du feu : « Ça brûlait de partout. » Dieu le Seigneur, créateur tout-puissant, qui avait créé ce feu, s'en est servi pour affirmer sa présence ; par exemple, les Tables de la Loi sont proclamées au milieu des flammes ; d'un buisson ardent vient une voix mystérieuse ;

18. Bref aperçu dans « Que racontaient les anciens », *Écologie et environnement*, coll. « Cahiers de recherche éthique », n° 9 (Montréal, Fides, 1983) : p. 141–150.

19. Exemples indiqués et commentés dans « Feu », *Vocabulaire de théologie biblique*, 2ᵉ éd., Paris, Cerf, 1970, p. 446–451.

au Sinaï, toute la montagne fume. Dieu n'a-t-il pas été comparé au feu ? Le feu rappelle tour à tour la gloire, la puissance et souvent la colère de Yahvé. Pour la majorité des prophètes, le feu est une présence divine plus ou moins favorable selon les conduites du peuple. Le Christ lui-même s'y est référé [20]. À la première Pentecôte [21], il est raconté que la venue de l'Esprit était symbolisée par des langues de feu. À la fin des temps apparaîtra, selon des visions apocalyptiques, un feu général prêt à châtier à jamais les indignes de cette terre.

La prédication populaire s'en permet. On prêche, à l'église paroissiale en particulier, les grandes vérités sur le ciel et l'enfer : « Mes frères, si vous n'arrêtez pas de sacrer, de boire et de courailler, c'est le feu éternel de l'enfer qui vous attend... » Les images à petit format viennent confirmer l'imaginaire populaire [22]. Des brochures, tel *Le Miroir des âmes* [23], le célèbre catéchisme en images [24] du début du siècle avec des photos tragiques de la pesée des âmes et de leur descente aux enfers, sans oublier la chanson et les cantiques traditionnels [25], tout vient prouver que les prédicateurs ont raison de crier fort. Même les draveurs et les bûcherons en oublient leurs jurons.

D'ailleurs, tout s'enchaîne pour alerter les fidèles. On entend parler ici et là de revenants venus du purgatoire pour demander des prières ; certains défunts plus alertes prennent l'allure de feux follets [26].

---

20. Cf. *Luc* 12, 49.

21. Cf. *Actes* 2, 1–4.

22. Cf. Pierre LESSARD, *Les petites images dévotes. Leur utilisation traditionnelle au Québec*, coll. « Ethnologie de l'Amérique française », Québec, Les Presses de l'Université Laval, 1981, 174p.

23. *V.g.* Lionel GROULX, *Mes mémoires*, tome 1, Montréal, Fides, 1970, p. 34-35. Sur les problèmes de mentalité religieuse reliés à la peur du feu en Occident chrétien, Jean DELUMEAU, *Le péché et la peur. La culpabilisation en Occident (XIIIᵉ–XVIIIᵉ siècles)*, Paris, Fayard, 1983, p. 416 et suiv.

24. *V.g. Catéchisme en images*, publié en diverses éditions à Paris, Maison de la Bonne Presse, 5, rue Bayard, 1908 et suiv.

25. Cf. *Le Catalogue de la chanson folklorique française*, Québec, Les Presses de l'Université Laval, 1977–1983, 6 vol.

26. Sur les revenants et feux follets, on aurait avantage à consulter surtout le folklore des régions plus éloignées, la Gaspésie, l'Acadie : *v.g.* Catherine JOLICŒUR, *Les plus belles légendes acadiennes*, Montréal, Paris, Stanké, 1981, p. 31–41 ; Carmen ROY, *La littérature orale en Gaspésie*, 2ᵉ éd., Montréal, Leméac, 1981, p. 124 et suiv. ; Sœur MARIE-URSULE, *Civilisation traditionnelle des Lavalois*, Québec, Les Presses de l'Université Laval, 1951, p. 190-191 ; É.Z. MASSICOTTE, « Feux-follets », dans *Bulletin des recherches historiques*, 35, 11 (nov. 1929) : 645–650.

Des légendes de bateaux en feu[27] accordent à ce dernier d'être impitoyable. Qu'une église prenne feu, tout « chrétien » qui sauvera les Saintes Espèces, au risque d'être brûlé vif, est aussitôt montré du doigt comme un héros parce qu'il a vaincu le feu et surtout « empêché le Bon Dieu de brûler ». Comme disait un paysan : « Le feu, lui, peut abattre un froid de loup, mais il peut aussi brûler tout le bois. Il ne faut pas s'y fier. C'est un sournois... Et si le feu était si bon garçon, on ne le bénirait pas, il ne brûlerait pas nos maisons et il n'y aurait pas d'enfer. » Les récits de gens « grillés » en pleine nuit ne manquent pas. Il faut préciser que l'hiver québécois, froid et tenace, n'arrange pas les choses, puisque c'est surtout en hiver que les maisons brûlent. Elles brûlent d'autant plus facilement qu'elles sont en bois et chauffées au bois. Non, il ne faut pas jouer avec le feu.

Pourtant la liturgie officielle fait tout pour que le feu soit perçu autrement. Dans les églises, les chapelles et les oratoires catholiques, les rites du feu sont nombreux. Une habitude très ancienne, déjà dans le *Lévitique*, veut que, église de bois ou non, la lampe du sanctuaire soit allumée ; elle signifie la présence de Dieu[28]. À la cérémonie du Samedi saint, on bénit le feu nouveau. Du feu, des cierges allumés, il y en aura partout, hiver, été, en toute saison. Six cierges à la grand-messe, deux à la basse-messe, une bonne quinzaine au Salut du Saint-Sacrement. À la maison, la chandelle est allumée dans la chambre en vue du Viatique, de l'Extrême-Onction[29] ; si un orage survient avec vent, tonnerre et éclairs, il arrivera que la même chandelle soit déposée à la fenêtre.

Malgré ces essais d'apprivoisement, le peuple craint, il craint même le feu bénit. À Saint-Gervais de Bellechasse, la coutume est que le Samedi saint au matin (maintenant la Veillée pascale) l'on apporte à l'arrière de l'église du feu de la forge[30]. Petite procession à l'extérieur,

---

27. *V.g.* Catherine JOLICŒUR, *Le vaisseau fantôme : légende étiologique*, coll. « Les Archives de folklore », n° 11, Québec, Les Presses de l'Université Laval, 1970, p. 41 et suiv. ; Marie-Claude ROY et Mireille TRUDELLE, « Vaisseau fantôme et bateau de feu », *Culture et tradition*, 3, 1978, p. 17–34.

28. Cf. *Lévitique* 6, 2–16. D'après le Droit Canon des années 1950, n° 453, il y aurait péché mortel à laisser le Saint Sacrement sans lumière environ vingt-quatre heures.

29. Sur la Chandeleur et les usages populaires qui en découlent, Denise RODRIGUE, *Le Cycle de Pâques au Québec et dans l'Ouest de la France*, coll. « Les Archives de folklore », n° 24 (Québec, Les Presses de l'Université Laval, 1983) : 9–37.

30. Cf. *Des Cadiens... aux Gervaisiens*, Saint-Gervais de Bellechasse, s.é., 1979, p. 363-364.

rapide, délicate, à laquelle les gens du milieu tiennent énormément. Malgré tout ils ont peur. S'il fallait !...

C'est précisément la peur du feu sous toutes ses formes qui a amené le catholique d'autrefois à se défier constamment. Ni le feu bénit, ni les cierges d'église, ni la chandelle bénite ne réussiront vraiment à lui enlever ses appréhensions. Certains[31] iront jusqu'à prévoir, en outre des actes liturgiques d'église, des rites domestiques auxquels on accorde autant sinon plus de foi : les médailles, les images saintes et le chapelet que l'on dit pour contrecarrer le feu. Tout cela montre à quel point le besoin de protection est grand ; il est comparable à la crainte dont nous avons déjà indiqué certaines motivations à la fois naturelles (*v.g.* maison en bois) et surnaturelles (*v.g.* peur de l'enfer).

b. L'eau [32]

L'eau peut tenir tête au feu, autant dans la mythologie religieuse populaire que dans les faits. Ce qui la montre favorable, même si elle a provoqué dès les origines de la Nouvelle-France et jusqu'à aujourd'hui beaucoup de tragédies maritimes, c'est qu'elle rend tous les services. Amicale, complaisante et douce, elle lave, elle purifie, elle désaltère. Essentielle à la vie quotidienne, le peuple s'est familiarisé avec elle.

De plus, on a appris dans les écoles et à l'église que l'eau était aux toutes premières origines du monde. « Lorsque Dieu commença la création du ciel et de la terre... le souffle de Dieu planait à la surface des eaux[33]. » Chacun sait comment Moïse, jadis porté sur les eaux, fit magiquement sortir l'eau d'un rocher. Jésus aussi a maîtrisé l'eau du lac Tibériade jusqu'à y marcher sans enfoncer. Un jour, il a changé l'eau en vin. Bien sûr, il y a l'histoire triste du déluge et celle de la mer Rouge qui enveloppe les ennemis de Dieu, cela est de nature à convaincre le peuple croyant qu'il suffit de ne pas faire le mal et l'eau lui obéira.

Face aux noyades en mer et aux naufrages, il est rare que les gens accusent l'eau en tant que telle. « Une malchance », « ils auraient dû prévoir davantage », « Dieu sait ce qu'il fait ». La tradition des ex-voto[34] signifie que la confiance — contrairement à ce qui arrive avec le

---

31. Jean-Claude DUPONT, *Héritage d'Acadie*, Montréal, Leméac, 1977, p. 121-122.
32. Cf. « Eau », *Vocabulaire de théologie biblique*, p. 303–309.
33. Cf. *Genèse* 1, 1 et suiv.
34. Claude PICHER, « Ex-voto Paintings. Les ex-voto », *Canadian Art*, 74

feu — reprend vite le dessus. « En mer, prie chaque jour et tu réussiras ; surtout ne sacre pas, sinon il pourrait t'arriver un malheur. » « La mer, c'est comme avec Dieu, tu es mieux de l'avoir de ton côté. » Les pêcheurs disent qu'elle est leur amie. Oui, elle peut engloutir, par accident ; elle nourrit surtout. Des légendes de bateaux-fantômes racontent encore [35] que le diable rôde, et les téméraires qui lui confient leur route feraient mieux d'y penser deux fois : « Ça risque toujours de finir bien mal. » Le peuple prendra ses précautions : il fera bénir ses chalutiers et ses embarcations ; il ajoutera quelques promesses et la prière du soir passera à demander à Dieu ou à Marie « que la mer soit polie pour nos pêcheurs qui s'y fient ».

Le prestige de l'eau augmentera du fait qu'elle est bénite elle aussi par le prêtre, personnage fort respecté : soit le Samedi saint ou la veille de la Pentecôte et même, s'il y a lieu, au baptême et à l'*Asperges me* de chaque grand-messe. Forte de cette double réputation d'être bonne en soi, bienveillante et bénite, l'eau deviendra l'élément sacré populaire par excellence ; son utilisation servira à toutes les fêtes et cérémonies, à tous les rites de passage de la naissance à la mort. Elle sera même apportée et conservée à la maison. Dès le jour attendu de la Pentecôte, pour rendre cette eau bénite plus accessible, on la met dans une cuve derrière l'église, à côté du bénitier. Chaque famille arrive avec son flacon à remplir, qu'elle rapporte à la maison.

Plus facile à manipuler, moins dangereuse que le feu, l'eau bénite peut être en plus prodigieuse, par exemple l'eau miraculeuse de Sainte-Anne-de-Beaupré, du Cap-de-la-Madeleine, de l'Oratoire Saint-Joseph. Certains boiront de cette eau merveilleuse « presque aussi bonne que l'eau de Lourdes » et qui, paraît-il, se garde des mois et des mois sans s'évaporer.

L'eau est susceptible de mythologie quand il s'agit de son utilisation sacramentaire. Au baptême, par exemple, si l'enfant n'est pas baptisé avec l'eau bénite, il risque une vie anormale. À propos du jeûne eucharistique, la loi traditionnelle demande qu'on ne boive pas même une goutte d'eau après minuit. Alors s'il arrive de sucer un glaçon, de lécher la neige, quelle catastrophe ! Tant de communiants traumatisés le matin de leur première communion !

(juill.-août 1961), s.p. ; A.X. « La chapelle des matelots à Sainte-Anne-de-Beaupré », *Bulletin des recherches historiques*, 51, 3 (mars 1945), p. 135–138 ; Charles TRUDELLE, « Les petits navires dans les églises », *Bulletin des recherches historiques*, 2, 4 (avr. 1896) : 59.

35. Voir note 27.

Nous nous devons d'indiquer brièvement d'autres usages sacrés de l'eau : qu'il s'agisse de l'eau de mai, de l'eau de rosée, de l'eau de grêle, de l'eau de pluie, de l'eau de forge et surtout de l'eau de Pâques. Toutes ces eaux répondront, un jour ou l'autre, aux besoins de protection des gens qui ont d'autant plus confiance qu'ils sont certains que Dieu et ses saints ne peuvent les abandonner. Bien sûr, il y a l'eau bénite, c'est une eau plus surnaturelle en un sens. Pourquoi le Créateur n'aurait-il pas accordé à différentes eaux naturelles certains privilèges? N'est-il pas l'auteur de tout? Quand il pleut, la pluie venant d'en haut n'est-elle pas un signe du ciel, lieu où, en principe, Dieu vit? S'il pleut beaucoup à l'Ascension, à la Trinité, au premier dimanche du mois, c'est signe que Dieu s'en est mêlé.

C'est ainsi qu'une vertu spéciale est attachée à l'eau de mai [36], à la *première* eau de mai, à cause du mois de Marie. L'eau de Marie, l'eau de mai, est curative et bienfaisante. Des personnes en font un usage constant pour soigner, guérir un mal d'yeux, un mal d'oreilles, pour se laver les cheveux, pour blondir, etc. Les animaux aussi la boivent. Si une pluie de mai les surprend, ils sont pour ainsi dire bénis et protégés. De plus, l'eau de mai chasse les poux et les chenilles; elle aide les semences et favorise la terre. Qu'il pleuve un premier mai, la récolte sera sûrement bonne.

On s'attendrait à des vertus similaires pour l'eau d'érable [37]. Mais non. Mars et avril ne sont pas le mois de mai. Les rapports de l'homme avec la nature sont différents. Si l'eau d'érable est sacrée, c'est dans la mesure où elle serait reliée à la Semaine sainte et à la dévotion à saint Joseph; son efficacité vient moins de ce qu'elle est que de l'intercesseur. Elle peut devenir un avertissement divin, signe vivant d'une profanation : quelqu'un a-t-il couru les érables un Vendredi saint, il y aura peut-être du sang dans les chaudières.

Nous pourrions indiquer, en passant, la valeur thérapeutique de l'eau de forge [38], sans doute à cause de son alliance avec le feu. Mais les témoins de cette croyance sont rares.

Si nous considérions l'eau de Pâques [39]? Avant le lever du soleil de ce jour, la famille, si possible, se rend à une source, à un cours d'eau,

---

36. Cf. RODRIGUE, *Le Cycle de Pâques...*, p. 139–149.

37. *Ibid.*, p. 229, 271.

38. Cf. J.-C. DUPONT, *L'artisan forgeron*, Québec, Éditeur officiel du Québec et Les Presses de l'Université Laval, 1979, p. 246–254.

39. Ronald LABELLE, « L'eau de Pâques : coutume religieuse populaire », *Culture et tradition*, 2, 1977, p. 1–11 ; RODRIGUE, p. 239 et suiv. ; Sœur MARIE-URSULE, p. 84.

pour recueillir de l'eau à contre-courant. Cette eau de Pâques possède des vertus curatives. Elle n'est pas de l'eau bénite, elle est comme de l'eau bénite. On se signe avec elle, on se frotte, on en boit. Même les animaux à qui il est arrivé peut-être de jeûner le Vendredi saint en profiteront.

L'eau, qui dans toutes les mythologies de l'histoire s'affirme comme un élément fondamental, se retrouve au Canada français doublée d'une action d'autant plus évidente, favorable et coercitive à la fois, qu'elle prend diverses formes à cause du climat et qu'elle n'est plus seulement sacralisée par son omniprésence et par les responsables du culte ; le peuple lui-même lui accorde toutes sortes de privilèges.

c. La terre [40]

La terre aussi deviendra vite un objet de sacralisation et de mythologie. L'enseignement de l'histoire sainte et du catéchisme largement commenté à l'école, à l'église, le dimanche, dit que la terre, créature de Dieu, est un lieu de passage, mais lieu vital du salut. On y travaille, on y vit, on y élève sa famille, on y meurt. La terre canadienne avec des espaces sauvages et des paysages renouvelés par les saisons élargit sans cesse le champ de vision. La chanson préférée du rural, le *Credo du Paysan*, est justement un hymne à l'immensité :

> Je crois en Toi, Maître de la nature,
> Semant partout la vie et la fécondité ;
> Dieu tout-puissant qui fis la créature,
> Je crois en ta grandeur,
> Je crois en ta bonté !

L'habitant aime sa terre nourricière et il lui fait confiance. Souvent plus à l'aise avec elle qui le porte qu'avec la mer qui le remue, il lui arrive de s'en ennuyer pendant l'hiver : « Au moins, si je pouvais voir ce qui se passe en dessous. » Même les terres les plus rocheuses restent aimables : « On finira à coups de travail par s'y débrouiller. » Quand il meurt, l'être humain retourne à la terre qui l'absorbe et l'assimile. Malgré cela, elle demeure une amie : « Non, elle ne peut pas être méchante ma terre, elle me donne de quoi vivre. » « Si la terre était si méchante, pourquoi y aurait-il des lieux saints, des cimetières et de la terre bénite ? »

Le sol est d'autant plus *divin* pour l'homme qu'il en possède une partie, quelques acres : « ma terre ». Terre défrichée, terre deux fois bénie de Dieu : « Quand tu as fait ta terre, que tu l'as bûchée,

---

40. Voir « Terre », dans *Vocabulaire de théologie biblique*, p. 1286–1295.

essouchée, dérochée, tu ne te demandes pas de questions : c'est un cadeau du ciel que tu as mérité. » D'ailleurs, il fut un temps, pas très lointain, où celui qui cultivait la terre était auréolé de mérites et de vertus supplémentaires. Les prédications pour le retour à la terre n'étaient-elles pas marquées, à leur manière, d'un sens instinctif de la terre sacrée [41] ? Adam n'avait-il pas été un « habitant » ?

Mythe de la terre paternelle [42], devrions-nous ajouter ; celle-ci représente et l'héritage et le projet d'avenir. Comme en ville, pouvoir posséder *sa* maison. Le rite connu de la donaison est un des plus significatifs que l'on connaisse des événements sacrés domestiques. « Mon règne est fini, je te donne ma terre moyennant gîte et redevance. » Même si cet acte familial est quasi liturgique, il ne comporte pas de composante religieuse explicite. « Ça fait trop mal pour qu'on fête ça. »

La terre serait-elle sacrée en soi ? Il est rare que l'habitant juge mal sa terre. Au contraire, il la respecte. Il sait, par exemple, qu'il ne faut pas trop sacrer, au cas où elle se vengerait ; il se souvient qu'on a dit que la terre avait saigné parce qu'on l'avait traitée irrespectueusement, c'est-à-dire qu'on l'avait travaillée un Vendredi saint, le jour des Morts ou un dimanche [43]. Il a aussi appris que semer à la Saint-Joseph aurait un effet favorable [44]. Il a peut-être profité de la visite paroissiale par monsieur le Curé pour faire bénir tous ses bâtiments avec la ferme, « le chien, les vaches et les cochons ». Au temps des semences, on l'a surpris à enterrer des médailles avec les grains bénits pour mieux protéger sa terre.

Pourtant il ne viendra jamais à l'idée du Canadien français catholique d'inventer sa fête de la terre et même une fête des moissons et des récoltes. Est-il trop occupé ? Non. Mais le clergé n'en parle point et le rituel n'a pas prévu ce genre de célébration. Ou plutôt presque toute la liturgie de la terre se passe à l'église [45] et elle obéit à l'instinct naturel de l'homme épris de son milieu nourricier. Les longues

---

41. *V.g.* C.-É. COUTURE, « Le rôle providentiel du cultivateur dans la paroisse », *Le Monde Rural*, 1946, p. 33–39 ; J.-B. CAOUETTE, « La croix, l'épée et la charrue », *Le Terroir* 2, 1 (sept. 1919) : 4–9.

42. Cf. Maurice LEMIRE, « Le mythe de la terre paternelle », dans *Le merveilleux : deuxième colloque sur les religions populaires, 1971*, Fernand DUMONT, Jean-Paul MONTMINY et Michel STEIN, dir., coll. « Histoire et sociologie de la culture », n° 4 (Québec, Les Presses de l'Université Laval, 1973) : 55-56.

43. Cf. RODRIGUE, *Le Cycle de Pâques...*, p. 214 et suiv.

44. *Ibid.*, p. 75, 83-84.

45. *Ibid.*, p. 110 et suiv.

cérémonies de la Saint-Marc et des Rogations avec messe et litanies s'accompagnent de la bénédiction des grains. Une fois « consacrés », ces grains seront soigneusement déposés en terre. Tant mieux si ce geste est posé par un enfant. De même, durant toute l'année, des messes seront célébrées pour les biens de la terre ou en action de grâces. Le cultivateur espère que Dieu lui sera favorable et tout naturellement il associe son travail à celui du Créateur. Prier, faire prier pour sa terre, c'est, comme il dit, « minoter ».

Il arrive que le rituel officiel encourage, en plus de la Saint-Marc et des Rogations, certaines autres célébrations ; par exemple, l'appropriation du terrain de la Fabrique, terrain quelque peu sacré qu'on voudra faire bénir, l'inauguration de la nouvelle église, d'une nouvelle chapelle, bénites elles aussi. Il y aura, en outre, à bénir le cimetière [46]. Malheur à qui ne sera pas enterré « en terre bénite ». Suprême déshonneur ! Jugement général de la paroisse !

Cependant, certains prédicateurs populaires assombrissent la vie en jetant des doutes dans l'âme religieuse et soumise du Canadien français : « Mes frères, vous êtes sur la terre pour apprendre à mourir. Cette vie n'est pas une partie de plaisir. La terre est un lieu de souffrances et d'épreuves. » Ces messages ne semblent pas avoir eu de résonance religieuse profonde auprès des gens. « Je suis bien prêt à aller au ciel, mais je trouve ma terre et mes Laurentides si belles : pourquoi déménager ? »

En somme, il a existé un vrai amour entre l'homme terrien et son milieu géographique. Cet amour de la terre chez les catholiques canadiens-français était celui d'un être fier et tenace. Il s'agissait d'un rapport vital et sentimental établi entre un habitant et la réalité qui le dominait au moment même où il s'apprêtait à la posséder. Cette mythologie fondamentale reste accordée avec tous les cultes agraires des religions traditionnelles : sentiment d'une profonde appartenance, goût d'une participation active à la vie du sol, besoin de protection et profonde reconnaissance envers les forces qui animent l'univers.

d. L'air

La terre n'est viable que par l'air qu'on y respire. Plus subtil que le feu et l'eau, l'air aura donné lieu à peu d'expériences religieuses chez les

---

46. Pierre-Georges ROY, *Les cimetières de Québec*, Lévis, chez l'auteur, 1941, 270, iiip. ; « Cimetières d'aujourd'hui et cimetières d'autrefois », extrait de « Nos coutumes et traditions françaises », *Les Cahiers des dix*, 4 (1939) : 68-69. *Œuvre de l'entretien des cimetières catholiques*, Québec, L'Action sociale, 1921, 25p. ; Henri D'ARLES, *Le cimetière de mon village*, Québec, Imprimerie Laflamme et Proulx, 1909, 12p.

catholiques canadiens-français. Pourtant, les Écritures[47] rappellent aux chrétiens qu'il y a des brises favorables qui sont signes de bonté, comme il y a des vents plus troublants qui sont signes de colère. La liturgie baptismale invite aussi le prêtre à souffler sur l'enfant afin d'en éloigner le mal. Mais qu'est-ce qu'un souffle à côté du vent, de l'océan et du feu[48]?

Pire est l'alliance toujours possible entre le vent et le feu. Un bâtiment brûle, une forêt s'allume, le vent qui s'élève, il faut allier prières et promesses. L'eau bénite viendra rassurer l'éprouvé et conjurer la fatalité : « Quand le vent s'en mêle, y a presque rien à faire avec le feu. I' faut tout de suite le Bon Dieu ! » On pourrait dire que, se fiant tout bonnement à l'air, le catholique canadien-français aurait peu « sacralisé » l'air s'il n'avait eu son plus éloquent interprète : le vent. Il sait, selon que le vent est favorable ou non, s'il peut aller travailler ou pas : le vent nord-est est présage de pluie et d'orage ; le vend chaud vient plutôt du sud-est. De plus si, un Vendredi saint[49], durant la lecture du récit de la passion du Christ à l'église, s'élève un vent nord-est, il ventera peut-être quarante jours et les sucres en souffriront.

Au fait, l'air serait médiateur du sacré quand il appelle un surplus d'invocations et de bénédictions. Or tel ne fut pas le cas, en général. Pourtant vital et nécessaire, l'air aura été fort peu présent à la mythologie religieuse des Canadiens français sinon sous forme de grands vents.

2

Les significations

Que penser de cette mythologie, si limitée soit-elle ? Précédé par une croyance transmise par héritage et le plus souvent gardé par un rituel strict, le récit mythique ou mieux l'acte mythique est à l'avance encadré, d'où le risque de la pensée conformiste et de l'attitude magique, comme aussi la possibilité d'une foi chrétienne désintéressée. Comment savoir ?

Face à des espaces vastes et sauvages, il est normal que les premiers contacts avec le feu, l'eau, la terre et l'air aient démontré une dépendance telle qu'elle pouvait aller jusqu'à l'effroi. Cette nature

---

47. Voir « Vent », *Dictionnaire de la Bible*, tome 5, p. 2391–2393.
48. Sur le vent et la chandelle bénite, v. Denise RODRIGUE, *ibid.*, p. 30–32.
49. *Ibid.*, p. 220.

puissante, la dureté des saisons et la fermeté des conduites cosmiques ont fait que le Canadien français a davantage craint Dieu qu'il ne l'a loué. Là où le défi est plus fort, les rites religieux risquent d'être plus répétitifs. Quand il prie, qu'il chante le célèbre *Credo du Paysan*, le peuple adore-t-il? Ne recherche-t-il pas plutôt la bienveillance d'un Dieu dont il veut s'assurer tout de suite les faveurs tellement il en a peur?

C'est ainsi que longtemps associé à la toute-puissance de Dieu, au Dieu des orages et des éclairs, le feu fait peur : il brûle les bâtiments et il rappelle le purgatoire et l'enfer. Pourtant le feu, créature divine et objet de grandes théophanies bibliques, demeure, théoriquement du moins, symbole du Christ, signe d'amour et d'exaltation. S'il n'a pas joué chez nous un rôle plus *chrétien*, c'est que la crainte a été trop obsessive pour laisser place à des perspectives plus nobles.

Bien qu'il manifeste beaucoup de foi aux récits bibliques qu'il entend, le peuple n'est pas tellement ému que l'eau soit alliée à l'œuvre de Dieu et les récits tragiques ne l'énervent pas plus qu'il faut. L'eau est naturelle. S'en servir va comme de soi. La bénir arrive en surplus. Les gens ont tout naturellement accordé à l'eau de Pâques, à l'eau de mai, à la rosée, des qualités pour le moins égales à celle de l'eau « bénite par monsieur le Curé ». La vertu spéciale de l'eau de Pâques, par exemple, tient moins d'avoir été puisée à l'occasion d'un jour prestigieux que d'être une eau fraîche, une eau pure, une eau printanière, une eau originelle, une eau thérapeutique. Le rite d'aller la chercher en silence, en priant, est accidentel et simple imitation des rites de l'Église. L'eau bénite symbolise le pouvoir du prêtre ; l'eau de Pâques exprime celui du peuple et son goût du rite spontané. En ajoutant au rituel officiel de l'Église des coutumes qui lui sont propres, le peuple affirme, en un sens, sa liberté et son autonomie face au sacré [50].

Un fait à remarquer : le clergé n'a jamais condamné ces usages d'eau naturelle. Pourquoi? Il était convaincu de la supériorité et de l'efficacité de son eau bénite, probablement à cause des rites dont il

---

50. Cette question importante des rapports parfois ambivalents entre le clergé omniprésent et le peuple qui sait prendre ses distances a été relevée par Pierre HURTUBISE, « La religiosité populaire en Nouvelle-France », dans *Religion populaire, religion de clercs?* Benoît LACROIX et Jean SIMARD, dir., coll. « Culture populaire », n° 2 (Québec, Institut québécois de recherche sur la culture, 1984): 53–64 ; Christian MORISSONNEAU, « Genre de vie et religion populaire », *ibid.*, p. 217–222.

avait seul le contrôle. Il aura béni à peu près tout [51]. Ce qui faisait dire à un paysan soucieux de plus de parcimonie : « Moi, je pense que nos prêtres bénissent trop. Eau bénite icitte, eau bénite là, on dirait qu'ils ne sont pas certains de leur Bon Dieu. » Il est à se demander, une fois de plus, si Dieu n'était pas implicitement mis en cause. Comme s'il fallait re-créer l'eau ou même l'univers ! Comme si la création n'était pas déjà divine !

Il y a à noter aussi que, catholique de tradition, le Canadien français a pratiqué sa religion sans se demander toujours le pourquoi. À l'école, à l'église, à la maison, avec ses leçons d'histoire sainte, l'enfant apprend par cœur le catéchisme, questions et réponses, les *actes*, le signe de la croix, le *Je crois en Dieu* : le clergé a le devoir d'enseigner, le peuple, celui de se souvenir. Peu de savoir en profondeur, beaucoup d'imitation et de soumission. La référence explicite au mystère du Christ mort et ressuscité est si peu fréquente qu'on hésite parfois à parler de catholicité canadienne-française. Nous ne mettons pas en cause les intentions individuelles et le courage souvent héroïque de ces pratiquants, mais, en considérant les rites face aux premiers éléments : le feu, l'eau, la terre et l'air, il nous est arrivé de penser à la distinction bien connue des spécialistes entre religion *naturelle* et religion *surnaturelle*.

C'est dans la même perspective de dépendance, de peur instinctive et d'un besoin commun de conjurer une nature trop puissante, que le peuple croyant espérait de son Dieu des miracles qui, en un sens, pouvaient laisser croire que la terre était mal faite et incapable de donner à l'homme ce qu'elle paraissait au premier abord lui accorder avec générosité.

Le christianisme n'est pas cependant et d'abord une religion naturelle et cosmique, il se doit d'être en tout premier l'expression de la Parole de Dieu, source et inspiration d'attitudes sacrales. Mais cette Parole n'a-t-elle pas été trop diluée dans les rituels officiels ? Faute de science de la foi, la crainte normale du peuple face à un « pays » aussi exigeant l'a-t-elle finalement emporté ? C'est possible.

Autre aspect du catholicisme traditionnel : dans cette religion du peuple, les rapports avec l'univers sont rarement associés à la simple louange de Dieu. Nous avons la surprise de constater que ce peuple qui

---

51. Il suffit de consulter le célèbre *Rituel* de monseigneur de Saint-Vallier (1703), troisième partie entièrement consacrée aux bénédictions qui, la plupart, s'accompagnent d'une aspersion.

aime tellement la fête ne semble pas disposé à louer spontanément la riche et vaste nature qui l'entoure. Encore aujourd'hui, l'*Action de Grâce*, congé plutôt pour les gens de la ville, est une fête importée rarement célébrée dans les églises catholiques. Pourtant, nous aurions pensé que, vivant dans un milieu aussi beau et aussi contrasté, les actions liturgiques auraient été multipliées. Il n'en fut pas ainsi, habitués que nous étions à considérer l'obligation des rites avant même d'identifier la beauté des lieux.

Quant aux clercs, toujours si près des gens, ils semblent beaucoup préoccupés de la rectitude extérieure. Encore en 1938, un célèbre archevêque écrit ou fait écrire de longues pages sur la manière matérielle d'accomplir les rites sacrés entourant l'eau et le feu [52]. L'on constate que la description du rite prend plus d'espace que la réflexion, et que la recherche de son efficacité immédiate l'emporte sur la véritable compréhension de ce qui se passe. Issus souvent du peuple et fort peu instruits en général, les prêtres apparaissent comme des ritualistes fidèles et pieux, portés à réduire le sensible et les grandes réalités cosmiques pour insister davantage sur des rubriques souvent simplificatrices.

Comprenons bien. La mythologie canadienne-française catholique traditionnelle s'inspire matériellement du passé judéo-chrétien ; elle affirme ou confirme la puissance du feu, de l'eau, de la terre et de l'air. Des actes cultuels, déterminés surtout par le clergé, accompagnent la sanctification de chacun de ces éléments. Il est arrivé cependant que parallèlement, et sans la moindre intervention cléricale, des usages différents se soient développés, démontrant qu'à bien des égards le catholicisme populaire canadien-français restait assez « primitif » quoique très généreux dans ses actes et dans ses rites. Nous pourrions même dire de la mythologie religieuse des Canadiens français qu'elle a été, sans énoncé explicite, un savoir pratique nourri de rites et de souvenirs. Plus soucieux d'adaptation à une nature trop grande que porté à questionner le contenu de ses croyances chrétiennes reçues, le peuple a plus éprouvé le besoin de la protection que senti celui de l'adoration. C'est la différence essentielle entre une *religion de la nature* à base de dépendance et une *religion surnaturelle* intérieure qui adore et s'émerveille.

---

52. Par exemple, dans les années 1938, les éditions de la Commission des cérémonies liturgiques, Québec, 2, rue Port-Dauphin, font paraître une trilogie du *Cérémonial des ministres sacrés*, dont les deux premiers volumes sont signés par l'abbé Bruno DESROCHERS du même archevêché de Québec. Ces textes minutieux révèlent comment, à certaines époques, le rite peut s'imposer aux significations.

Ce peuple défricheur, courageux et isolé, pouvait-il faire autrement que de craindre celui qu'il appelait pourtant le *Bon* Dieu? Il s'est imposé des rites et des conduites qui, tout en conjurant sa peur,

Image de grand format vers 1900.

exprimaient son besoin de confiance. Seule la connaissance des véritables motifs personnels de tous ces pratiquants nous permettrait des conclusions plus définitives. Nous avons des preuves, mais externes, que le même peuple avait une foi profonde et probablement chrétienne au sens le plus vrai du mot. Son art religieux, sa vitalité missionnaire et la création de tant d'institutions originales devraient nous convaincre qu'avec sa mythologie et son culte de la nature, il n'en recherchait pas moins des valeurs et des réalités d'un autre ordre. Si, enfin, le peuple a trouvé dans la religion de ses prêtres et de ses curés des éléments de cohésion, d'intégration et d'identification, s'il a matériellement obéi à ses pasteurs, il a souvent fait à sa tête, refusant, à l'occasion, de payer sa dîme (cas très fréquents) ou s'inventant des cultes cosmiques qui oscillaient, comme il arrive dans des situations similaires, entre l'adoration et la superstition.

D. Dévotions : hier — aujourd'hui [53]

Nous sommes ici pour mieux identifier nos solidarités avec l'Église du Christ et pour écouter les références du peuple ordinaire. Il s'agit de ce que, provisoirement, nous appelons la dévotion populaire. Ajustons nos mots : *dévotion* et *populaire*.

DÉVOTION signifie, dans cet exposé, *pratiques extérieures* du culte, pratiques individuelles et collectives. Par exemple, le mois de Marie, une neuvaine à la Bonne Sainte Anne, un chemin de croix, le chapelet, etc. Parlons des lieux : salons funéraires, cimetières, croix de chemin, chapelles, fontaines. Sans oublier les personnes : saints, saintes, guérisseurs, miraculés. Enfin les objets de dévotions, par centaines : scapulaires, médailles, reliques, reliquaires, lampions, huile, eau, *et caetera*. Nous pourrions tout autant nommer les nombreux *actes de dévotion* bien connus : processions, pèlerinages, bras en croix, mains jointes, génuflexions. *Et caetera* encore !

Quant au mot POPULAIRE il désigne les gens, les fidèles, monsieur, madame Tout-le-Monde. Comme on dit à Mirabel : « Bonjour le monde ! » Ce n'est pas une nomination à caractère sociologique.

---

53. Extrait de *Bulletin national de liturgie*, 17, 88 (janv.-févr. 1983) : 14–18. Il s'agit d'une conférence à des responsables nationaux de liturgie en milieu nord-américain.

Nous pensons au *peuple de Dieu*, au peuple ordinaire qui contient quelques élites et une majorité de gens non cultivés. Voilà pour les mots.

Même s'il n'est pas toujours facile de nous orienter à travers tant de réalités objectives et subjectives, il est bon de nous questionner. Ce sera l'objet de la première étape de cet exposé. Ensuite, nous nous rappellerons certaines interventions de Jean XXIII. Puis, nous reprendrons l'énoncé des principes qui nous permettent de dire *oui* et *non* aux DÉVOTIONS POPULAIRES. Enfin, nous serons peut-être en mesure de résumer les habitudes parfois étranges de la religion du peuple ordinaire. Il reviendra aux échanges en atelier d'évaluer ce qui, pour un pasteur, reste valable :

> Au reste, frères, tout ce qu'il y a de vrai, tout ce qui est noble, juste, pur, digne d'être aimé, d'être honoré, ce qui s'appelle vertu, ce qui mérite l'éloge, tout cela, portez-le à votre actif.
>
> *Ph* 4, 8

Quelques questions

1. Le lien entre la liturgie romaine officielle, celle du rituel par exemple, et les dévotions des gens est-il si nécessaire, si légitime qu'il faille toujours s'en occuper? 2. Ne s'agit-il pas plutôt de deux manières de considérer le sacré? 3. Pouvons-nous parler de deux cultes, de deux vécus : le culte public et le culte privé? un vécu diocésain et clérical et le vécu domestique et familial? 4. Que dire des rapports implicites de force entre le pouvoir des liturgistes et les entêtements du peuple ordinaire? 5. Comment instaurer un dialogue entre la foi critique (celle des animateurs liturgiques) et une foi plus sauvage, plus naïve (celle des gens ordinaires)?

La question cruciale reste, pour nous : comment conduire le peuple de Dieu du visible à l'invisible, du signe au signifiant, du vu et entendu quotidien aux mystères chrétiens? de la pensée magique à la foi purifiée? de la prière de demande par exemple, à l'adoration gratuite? Telle est la problématique qui transparaît à travers nos textes axés aujourd'hui, positivement ou négativement, sur les dévotions populaires.

Avec Jean XXIII

Quelles furent les interventions les plus notables de l'Église catholique romaine, *notre* Église, sur ce thème? Les dernières mises au point plus élaborées furent de Jean XXIII (1958–1963) : le 21 février 1960 au synode romain ; le 24 novembre 1960 au clergé de Rome ; le

2 juin 1961 à l'occasion d'une audience générale ; puis les 3 et 13 juin à des pèlerins. Jean XXIII s'explique pour avoir insisté sur les dévotions au Très Précieux Sang de Jésus, au Très Saint Nom de Jésus, au Très Sacré Cœur de Jésus. Aujourd'hui, nous ne pouvons pas oublier l'âge avancé du Pape à cette époque. De plus, il est italien et ces dévotions font partie de son enfance. Ça lui fait du bien d'en parler. Rappelons qu'à ce moment une croisade subtile et tenace contre les dévotions privées et les *pia exercitia* est déjà commencée. La revue *la Maison-Dieu* paraît depuis 1945 et on y estime qu'il est temps que le Sanctoral recule devant le Temporal ; il faudrait que les dévotions soient mieux orientées et qu'enfin, disent les liturgistes, on en vienne à la sobriété et à l'essentiel du culte.

Un vaste soupçon pèse sur une multitude de dévotions dites populaires, allant des Saintes Plaies du Sauveur à la Sainte Face, des Heures de réparation jusqu'à l'huile du thaumaturge chrétien. Ces dévotions seraient d'autant plus discutables qu'elles n'auraient aucun lien avec la Parole de Dieu ni avec les Écritures ; elles insisteraient trop sur l'humanité de Jésus, oubliant la perspective d'espérance qu'offre la divinité de sa résurrection. À la frontière du tolérable on aurait, disent les uns, la dévotion au Sacré Cœur, déjà objet de trois encycliques et reliée directement au mystère du Christ et de son Père, et celle de Marie en tant qu'associée à Dieu par Jésus. Ce qui conduit au Christ, à l'Eucharistie, à la liturgie publique est excellent. La dévotion privée et individuelle resterait, en somme, un risque *à peine nécessaire*.

Jean XXIII intervient à nouveau le 8 février 1963, alors qu'il s'adresse aux Pères du Concile qui ont subi toutes sortes de pressions pour et contre les dévotions. Son langage est posé, serein : il ne faut surtout pas heurter de front la catholicité. Le 30 octobre 1965, le cardinal Lercaro donne une longue conférence sur les dévotions privées et c'est lui qui, avec tact et fermeté, explique la position officielle de l'Église « enseignante ». Ni Paul VI, ni Jean-Paul Ier, ni surtout Jean-Paul II qui s'en permet en matière de dévotion mariale, n'y reviennent. Chacun se réfère plutôt à Jésus Christ et au culte eucharistique.

Au Concile Vatican II, les liturgistes ont gagné sur trois points importants qui renvoient les dévotions à l'arrière-plan : 1. en tout culte, la Parole de Dieu doit être première ; elle est même antérieure aux sacrements et l'est davantage aux sacramentaux ; 2. toute liturgie n'a de valeur que si elle est animée par le mystère chrétien. C'est donc la foi en Jésus qui doit nous guider plutôt que les habitudes médiévales acquises. *Sentire cum ecclesia* veut dire désormais *en communion de*

prière et de charité avec Jésus Christ. Jésus mort et ressuscité est
« l'unique médiateur entre Dieu et les hommes, un homme qui s'est
donné en rançon pour tous » (1 *Tm* 2, 5-6) ; 3. par ailleurs, les mêmes
Pères du Concile affirment que l'Église, c'est le peuple de Dieu en
communion avec Jésus, plutôt qu'une seule hiérarchie en situation de
pouvoir. La liturgie est pour le peuple et non le peuple pour la liturgie.
D'où traductions, adaptations en langues parlées de la Parole de Dieu
redonnée au peuple. Trois acquis majeurs, trois principes de choix :
priorité à la Parole de Dieu, à Jésus unique médiateur et à l'Église
communauté de foi.

Oui et non aux dévotions populaires

Tout est clair, en principe. Au moins pour les liturgistes de stricte
observance. « Une dévotion est vraie et authentique dans la mesure où
elle exprime et récapitule vraiment la Parole de Dieu ou quelques
points fondamentaux de la doctrine catholique » (Lercaro). Une dévotion peut jouer, d'une part, un rôle pédagogique, provisoire, voire un
rôle de suppléance. Admettons, d'autre part, qu'elle manifeste une
certaine vitalité du peuple. Mais attention !

Jean XXIII avait distingué entre les dévotions fondamentales,
plus sanctifiantes, et les dévotions personnelles, secondaires. Le cardinal
Lercaro favoriserait plutôt un culte ancien qui a fait ses preuves. Le
nouveau culte doit faire ses preuves. Cela n'est pas de nature à susciter
de nouvelles dévotions. « Évitons les déviations fantaisistes... tenons-
nous-en à ce qu'il y a de simple et de plus ancien dans la pratique de
l'Église » rappelle encore Jean XXIII, qui souhaite surtout l'harmonie
entre les diverses formes de piété.

Des habitudes de la religion du peuple ordinaire

Revenons au peuple. Il ne connaît pas ces subtilités. Les prêtres
auront beau prêcher les grandes vérités du salut, le mystère de Jésus,
Dieu fait homme, l'Esprit Saint égal en nature au Père et au Fils, le
Corps mystique ; ils auront beau insister sur notre filiation divine et
notre union au Christ mort et ressuscité ; ils auront beau annoncer la
possibilité d'une « vie divine » dès ici-bas, les « fidèles », eux, sont plus
sensibles au vécu quotidien, au support cosmique des saisons. Par
exemple, nos gens ordinaires s'accommoderont aux cycles liturgiques
reçus : ils distingueront le temps de Noël et le temps de Pâques avec
tous les dimanches d'après à la file indienne. Mais « un jour de l'An, ça
vaut deux dimanches de Pâques ! » Le *mystère de l'Incarnation*, Noël,

c'est plutôt la fête du Petit Jésus ouvrant le vrai temps des Fêtes. Le jour le plus triste de l'année, c'est le Vendredi saint.

Porté à réduire le champ du mystère, le peuple exprime par ses dévotions son besoin de sentir, de voir, de toucher, d'expérimenter, de moraliser, son besoin d'être encadré par des rites et de se manifester dans la fête. Il veut, en outre, des médiateurs prochains et accessibles plutôt que ce Dieu lointain, au ciel. Surtout s'il est politiquement dominé. Alors il a tendance à diversifier ses dépendances, à multiplier les rites et les dévotions, à s'exprimer par des gestes, des mots, des cantiques. Pour occuper tant de protecteurs, il est prêt à la participation, à l'action, aux prières litaniques, aux refrains, à ce qui est facile et répétitif. Il n'est pas trop porté à penser et à réfléchir. Mieux vaut dire vite son rosaire qu'en méditer trop longtemps les mystères.

La religion populaire s'est définie pendant longtemps moins à la manière d'une *communion*, d'une *solidarité* ou d'une *alliance* du Seigneur avec nous, que d'une *dépendance*. Si surprenant que cela soit, le peuple est très attiré par cette idée de dépendance qui correspond à ce qu'il observe partout dans la nature. Même si nous n'osons pas le penser aujourd'hui, ce qu'il aime avant tout dans ses dévotions publiques et privées, c'est de dire et de manifester ouvertement sa « dévotion » envers un thaumaturge, un « saint » de son choix. Ou si nous préférons, sa communion avec le sacré est plutôt faite d'inter-dépendances et de rapports hiérarchiques que du besoin de traiter Dieu et tous les saints à part égale. Il aime choisir et évaluer ceux qu'il invoque ; il n'a pas tellement le goût de la démocratie, il vise l'uni-formité ; il est prêt à multiplier les rites et les intercesseurs, quitte à oublier toutes les règles de politesse à l'égard de Jésus, l'unique médiateur, amical, fraternel, et capable de toutes les guérisons. Le peuple préfère *ses* patrons et *ses* guérisseurs. « Qu'on ne dérange pas le Bon Dieu pour rien ! Il est déjà assez occupé à ses affaires. » « Le Christ en a assez fait en mourant pour nous que mieux vaut ne pas le *bâdrer* avec nos histoires. » « Moi, je prie saint Joseph, pis c'est lui qui s'arrange avec ça en haut... Quand tu as déjà un bon député, tu vas pas *achaler* un ministre. »

Dans ces circonstances plutôt inattendues, il ne convient pas d'abord d'empêcher les choix capricieux du peuple qui, de toute façon, fera à sa guise, mais de l'instruire sans cesse « à temps et à contretemps » de l'Évangile, de l'être humain de Jésus, de Marie, sa mère, pour qu'à travers ces derniers il apprenne la politesse qui consiste à saluer d'abord les « maîtres » du ciel avant de s'en remettre aux « résidants ».

Si c'est possible, essayons d'éviter trois formes redoutables de silence : le repliement, le langage ésotérique et l'abstraction. C'est-à-dire ? 1. Dans la mesure où nous nous replions sur nos temples, nos institutions et nos seuls programmes approuvés de prières et de cultes, nous devenons silencieux pour les gens. 2. De même, si nous parlons un langage universel et détaché du vécu quotidien. Car c'est sur le plan quotidien, plus qu'autour de *l'actualité*, que se vit l'essentiel de la dévotion populaire. Les cultes les plus véridiques se greffent non sur la lecture des journaux mais sur l'ordinaire, au fil des jours. Pensons à la prédication de Jésus qui avait saisi les besoins et les caprices des foules sans cependant se laisser emporter par leur besoin de magie. 3. Quand, par ailleurs, nous avons un enseignement pastoral si abstrait et si général que nos mots ne visent plus l'acte concret de dévotion, nous sommes pour lui des silencieux. Le peuple a découvert une manière polie de nous traiter même quand nous parlons : il nous écoute, mais ne nous entend pas.

Notre éloignement des gens constituera en même temps un éloignement du Seigneur Jésus. Selon le témoignage de l'Évangile, Jésus le premier s'est identifié au peuple et il a des compassions ferventes pour les foules. Elles abusent ? Il leur offre quand même des signes, voire des miracles. En fin de compte, il y a toujours et il y aura toujours de la place, beaucoup de place, pour les rites, les gestes et les paroles de dévotions populaires.

NOTICE BIBLIOGRAPHIQUE

L'étude de diverses dévotions a déjà été l'objet d'importants articles du *Dictionnaire de spiritualité, v.g. devotio*, dévotion, dévotion moderne, dévotions et dévotion, tome 3, 702–795 ; dans *la Maison-Dieu*, nos 5, 38, 64, 73, 75.

Sur les dévotions dans la vie et la pensée de l'Église à l'époque conciliaire, on trouvera des textes plus représentatifs dans *La Documentation catholique* en 1950, p. 206, 214, 930 et 1542 ; pour 1961, p. 1077 et 1215 ; pour 1962, p. 852–855 ; pour 1963, p. 293. Notons aussi le texte du cardinal Lercaro, *ibid.*, 1966, p. 791.

Sur les rapports entre la religion populaire en France et la réforme liturgique locale, voir *la Maison-Dieu*, no 122, 1975, 194p.

Depuis, l'étude scientifique des dévotions est passée aux sciences humaines de la religion et elle est sujette aux interprétations les plus diversifiées. Il fallait s'y attendre.

E. La religion populaire des Québécois en résumé [54]

Historique

Religion d'immigrants, le catholicisme de la Nouvelle-France est dans sa structure, dans la plupart de ses rites et le ton de ses croyances, né au Moyen Âge. Cette descendance n'a jamais été brisée, puisque nous avons boudé la Réforme avec d'autant plus de conviction qu'elle était *anglophone* et *hérétique* ; nous avons de même évité et rejeté la Révolution française parce qu'elle tuait les prêtres, rationalisait la religion et assassinait son roi et sa reine.

Donc, nous héritions d'une religion européenne, médiévale, française. Cette religion traditionnelle a duré au Québec jusqu'au milieu du XXᵉ siècle. Il serait facile d'en établir les preuves.

Religion transmise, fidèle à ses rites et à ses croyances, elle était aussi et avant tout une religion orale, faite du catéchisme appris par cœur, des prônes et des sermons entendus tous les dimanches, des grandes retraites annuelles et des longues prières récitées en famille. Elle se verbalisera au jour le jour dans des jurons au nombre incalculable.

Enfin, rappelons qu'il s'agit d'une religion de la majorité. Les francophones furent pratiquants et officiellement unanimes. Reliée à une langue menacée, la religion jouera souvent un rôle de bouclier et de protestation implicite contre l'« étranger ».

1. Quelles sont les PREMIÈRES CROYANCES de cette religion ?

a. *Dieu tout-puissant*, capable de tout, au-dessus des nuages (cf. iconographie populaire) ; Providence absolue qui peut arranger les vies et les événements. D'où un certain fatalisme propre au monothéisme : « Si Dieu peut tout, sait tout..., mieux vaut l'amadouer que le bouder. »

b. On croit à *Jésus* de la crèche, à cause de l'importance première de Noël au pays de l'hiver ; on croit aussi à Jésus mort en croix le Vendredi saint, d'où la multiplicité des crucifix et des signes de croix ; on croit à Jésus ressuscité (Pâques), mais en troisième lieu.

c. Il arrive que le *culte marial* déborde la pensée officielle de l'Église et prenne des proportions exagérées. D'où, les « trois Je vous salue, Marie, » capables de procurer le salut ; d'où, Marie habillée en

---

54. Extrait de *Informations, Église de Hull*, 9, 15 (15 avril 1978) : 1-2.

prêtre au XIXe siècle. Il semble parfois qu'elle est plus puissante que Dieu.

d. Le culte des *âmes du Purgatoire*, lié d'ailleurs à l'obsession du salut — depuis le Moyen Âge —, donne aux croyances québécoises une sorte de familiarité avec l'au-delà.

e. La croyance au *bon ange*, l'ange gardien, implique un besoin de médiation qui laisse souvent entendre que l'Incarnation de Jésus est mise en veilleuse.

f. La dévotion à la *Sainte Famille* montre jusqu'à quel point la famille canadienne-française est une réalité sociale incarnée dans le quotidien.

g. Parmi les croyances parallèles, signalons les neuvaines, les promesses-défis (par exemple, « Si je reçois..., je donnerai... »), l'eau bénite, le prêtre-guérisseur, etc.

2. Quelle est la signification du phénomène des croyances populaires pour le peuple lui-même?

a. Le *besoin de croire* est inné dans le peuple. La religion vient non seulement répondre à ce besoin, mais elle le suppose et le confirme en le dirigeant.

b. Le *besoin d'être sauvé* pour une minorité encerclée et menacée par la majorité est naturel, surtout dans une religion du salut pour tous.

c. La multiplicité des rites et des croyances signifie chez le peuple une volonté latente de participation libre à divers rites religieux.

d. On dira, à la limite, que le peuple d'ici vient de vivre son Ancien Testament et qu'il est mûr pour le dépassement. L'*expérience* devrait remplacer la loi. Le Christ définit une toute-puissance avant tout miséricordieuse ; le salut est objet de grâce et non de mérite.

e. Le besoin d'insérer ses croyances dans diverses dévotions médiatrices met davantage en évidence le rôle de Jésus et de Marie comme *couple mystique*. Ce dernier point permettrait de mieux situer les ministères de la femme dans l'Église.

f. La priorité accordée à la parole dans le catholicisme traditionnel, par exemple au sermon, rejoint une préoccupation des *médias* d'aujourd'hui qui tendent justement dans les milieux chrétiens à mettre la Parole de Dieu au premier plan.

3. Pour une religion populaire renouvelée

a. Il convient de retracer, en tout premier, les nouveaux supports naturels de la religion des Canadiens français. Face à l'importance de la télévision, à la multiplicité des célébrations laïques, au besoin d'expériences et de créations des jeunes, au projet collectif d'une plus grande autonomie socio-politique, il faudrait recueillir l'avis des pasteurs et non tout laisser à l'initiative des liturgistes diplômés. Ces derniers ont joué un rôle capital dans l'élaboration du nouveau cérémonial cultuel, mais leur action a été imposée à la manière d'une influence « savante » et d'une « loi nouvelle » mal expliquée, mal digérée.

Peu à peu une seconde étape s'amorce par le peuple lui-même. Donc, retour à l'oral, au visuel, par l'intermédiaire d'agents pastoraux qui écoutent et partagent. L'heure est à l'expérience, si maladroite soit-elle. Concrètement ? L'épiscopat reprend l'initiative et se dégage de la pression de ses médiateurs trop instruits.

b. Il ferait bon d'introduire à l'intérieur du cycle traditionnel des saisons liturgiques, conçu à l'européenne, un cycle de fêtes et de saisons d'ici. De même que Noël est notre fête de l'hiver, ainsi la Pentecôte serait la grande fête publique du printemps québécois, puis le premier dimanche d'octobre pourrait être la fête des feuilles et de l'automne. La fête de l'été ? La Saint-Jean-Baptiste.

c. Peut-on prévoir aussi un cycle de fêtes de situation ? Déjà nous avons la fête du Travail, la fête de la Paix. Aurions-nous la fête du *bonheur*, de la *santé*, voire de la *maladie* ?

d. Face au culte de la personnalité et des héros politiques, on voudra annoncer encore Jésus le Messie, Jésus le pacifique, Jésus le défenseur de la vie.

e. Le rappel du retour final de Jésus s'imposera. — Cette dimension sera de plus en plus « actuelle » à mesure que les utopies se multiplient et que l'avenir de l'humanité préoccupe nos gens. Attendons-nous à une nouvelle prédication de la *fin des temps* ou des *fins dernières*, qui serait celle du *retour du Christ*. Il ne faut pas s'étonner face à l'information diversifiée de notre époque. La religion du Christ grandit d'autant plus qu'elle se présente comme une *contre-culture vivante*. Réaffirmer la supériorité de l'esprit sur le corps, l'ultraterrestre sur le terrestre, prêcher le corps glorifié est une réponse de foi à toutes les hypothèses d'après-mort et de réincarnation.

f. Certains rites catholiques doivent être constamment repensés. Ainsi, nous nous devons de réinventer le *culte du souvenir et des défunts*. Passivement soumis aux salons mortuaires, nous subissons des influences *païennes*. Quand nous savons l'importance du culte des morts dans les religions primitives, il y a lieu de réfléchir et de nous demander si nous réussissons à proclamer la résurrection. La mort: lieu de catéchèse unique dans l'histoire des religions.

g. Face au projet collectif québécois, la multiplication des petites communautés de prière est loin d'être un malheur. Au contraire. La foi unique au Christ rétablit la cohérence en même temps qu'elle sauve la collectivité de l'intolérance propre aux cultes trop unanimes.

h. Enfin — soyons pratiques! — n'y aurait-il pas lieu de créer tout de suite une école épiscopale québécoise de recherche et d'enseignement, avec publications savantes et libres sur les phénomènes de la religion populaire au Québec? N'y aurait-il pas place aussi pour un prix annuel d'art sacré populaire? Et un autre prix pour le meilleur texte d'information religieuse?

Image de grand format vers 1940.

6

MORT ET SURVIE DES RELIGIONS

A. La religion aussi est une culture

Pour parler franchement, mais au seul nom d'une opinion personnelle, au moment exact où je rédige ces lignes, le 10 janvier 1981, il convient de rappeler, en premier lieu, les valeurs qui font depuis toujours l'unanimité en éducation et en communication aussi bien en Orient qu'en Occident : l'amour du prochain qui peut être aussi l'amour du pays, la connaissance des lieux qui ont fait le pays et la proclamation d'un idéal collectif qui, tout en respectant les consciences, engage les étudiants à devenir sans cesse meilleurs et plus parfaits. Il s'agit d'une priorité pédagogique. De même que je vois avant de parler, que je bois avant de manger, que je me traîne avant de marcher, il importe d'aller à l'essentiel des premières démarches dans le système des valeurs éducatives. Il y en aurait trois.

Nous tenons compte du silence des familles en général, de la parole haute en couleur pour des revendications en faveur de l'école neutre et des propositions de déconfessionnalisation du système scolaire. Nous nous refusons, par ailleurs, à croire que l'école catholique est une question de vie ou de mort pour notre religion. L'histoire de l'éducation nous indique que la liberté religieuse est une recherche essentielle que l'école ne protège pas nécessairement. Les Pères de l'Église ont presque tous étudié dans des écoles *païennes.*

Non, l'école n'est pas le lieu par excellence de l'éducation de la foi. Je parlerai désormais en prêtre catholique : la foi est un don de Dieu ; la famille est le premier et vrai territoire de son éducation ; le second territoire est le pays qui s'appelle tour à tour la Nouvelle-France, le Canada français, le Québec. Les valeurs — par exemple, respect de l'autre, générosité, amour mutuel, pardon, charges partagées, solidarité — s'épanouissent surtout dans la famille. L'école est un lieu de transition qui prépare la vie en communauté ; elle transmet des valeurs, elle ne peut les créer ; elle respecte les valeurs reçues et les oriente vers le collectif. Dans le contexte historico-social où se retrouve l'éducation religieuse au Québec, nous aurions à valoriser, sinon à promouvoir, la foi reçue à la maison et, d'autre part, à élargir la culture de cette foi pour vivre dans une société *mondiale* agressée jour et nuit par les médias.

Concrètement, il serait peut-être urgent, au Québec, de remettre au premier plan l'enseignement obligatoire de la Bible. Il est impensable que de jeunes Québécois, qui se disent amis des arts et des lettres, ne connaissent pas les grands axes de la Bible.

En seconde étape, nous proposerions un enseignement historique — et non purement idéologique — du catholicisme traditionnel canadien-français, pour rappeler ce que la culture et l'art québécois doivent à nos ancêtres. Nous devinons dès lors les valeurs fondamentales qui en résulteraient : élargissement du savoir, respect des coutumes, amour des anciens, tolérance vis-à-vis des autres, choix personnels au niveau de sa propre conscience et goût de réagir quand on attaque injustement l'autre jusque dans sa vie intérieure.

Enfin, touchons à l'aspect crucial. Si les parents recommandent un tel enseignement, n'y aurait-il pas lieu d'offrir aux étudiants un enseignement spécifiquement chrétien catholique ? Un *Ce que les catholiques croient* enseigné et expliqué par des maîtres chrétiens ? Oui, à condition que dans les écoles confessionnelles identifiées l'on enseigne la foi sans la diluer, sans la ridiculiser. Nous ne demandons pas à l'étudiant de rendre compte de *sa* propre croyance, mais de la croyance de l'Église catholique. Ne craignons pas que cet enseignement contredise souvent l'opinion publique qui est si changeante. En même temps, souhaitons le respect de la croyance des autres, quelle qu'elle soit.

Résumons. Nous envisageons moins un enseignement des *valeurs en soi* au nom de quelque choix hypothétique mais plutôt : 1. l'enseignement obligatoire d'un Livre ; 2. l'enseignement chrétien en tant que tel, dans une perspective davantage socio-culturelle ; 3. l'enseignement intégral de la religion catholique — exigence actuelle de l'information nécessaire à tout citoyen québécois de culture moyenne qui entend vivre dans un pays et l'aimer de tout son cœur. Les valeurs s'imposeront d'elles-mêmes. Nous les connaissons déjà : capacité d'espérer, solidarité, perspective d'éternité, dynamisme face au provisoire, liberté, maîtrise de soi, amour du cosmos. Voilà autant d'avenues qui nous font croire en l'avenir.

B. Aujourd'hui pour demain [1]

Monsieur le Président,
Mesdames, Messieurs,

Plusieurs d'entre vous sont à jeun. Relativement à jeun, je veux dire. Puis-je abuser un peu de votre éveil ou de votre faiblesse pour creuser discrètement votre appétit ? Il s'agit de l'ÉDUCATION CHRÉTIENNE AU QUÉBEC. Le sujet est fort heureusement débattu. Essayons de réunir nos idées ; cherchons ensemble une certaine cohérence.

Celui qui vous parle est prêtre, catholique pratiquant, et historien. Il est comme il est ; il espère ne blesser personne ni s'imposer à ceux et à celles qui auraient sur l'éducation chrétienne au Québec des points de vue ou des réflexes différents.

En premier lieu, rappelons-nous les grands objectifs de l'éducation chrétienne ; ensuite, nous interrogerons l'histoire, pour terminer par des références explicites et redoutables au Québec. Tous nos propos seront, bien sûr, en fonction des demains de notre aujourd'hui. Mais, dirait Jésus : demain, le royaume, l'avenir est déjà au-dedans de nous. Il en est de même pour l'éducation, d'ici l'an 2000.

1

Les grands objectifs de l'éducation chrétienne

Le premier objectif de l'éducation chrétienne n'est pas d'abord de construire des écoles publiques, parallèles, laïques, libres, neutres ou

---

1. Conférence d'ouverture à l'assemblée générale de l'Association québécoise des Conseillers au Service de l'éducation chrétienne, Québec, le 30 octobre 1983.

confessionnelles, et j'en oublie. L'éducation chrétienne vise premièrement l'ACTE DE FOI PERSONNELLE ET LIBRE. Autres sont les moyens, autre est la fin. Les moyens sont multiples, la fin est unique. Sur le but, nous ne devrions pas douter. Sur les moyens, nous pouvons toujours nous interroger. En œuvrant pour l'éducation chrétienne, nous œuvrons pour la personne et, qu'ils le croient ou pas ceux qui pensent autrement, nous, chrétiens, voulons la dignité d'un acte religieux libre et personnel. Les propos qui suivent sont de Jean-Paul II ; ils ont été prononcés à l'Unesco le 2 juin 1980 (sauf que je dis *personne* pour signifier la femme et l'homme des temps nouveaux) :

> Il faut affirmer la *personne* pour elle-même, et non pour quelque autre motif ou raison ; uniquement pour elle-même ! Bien plus, il faut aimer la *personne* parce qu'elle est une personne ; il faut revendiquer l'amour pour cette *personne* en raison de la dignité particulière qu'elle possède. L'ensemble des affirmations concernant l'homme (*et la femme*) appartient à la substance même du message du Christ et de la mission de l'Église, malgré tout ce que les esprits critiques ont pu déclarer en la matière, et tout ce qu'ont pu faire les divers courants opposés à la religion en général et au christianisme en particulier.

Éducateurs chrétiens, et en tant que tels, nous luttons pour la dignité et la liberté humaines. En quel sens et comment ? Nous sommes convaincus que l'être humain n'est pas qu'une machine au service d'un petit bout de vie qui, elle, serait au profit d'intérêts purement matériels. « Nous sommes convaincus que l'être humain intégral est fait d'ouverture à l'absolu... Nous désirons soustraire la personne humaine à toute contrainte de la part d'individus, de groupes sociaux ou de quelque pouvoir humain que ce soit, de façon à ce qu'elle ne soit jamais empêchée d'agir selon sa conscience » (*ibid.*).

Recherche de l'intégrité de la personne, goût du spirituel, désir de la vérité : voilà nos motivations chrétiennes. De plus, nous savons que « l'étincelle de la foi et de la sainteté ne peut jaillir que d'un cœur libre » (*ibid.*). Nous ne voulons pas d'écoles dites neutres, ni d'écoles dites catholiques au sens fermé du mot. Au neutralisme qui nivelle par en bas la conscience, nous préférons le pluralisme religieux qui invite au meilleur.

> Dans une civilisation connaissant parfois la tentation et possédant les moyens techniques de niveler l'homme et la société, il est plus que jamais nécessaire de favoriser — surtout pour la jeunesse assoiffée de raisons de vivre — des espaces éducatifs nombreux, suffisamment décentralisés, libres de proposer un idéal qui transcende un dénominateur culturel parfois faible.

(Jean-Paul II, 18 avril 1983)

Conscient qu'il est le défenseur d'une liberté ouverte, l'éducateur chrétien entend présenter à ses étudiants un Dieu absolu et vivant, non un Dieu clérical, laïque ou purement théorique. Dieu vivant ! Quelquefois nommé et adoré différemment, ce Dieu pour nous est le Dieu de Jésus Christ. « Il n'y a qu'un seul Dieu, qu'un seul médiateur entre Dieu et les humains, Jésus qui s'est donné en rançon pour tous » (I *Tm* 2, 5). Voilà celui que nous annonçons à chaque personne. C'est sa Parole vivante que nous transmettons. Parole reçue, Parole héritée, Parole première. Nous n'inventons pas, nous traduisons une Parole qui va au-delà de nos mots, de nos dogmes, de nos sacrements, de nos rites et surtout de notre morale. « Dieu est plus grand que notre cœur. »

Nous avons la chance inespérée d'accueillir une génération de jeunes qui aiment l'inédit, l'insondable, l'ésotérique, l'indicible. Le surnaturel est dans l'air. La science s'interroge. Comme éducateurs chrétiens, nous offrons un message ouvert à l'absolu et au mystère. Le premier mot appartient à Dieu ; le dernier est à eux. Nous, éducateurs, sommes entre les deux : médiateurs, pas moins, pas plus ; nous intervenons au nom de la Parole de Dieu « par mode de dialogue, d'incitation, de témoignage et de recherche » (Jean-Paul II). Tel est l'objectif premier des responsables de l'éducation chrétienne : proposer un acte de foi personnelle et libre, non une idéologie, en un Dieu vivant et mystérieux. *Croire* ne sera jamais *savoir*. Croire d'abord pour mieux savoir ensuite.

Deuxième objectif ? La Bible. Dieu, objet et but premier de la foi chrétienne libre et personnelle, a livré son message à travers une histoire sainte qui va de la Genèse à l'Apocalypse inclusivement. Cette histoire inclut hier, aujourd'hui et demain. Jésus s'est inséré dans cette histoire ; il s'y est incorporé pour instruire les siens. D'où priorité dans l'instruction chrétienne à la connaissance historique et événementielle de la Bible.

Cet objectif propose la connaissance historique globale du peuple de Dieu, le peuple judéo-chrétien. À mon avis — et pour aller au plus urgent —, l'on devrait enseigner la Bible comme matière obligatoire dans toutes les écoles du Québec. Il serait normal que toute Québécoise et tout Québécois, quelles que soient leur origine et leurs options religieuses, connaissent l'essentiel de la civilisation dans laquelle ils baignent. J'appellerais cela le « bill 41 ». Il existe, au Japon, certaines écoles tenues par des religieuses, où les parents bouddhistes ont demandé que leurs enfants soient instruits des événements de la Bible et qu'ils passent les examens comme les enfants chrétiens. Cela au nom d'une connaissance historique propre à tout civilisé. Certains se rappelleront sûrement qu'autrefois, dans les écoles du Québec, le cours d'histoire sainte précédait ou accompagnait obligatoirement l'enseignement du Petit Catéchisme.

Donc, premier objectif : la personne totale. Donc, deuxième objectif : la connaissance des événements bibliques. *Troisième objectif* : cette histoire d'un Dieu en amour éternel avec son peuple exige d'être enseignée dans un contexte socio-culturel humain, interculturel et pluraliste. L'histoire biblique ne peut se lire ni se comprendre sans les autres cultures. Pensons à la manière dont Jésus a enseigné. Il vient dire Dieu. Il s'incarne, il va à l'école rabbinique pour ensuite situer la Parole de Dieu et le passé d'Israël dans un schème de pensée plus vaste, plus universel, intercommunautaire et interconfessionnel. Il ouvre son enseignement aux Grecs, aux Romains, aux païens, aux Samaritains même ; il risque de scandaliser ses concitoyens conservateurs de la Judée et de la Galilée, mais pourquoi pas ?

Puis-je tout de suite traverser les siècles et citer une voix autorisée qui a dit, un 18 avril 1983, à 345 000 enseignants de 40 nations de tous les continents :

> Je souhaite de plus en plus qu'en tout pays se disant attaché à la démocratie et donc au respect absolu des consciences, le pluralisme scolaire, abandonnant les vieux chemins des querelles anachroniques, trouve enfin sa voie royale, c'est-à-dire offre aux citoyens un choix d'institutions scolaires correspondant aux options profondes et sacrées des consciences humaines et sachant coexister harmonieusement pour le bien général du peuple tout entier. Les États modernes, souvent très organisés et puissants, ne sauraient aligner leurs sujets sur un modèle unique. Leur raison d'être — et je dirais leur véritable grandeur — est de servir tous les citoyens avec équité et magnanimité, en exigeant évidemment que ceux-ci soient respectueux du bien commun de la nation (Jean-Paul II).

Avant de faire du soi-disant catholique, soyons humains avec cette précision que nous, chrétiens, nous visons le temps intégral (passé, présent, avenir) et la personne totale éprise d'absolu autant que d'existentiel. Ainsi les trois objectifs de l'éducation chrétienne sont la personne humaine en quête d'absolu, l'étude obligatoire de la Bible au Québec, la recherche de Dieu vivant dans sa Parole. Tout cela pensé et vécu dans le respect des consciences et dans une perspective de liberté responsable.

2

Les leçons de l'histoire chrétienne

Le temps est venu de passer au deuxième point. Ce qui me rappelle une anecdote. Il s'agit d'un prédicateur itinérant. Le Père en question venait de faire un grand sermon ; il s'était échauffé, énervé à la manière des années 30. Le sermon fini, arrive à la sacristie un homme dans la quarantaine : « Mon Père, je veux me convertir : je veux passer à une autre manière de vivre. » Tout heureux, le Père remercie Dieu, mais il est curieux de savoir : « Quelle est la parole qui vous a frappé le plus et vous a décidé à changer de vie ? » — « Mon Père, c'est quand vous avez dit : "Passons au deuxième point." » Eh bien ! convertissons-nous ! Qu'est-ce que l'histoire raconte de l'éducation chrétienne ?

a. Nous apprenons, en premier, que l'éducation chrétienne s'est faite d'abord à domicile. Il n'y a pas eu d'écoles chrétiennes publiques en Occident avant les VIIᵉ et VIIIᵉ siècles, et les premières furent des écoles monastiques réservées aux jeunes recrues. Les universités et les collèges catholiques de l'Occident sont nés seulement aux XIIᵉ et XIIIᵉ siècles. Alors des milliers et des milliers de chrétiens, des centaines de saints, tous les Pères de l'Église sont passés par l'école laïque, romaine, grecque ou autre. Saint Basile a même écrit un traité pour inviter les chrétiens à oublier certaines pages apprises à l'école païenne. L'école chrétienne confessionnelle n'est donc pas d'une nécessité absolue : elle est tout au plus une tradition.

b. Que dire de cette première éducation chrétienne familiale ? Ce fut une éducation synthétique, brève, panoramique. L'enfant y apprenait son *Credo* par cœur pour aussitôt rejoindre une communauté de prière. La foi transmise à la maison était pratiquée selon les coutumes de la liturgie communautaire.

c. Historiquement parlant, l'école chrétienne est un peu l'image de l'école rabbinique. Elle tend à couvrir le passé, le présent et l'avenir. La mort, l'au-delà, les fins dernières font partie de ses enseignements autant que la conduite morale du moment.

d. Depuis quelque temps il y a ici et là « un véritable pluralisme scolaire judicieusement organisé et protégé » (Jean-Paul II), qui signifierait à la fois pour nous le respect des autres croyances et la présence affichée de l'école chrétienne. On voit l'enjeu. Le pluralisme est la seule voie capable de nous éviter l'uniformité bureaucratique et informatisée ; de plus, il exprime une ouverture évidente sur la totalité du réel dont il signifie à sa manière le mystère et il laisse l'espace nécessaire à la considération des personnes et à la liberté de choix.

3

L'éducation chrétienne au Québec

A. *Partons des faits*

1. Il existe un peuple qui s'appelle le *peuple québécois*. Ce peuple généreux, spontané, entêté, bavard s'est inventé lui-même et on sait avec quelles difficultés. Il fut un temps où il était isolé, plutôt replié sur lui-même, sans identité économique. Aujourd'hui la même nation, fédérée ou pas, sait qu'elle est capable de toutes les expériences possibles. Elle en donne la preuve de mille façons plus ou moins heureuses.

Or, ce peuple a longtemps pratiqué une religion traditionnelle coutumière, populaire, au sens le plus positif du mot. Religion de pionniers avec des curés colonisateurs, des évêques défricheurs, des bâtisseurs d'églises et d'écoles, sans oublier tous ces fondateurs et fondatrices de communautés. Entre temps, la même collectivité s'est donné, grâce à des artisans laïques, un patrimoine religieux étonnant de goût et de naïveté.

2. À l'intérieur de cette religion catholique coutumière et pas trop instruite des réalités de la foi en Dieu, des sectes, des groupes de plus en plus nombreux se recrutent en utilisant les habitudes du catholicisme traditionnel : un pouvoir immédiat, un bon gourou, des lois strictes, une affluence de rites et même une dîme obligatoire. Ailleurs, d'autres vivent la superstition des structures et celle des changements de programmes. « Qui épouse les idées de son temps, disait Peter Berger, risque de se réveiller veuf demain. »

3. Au plan des idéologies, il faut admettre que nous sommes d'éternels importateurs. Encore dernièrement, un homme intelligent écrivait qu'il nous faudrait ici des écoles laïques parce qu'il y en a en Europe.

4. Nous ne sommes pas sans savoir que certains Québécois se montrent prêts à réduire le religieux à l'immédiat d'une morale fermée. L'esprit chrétien s'y oppose, lui qui, répétons-le, appelle le choix continu, le risque, l'invention et la prospective. Croyant à la résurrection, l'avenir fait partie de nos réflexes chrétiens premiers. Nous sommes les partisans d'une morale ouverte et non close, dirait

Bergson. Eh oui ! réduire l'enseignement religieux à un enseignement moral, pour ne pas dire moins, est anticulturel et antiquébécois. Partout dans les sciences humaines de la religion, y compris la Russie qui a été l'hôte d'un des derniers congrès internationaux sur le sujet, l'histoire comparée des religions s'affirme. Or, si nous refusons l'enseignement de notre religion pour la réduire à un simple cours de morale, nous ignorons que la religion chrétienne est de soi un phénomène de culture universelle. Ne pas l'enseigner, c'est trahir la culture québécoise, c'est nous renier. Pouvons-nous aller jusque-là ?

5. Est-il bon de rappeler que le peuple québécois ne vit pas toujours au même diapason que ses intellectuels. Le divorce entre eux est plus profond que l'on croit. Et ça ne dépend pas nécessairement du peuple. Comment réduire cet écart ? Je ne sais trop.

B. *Comment à travers tant de mobilités et de flottements*
   faire devenir les lendemains
   qui se préparent aujourd'hui ?

Depuis les années 1980, quelques éléments ont pris un certain relief :

1. Un goût de l'expérience religieuse personnelle, particulièrement chez les jeunes où l'essai risque de remplacer la loi. Faut-il s'inquiéter ? Pas nécessairement, car là où l'expérience s'accroît la sagesse est possible.

2. En plus, notre époque tente un retour au fait sensoriel. Dévotions, images, gestes et pratiques extérieures se multiplient, autant chez les chrétiens que dans les groupes de tout style qui favorisent les liturgies gestuelles.

3. Un autre élément téléguidé par le sport, la thérapie et la danse est la découverte du corps. Celui-ci n'est plus l'ennemi de l'âme ni le signe fatal d'une pesanteur, mais un moyen premier d'accéder au sacré. Voilà qui est assez récent en spiritualité chrétienne. Saluons ce point d'appui pour nous tous.

4. Il y a aussi l'esprit communautaire, la communauté de foi et de partage qui nous appelle toujours. L'exemple positif des charismatiques, des cursillistes et autres est significatif. Le livre de Richard Bergeron, o.f.m., sur la multiplication des groupes religieux, révèle cette tendance d'appartenir à un groupe immédiat. On voit même des artistes, des poètes souvent assez individualistes chercher à se donner des fraternités ; aussi, dans l'univers politique il y a un besoin de s'ouvrir au Tiers-Monde, à l'Amérique du Sud, par exemple. L'univers religieux de l'an

2000 sera, au sens catholique du mot, universel, mondial, et les sectes trop refermées sur elles-mêmes s'éteindront comme il est souvent arrivé dans l'histoire des institutions religieuses, si prestigieuses fussent-elles à certains moments.

C. *Il me reste maintenant à pousser l'impertinence*
   jusqu'à souhaiter à haute voix ce qui pourrait arriver
   demain à l'éducation chrétienne au Québec

1. « Rendons à César ce qui est à César et à Dieu ce qui est à Dieu. » Dans les choses civiles et humaines mieux vaut, en général, obéir aux États qu'aux Églises. Dans l'éducation chrétienne, il ne faut pas attendre de l'école catholique du Québec ce qu'elle ne peut ni ne doit réaliser : elle anime mais ne façonne pas seule la civilisation. Face à la pensée éclectique qui est la nôtre, l'éducateur québécois chrétien n'est pas appelé à se battre toujours pour des étiquettes, il est là pour développer chez ses élèves, quels qu'ils soient et où qu'ils soient, la capacité première d'accueillir le réel et d'entrer en contact avec les diverses dimensions de la réalité contemporaine. Nous ne voulons pas exclure, nous voulons composer avec les autres humains. Nous ne dirons plus la Parole de Dieu seulement en milieu clos, nous irons aussi en informer les voisins comme l'ont fait et le font encore tant de nos missionnaires hors du Québec. La meilleure école chrétienne ne sera pas nécessairement celle qui en portera le titre : ce sera plutôt celle qui aura du Christ vivant le plus grand nombre de témoins identifiés ou identifiables. Québec, terre de mission !

2. Radio, télévision et médias nous provoquent à penser vite et globalement, non seulement entre nous chrétiens survivants de la sécularisation accélérée, mais aussi avec ceux qui ne sont pas de notre tradition. Que notre cible préférée soit le peuple québécois *at large*. Ce peuple, préoccupé de sacré, croira peut-être de plus en plus en pratiquant de moins en moins. Soyons patients. Ayons l'œil ouvert. Comme dit la vieille sagesse de Chine : « Si tu fais des plans pour un an, plante du riz ; si tu fais des plans pour dix ans, plante des arbres ; si tu fais des plans pour cent ans, instruis le peuple. »

3. Ce collectif québécois avec sa télévision, sa radio, ses tourne-disques, son ordinateur, nous l'atteindrons *chrétiennement* à l'intérieur de la famille, si infime soit-elle. Avec elle, nous chercherons de nouveaux rapports entre la Bible et la famille. Tant mieux si l'école se prête à cette forme d'évangélisation. Souhaitons-nous, au creux de l'oreille, un enseignement religieux familial dans le cadre de la culture populaire de notre temps. Cela nous situe en deçà de nos institutions

publiques ou parallèles. Souhaitons-nous, de plus, la fondation de nouveaux instituts religieux et séculiers par des laïcs chrétiens pour prendre en main le territoire de l'éducation chrétienne familiale. Marguerite Bourgeois, Marie-Rose Durocher, d'autres, beaucoup d'autres comme Élizabeth Turgeon, ont créé dans la plus stricte pauvreté des moyens des institutions d'éducation chrétienne qui n'étaient pas d'abord liées à l'État mais au service des familles. Des communautés religieuses nouvelles d'éducation familiale ? C'est une grâce à demander à Dieu. Il ne peut nous refuser.

Ai-je assez provoqué votre appétit ? Disons que oui.

Chrétiens, chrétiennes dans l'éducation, nous avons d'excellentes raisons d'espérer. Notre culture religieuse devient plus accessible, elle a des ouvertures sur le monde et une meilleure connaissance des rites, des symboles et de ses problèmes. N'en doutons pas : d'autres témoins de la foi surgiront. Les jeunes continueront leurs expériences. Le nombre des animateurs laïques augmentera, c'est une chance pour l'avenir d'une religion appelée à vivre dans un milieu sécularisé. Nous verrons encore des femmes fortes et par elles s'affirmeront des rôles féminins. Peut-être se trouvera-t-il aussi quelques hommes au courage exemplaire pour reprendre l'idéal des Frères enseignants. Pourquoi pas ? Temps de crise, temps de création. La majorité est sauvée : seules les minorités sauvent.

Enfin, il y a quelqu'un qui n'a pas froid aux yeux et qui, sans complexe devant sa foi, dit à temps et à contretemps ce qu'il a dans le cœur, c'est Jean-Paul II. Il nous invite à croire et à aller de l'avant. « Ouvrons les portes, dit-il, n'ayons pas peur. » Allons-y ! Car, même sans décret, sans convention collective, l'éducation chrétienne est assurée de sa permanence dans l'histoire. Chassez le surnaturel, il revient au galop ; chassez le chrétien, il revient en train. Aucun état, aucune puissance n'a réussi à date à enchaîner la Parole de Dieu, elle qui est notre force, notre fierté, notre défi et notre espérance aujourd'hui et demain. Le ciel et la terre passeront, disait Jésus, mais la Parole de Dieu ne passera pas (cf. *Mt* 5, 18). L'éducation chrétienne est dans l'histoire pour y rester...

C. Mort et survie des religions ? [2]

> Que ceux-là s'irritent qui ne savent pas au prix de quel labeur la vérité est atteinte et combien il est difficile d'éviter les erreurs... Cherchons-la ensemble comme quelque chose qui n'est encore connu ni des uns ni des autres. Car c'est seulement alors que nous pouvons la chercher avec amour et avec sérénité, si nous n'avons pas l'audacieuse prétention de l'avoir déjà découverte, de la posséder.
>
> Saint Augustin, *Contra epistolam*
> *manichaei*, I, 2 et 3 ; P.L. 42, 174 et 175.

Cela plaît, cela ne plaît pas : nous n'y pouvons rien. De tous les faits culturels connus à travers les temps, les religions comptent parmi les plus indéracinables et les plus irréversibles. C'est que la foi en soi est naturelle et le sacré instinctif. Qu'après ce second millénaire les Églises prennent tout l'espace des sociétés en crise, comme l'a pensé un jour Toynbee, mieux vaut ne pas le souhaiter pour les religions qui, aussitôt en situation de pouvoir, risquent souvent leur durée. Le siècle à venir serait davantage métaphysique et mystique. L'hypothèse est de Malraux. Quoi qu'il arrive, il ne sera pas difficile d'être plus irréligieux qu'on l'est en Occident en cette fin de siècle.

Religion statique vs *religion dynamique*

Pour l'instant, nous entendons *religion* dans le sens d'un ensemble de croyances, de rites et de coutumes qui naissent à la suite de certaines énigmes sur la vie, la mort, l'amour, le bonheur et la souffrance... Bergson distinguerait entre la religion *statique* et la religion *dynamique* : narcissique, la religion *statique* serait faite de fabulation et de marchandage en vue d'un salut individuel à tout prix ; plus altruiste, davantage axée sur le mystère de l'être et la quête d'un réel absolu, la religion *dynamique* viserait plutôt la communauté de destin et l'association interpersonnelle. Il est bien entendu que ces distinctions ne sont pas nécessairement sociologiques : chacune de nos vies oscillera, un jour ou l'autre, entre le repli sur soi et l'intention de l'amour universaliste.

Pour ce qui est de savoir pourquoi et comment meurent ou survivent les religions — c'est l'objet de ce court essai —, il ne sera guère possible de le dire qu'au nom de l'histoire. Rappelons tout de

---

2. Dans *Le Devoir*, vol. 73, n° 59 (12 mars 1982) : 19 et 27. [Sous le titre : « Le sort de la culture »].

suite les risques des chiffres. Nous avons vécu cela : tant de communions, tant de pratiquants, tant de catholiques, donc tant de religion au village. C'était avant l'ordinateur ! Il suffisait de compter les hosties et nous avions le pouls spirituel de la paroisse... Critère réducteur ? Bien sûr. Autant ou presque autant que la seule explication politique, psychologique et même sociologique. C'est que la religion tient à la fois de l'esprit et du corps, de ce qui est intime à chacun et de ce qui n'est jamais totalement exprimé. Nous en tenir aux seules vérifications empiriques pour discuter de son commencement et de sa fin comporte de graves inconvénients. Il est si facile de médire des autres à partir des seules conduites extérieures.

Que dire du rejet absolu ? L'histoire constate que ce *refus global* — on le nomme aussi *libération, aliénation, peur, meurtre du père* — est souvent le fruit d'un ressentiment ou la caractéristique d'une attitude parfois sublime. C'est le stoïcisme auto-rédempteur si cher à la pensée d'après-guerre. Toutefois il est permis de se demander si ce *culte héroïque du moi* est vraiment une religion.

Quant à l'athéisme amateur d'une certaine intelligentsia d'Occident, il s'impose davantage aux sociétés opulentes qui se disent, c'est plus sûr que de se le faire dire, évoluées et progressives. L'historien du sacré s'attendrait à mieux...

Finie la nation, finie la religion ?

Même s'il n'est pas aisé de parler de la vie et de la survie d'une religion, il demeure néanmoins que des religions sont mortes. Des cultes jadis prospères et victorieux en Asie, en Afrique, en Océanie, dans les Amériques même, que nous qualifions toujours naïvement de *religions primitives*, sont disparus avec des centaines de tribus. Où sont les Incas, les Mayas, les Aztèques d'Amérique ? À cause de la guerre, de la famine ou du pouvoir abusif d'un État politique militaire, ces religions se sont dissoutes avec la nation. Finie la nation, finie la religion ? Sauf si la nation renaît de son propre passé, comme il est arrivé à l'Espagne de la *reconquista*. Dans ce cas, il s'agit plutôt d'une religion à vocation internationale.

Quant aux sectes

Elles se multiplient, elles s'infiltrent, elles créent effectivement des sécurités immédiates. Chaleureuses et apparemment sans misère, ferventes autant qu'irréalistes, les sectes vont s'effondrer comme se sont effondrés — une fois passés la ferveur première et l'élan charis-matique des origines — tous ces Uniates, ces Gnostiques, ces Fla-gellants, ces Pauvres de Lyon, ces Frères du Libre Esprit et tant d'autres associations religieuses anciennes et médiévales. Il faudra parfois un siècle ou deux, ou seulement quelques décades. Pourquoi? Des structures minimales s'imposaient et justement cette nécessaire organisation s'est faite aux dépens de la première inspiration. Puis la richesse est venue, avec elle une certaine décadence morale, finalement la fin. La secte se meurt, la secte est morte. Tels ces arbres qui donnent des feuilles avant que leurs racines soient raffermies : arrivent les grands orages, l'arbre se tord, l'arbre est mort.

Un chef trop populaire

On connaît aussi le pouvoir extraordinaire de certains leaders naturels : fondateurs, orateurs hors pair, promoteurs de mysticisme, créateurs d'énergie spirituelle. Le danger serait le culte de la person-nalité : si celui-ci dure trop longtemps et si la vérité religieuse est fixée à partir des seuls mots du chef. Or, en ces matières, nous savons déjà que le meilleur gourou est celui qui sait s'effacer derrière son message. De préférence, que sa mort soit violente pour mieux sacraliser la cause : *Violence et sacré*, dirait René Girard. « À moins que le grain ne meure » expliquait Jésus.

La loi tue

Une fois le fondateur disparu, ses bons mots répétés par ses premiers disciples, l'écrit succédant à l'oral, le champ de la conscience religieuse risque d'être réduit. La parole reçue tend à devenir une norme intangible ; la mystique elle-même se fait plus littérale. Jésus, qui savait les limites de la légalité, avait averti ses amis : « La lettre tue, l'Esprit vivifie. » Il arrive ainsi que des religions célèbres au départ s'écroulent, ou comme si, sous la pesanteur des lois et de leurs pratiques abusives.

Mort et résurrection

Mais pourquoi certaines religions sont-elles disparues, tandis que d'autres, qui semblaient fragiles, durent encore ? Nous n'irons pas expliquer leur survie à partir des seules structures extérieures : leur vrai pouvoir est spirituel, il vient d'ailleurs. Pensons, par exemple, au judaïsme tellement malmené depuis des siècles et des siècles. Il dure, il durera. C'est aussi le cas du christianisme. On y retrouve des lois essentielles à l'espèce humaine : vivre et mourir les uns pour les autres.

Au fond, survivent mieux en général les religions de l'holocauste. Au premier siècle de l'ère chrétienne, Jean de Patmos résumait : « À ceci nous avons reconnu l'Amour : celui-ci (Jésus) a donné sa vie pour nous. Et nous devons, nous aussi, donner notre vie pour nos frères. » Au fait, rien n'intimide moins une religion altruiste que la persécution et la mort. Comme ces érables qui ressuscitent chaque printemps : l'hiver, le froid, la poudrerie les revigorent mieux qu'une saison trop paisible.

L'absolu qui fait revivre

Un autre secret *historique* de la survie des religions à longue durée est de reporter leurs adeptes plus loin qu'eux-mêmes et de les provoquer sans cesse par des idéaux humainement inaccessibles. L'impossible crée du possible. Au-delà de l'instinct, du primitif, du naturel, c'est l'appel d'une réalité transcendante, de l'infini, du sur-naturel. En somme, une religion qui ne demanderait que de l'immédiatement réalisable, une religion sans mythe, sans rêve et sans utopie risque fort de s'engager dans un processus de mort à petit feu.

Comme le dit si bien la sagesse populaire : « Qui ne risque rien n'a rien » ; « Qui n'avance pas recule » ; « Qui s'asseoit, s'endort ». C'est la merveille de l'hindouisme de scruter le mystère divin et d'y chercher la libération intérieure, tout comme le mérite des musulmans est d'adorer leur dieu un et subsistant dans une soumission totale. De même, la tendance du judaïsme est de proposer une espérance messianique sans cesse reportée en avant et jamais abandonnée. Le christianisme agit de la même manière : l'absolu divin est son meilleur ferment.

Et le catholicisme québécois ?

Est-ce vraiment la fin ? Oui, s'il s'agit de notre catholicisme traditionnel et majoritaire qui ne sera plus une composante irréversible de notre culture. Par ailleurs, les signes d'une renaissance spirituelle se multiplient ici et là : le renouveau de plusieurs communautés paroissiales où des jeunes se retrouvent de plus en plus engagés et à l'aise ; la multiplication des groupes de réflexion et de prières communautaires ; la création de services sociaux anonymes, libres et bénévoles (malgré les pressions que l'on devine) ; une attention croissante pour les nomades, les réfugiés, les délinquants, les clochards, les prisonniers et d'autres oubliés. En plein Occident capitaliste !

Après la crispation des années 1950, apparaissent en filigrane une sorte de liberté des esprits et des cœurs et une recherche intense des valeurs plus durables. Ne parlons pas d'une récupération du pouvoir.

Dieu nous en préserve! Constatons plutôt des quêtes personnalisées que suscitent des choix concrets, tels le partage des biens, la justice sociale, le respect de l'environnement, le goût du patrimoine artistique, la fraternité cosmique, etc. Prévoyons, même s'il y a encore beaucoup de chemin à parcourir, une religion *catholique* québécoise intériorisée, moins institutionnelle, moins totalitaire en tout cas, mieux diversifiée dans ses approches de la Parole de Dieu.

Enfin, il existe une simultanéité qu'il faudrait bien, un jour ou l'autre, approfondir : le retour du sacré en Occident coïncide étrangement avec la revalorisation du naturel et de l'humain. Ce double cheminement est rassurant à bien des égards : retrouver les forces vives de la nature, réhabiliter le profane, redonner la voix au laïc, fût-il officiellement irréligieux (je dis bien : officiellement), c'est entrer dans le sillage mystérieux et combien positif de ce que les chrétiens nomment le *mystère de l'Incarnation*. L'humain dont on avait médit de façon si intolérante jusqu'à le confondre avec le *siècle*, terre de péché, s'appellera désormais *pierre d'attente, appel d'en haut, reflet divin, temple de l'Esprit*. Nos amis orientaux, eux qui en ont vu bien d'autres, nous rappelleraient sans doute que le lotus naît d'abord de la terre et de l'eau pour mieux étaler ses palmes au soleil, de même l'homme religieux authentique serait celui qui, à partir de son être charnel au sens noble du mot, s'épanouirait spirituellement dans des aventures de plus en plus gratifiantes.

D. Utopies pour l'an 2000 [3]

> Tout ce qui a été fait de grand dans le monde a été fait au nom d'espérances exagérées. (RENAN, *Questions contemporaines*, cité par Edmond de Nevers, dans l'*Avenir du peuple canadien-français*, coll. « Nénuphar », Montréal et Paris, Fides, 1964, p. 160).

Bien sûr, l'hiver sera tout aussi froid, le fleuve descendra encore à la mer, Montréal restera une île, il y aura des gens gentils, d'autres moins ; il y aura des religions et des sectes satellites et le Canada, en général et en particulier, sera toujours trop grand pour être uniformisé. Mais au plan de la culture, de tout cet ensemble des idées, des

---

3. Dans *Le Devoir*, vol. 73, n° 23 (4 févr. 1982) : 23. [Sous le titre : « Québec, aujourd'hui »].

croyances, des doctrines, des attitudes et des comportements individuels et collectifs, qu'en sera-t-il en l'an 2000 ?

Ceux et celles qui, cet hiver, ont un an en auront alors dix-neuf. Les vingt ans atteindront leurs quarante ans. Les cinquante ans et plus, les adultes plus ou moins essoufflés, qui osent encore faire foi et loi, se demanderont peut-être s'ils ne sont pas sortis du XXe siècle à reculons et en rupture plus ou moins consciente avec la vieille civilisation occidentale judéo-chrétienne. Encore trop près de sa très sage révolution *tranquillisée*, comme dirait Mario Pelletier, la culture au Québec et au Canada français aura-t-elle pu entre temps se donner de nouvelles formes d'humanisme ? Obligés à nous définir au jour le jour comme société distincte en Amérique du Nord et même au Canada, pouvons-nous, dès aujourd'hui, concevoir des orientations culturelles autres que le défrichage de la forêt du patrimoine et quelques heureuses initiatives éparses suscitées par les revendications de l'heure ?

Reprenons la question. Face à une civilisation qui s'annonce de plus en plus planétaire et transcontinentale, avec toutes ses heures de loisirs quotidiens, qu'adviendra-t-il de nos habitudes intellectuelles ? Restera-t-il encore dans nos vies intimidées par les protestations sauvages, agressées par l'information et la publicité, un espace vert pour les amitiés à longue durée, l'attente, les désirs, les rêves, la contemplation ?

Il va sans dire que nous ne nous présentons pas ici en juge et maître de l'avenir. Médiéviste, historien de la culture populaire, notre rôle n'est pas de regretter que la culture française soit parfois si verbeuse et si aristocratique, mais bien de prévoir, à titre expérimental et utopique, ce que nous serons, nous, en l'an 2000. Après quarante ans de télévision nord-américaine et de commerce inévitable à tous les niveaux avec un pays limitrophe d'autant plus avide qu'il a, géant bien connu, beaucoup d'appétit, que serons-nous surtout là où les États-Unis excellent : dans la culture de masse ?

1. Des Québécois américains ?

Une première utopie serait de nous définir culturellement, ouvertement, sans honte ni fausse repentance, de plus en plus en direction Nord-Sud. Au lieu du seul regard traditionnel parfois béat vers l'Europe, vers la France et sa prestigieuse culture, nous aurions un nouvel axe culturel nord-sud. Pure fantaisie ? Je connais des peintres québécois que déjà le Mexique inspire. La poétesse Marie Uguay s'expliquerait-elle sans Neruda ? Saint-Denys Garneau sans Supervielle ? Mes frères théologiens pourraient citer tout de suite certains textes sud-américains qui les dynamisent beaucoup plus que la théologie égocentrique européenne. Que nous le voulions ou non, nos voisins les plus près ne sont pas les Français ni les gens de l'Ouest canadien, mais bien les Américains. New York-Montréal-Boston-Philadelphie. Les financiers du sport savent tout cela. Les U.S.A. sont nos principaux partenaires économiques et c'est significatif que nous devenions matériellement nord-américains et de moins en moins européens. Ne nous trompons pas : la langue ne peut pas créer à elle seule une culture, ni l'imitation continue des autres. Malgré nous souvent, nous deviendrons de plus en plus Franco-Américains.

2. L'Orient au Québec

Toujours dans la même perspective d'une mutation culturelle accélérée par le contexte économique et les techniques électroniques et à cause de l'agrandissement progressif de notre champ mental, il y a l'Orient ; il est parmi nous sous forme d'exploration de la conscience. Qui n'est pas déjà fasciné ? Qui sait si le peuple total ne le sera pas un jour ? Moins de théories, plus d'intuitions. Moins d'intellect, plus de cœur. Moins de mots pour plus de silence. Sans oublier que l'Asie possède une symbolique cosmique étonnante, tout comme nos Amérindiens que nous commençons à mieux apprécier. Même s'il n'est pas question pour nous d'être, en l'an 2000, des Québécois orientaux, il reste néanmoins beaucoup à prévoir de ce côté. *Lux ex oriente* !

3. La chance de l'accueil

Que dire des migrants maintenant au Québec et de ce qu'ils seront en l'an 2000 ? Option fondamentale et urgente, assez bien amorcée d'ailleurs. Quand nous serons moins préoccupés par la langue d'usage et que nous nous rendrons compte des richesses ethniques d'un milieu comme Montréal, peut-être apprécierons-nous mieux à sa juste mesure la chance de dialoguer ici même, au Québec, avec tant de cultures nouvelles. Non, non, ne parlons pas du multiculturalisme, mais plutôt d'une forme raffinée de culture francophone active. À ceux qui ont quitté parfois douloureusement leur pays d'origine et qui sont venus librement vers un nouveau pays, il s'agit ni plus ni moins d'offrir un lieu de comparaisons bienveillantes et un même intérêt partagé pour la transmission des valeurs culturelles. Voilà qui pourrait, soit dit en passant, nous guérir tous, autochtones, migrants, eux et nous, d'un certain racisme latent propre à toutes les institutions encerclées. Nous croyons en tout cas que le meilleur lien que l'on puisse établir avec les autres cultures est encore de les bien accueillir quand elles viennent à nous. Cela suppose l'ouverture aux autres, beaucoup d'échanges au niveau de la vie quotidienne et un certain détachement vis-à-vis de la culture écrite. Tout ce que nous devons culturellement aux Juifs, minorité stratégique, comme aux Grecs, aux Italiens et même aux Portugais et aux Espagnols, apparaît déjà. Il suffirait d'aller au maximum de nos possibilités d'intégration sans attendre toujours le feu vert de l'État.

4. Encore le Moyen Âge

Une quatrième utopie serait la concentration de l'étude scolaire de la langue française québécoise, la nouvelle et la traditionnelle, à partir des premiers dialectes *latins* du Moyen Âge. Le tout dans un contexte d'histoire des mentalités et des habitudes qui ont forgé cette langue jusqu'en ces dernières années. Devrions-nous le répéter en écoutant notre parler rural, maritime et forestier ; en entendant les Acadiens et tout ce qu'il y a de plus enraciné dans nos chansons, nos contes et nos légendes d'autrefois : nous sommes les descendants directs du Moyen Âge latin. Même langue à sa racine, des institutions similaires jusqu'en 1960, mêmes réflexes religieux, même goût de la politique et de la logique, même dualisme aussi. Passé irréfutable et irréversible. C'est la manière de se référer à ce patrimoine qui est révisable. Souhaitons, pour demain, moins d'hagiographes et plus de prophètes qui créent l'avenir en fonction du milieu immédiat, le seul réel.

Ainsi la langue française restera pour nous, encore en 2000, une *question culturelle vitale*. Dans ce cas, espérons de nouveaux lieux formels d'étude et d'apprentissage qui cernent les commencements, les habitudes et la structure initiale du langage courant plutôt que le dernier anglicisme à la mode. C'est à la source que l'eau est le plus pure. Le critère des origines vaut tout autant, sinon mieux dans notre cas que celui de l'usage. Entre l'*Atlas linguistique* de Gaston Dulong et le « dictionnaire » improvisé à la dernière heure du joual militant, il y a toute la différence qui existe entre la culture et son résidu commercial.

5. À la frontière de l'impossible

Enfin, il arrivera à chacun d'entre nous d'être confronté, un jour ou l'autre, avec l'impossible mystère de la vie et de la mort, avec les énigmes du bonheur et du malheur. Nos désirs ne peuvent pas être absolument vains. Forcément nous nous retrouvons tous ensemble à la frontière de l'utopie et du sacré, quelque part entre le refus et l'engagement. Eh oui ! « il faut se parler » jusqu'à nous faire mal (la chirurgie guérit aussi des maladies tenaces) à propos de nos croyances réciproques. Rêvons moins pour l'instant que pour l'an 2000 (ce n'est pas si loin !) à de nouveaux discours qui respectent la liberté des consciences et les cheminements secrets de l'être humain. *D'égal à égal*, comme dirait telle amie féministe en voie de devenir plus égale que moi !

Surtout pas de rapiéçage ni de collage superposé comme on peut en voir à Saint-Pierre d'Orléans : une église toute neuve à côté de l'autre idéalisée en relique du patrimoine. « Personne ne coud une pièce d'étoffe neuve à un vieux vêtement... Personne ne met du vin nouveau dans de vieilles outres. » Et il savait ce qu'il disait, celui qui a dit cela. Souhaitons-nous plutôt en tant que peuple autonome (nous le sommes à bien des niveaux en Amérique du Nord) des échanges d'envergure au-delà du dolorisme des années 60 et de la récupération d'une certaine droite.

C'est possible ? Je le pense. Pratiquement désarmé, le « peuple catholique » peut se présenter en « citoyen », dire son idée, d'autant plus qu'il subit avec courage, avouons-le, toutes les critiques possibles jusqu'à l'insulte ouverte. Qu'en l'an 2000 nous nous retrouvions différents, ne cherchant plus à nous intimider, sans rapport de force, avec le même besoin d'aimer, d'espérer et de croire à un au-delà du possible, voilà qui s'appelle accrocher ensemble sa charrue à une étoile. La *reconquista* demeurera l'objectif permanent de notre commune histoire. Mais, moins obsédés peut-être par les luttes constitutionnelles, nous rechercherons dans les religions les solidarités qui ont fait leurs preuves. Il est urgent de sortir de notre ignorance religieuse tragiquement évidente et de reprendre, c'est un exemple, la lecture de ce grand livre le plus lu, le plus traduit dans tous les continents : la Bible.

Peut-être qu'avec les retours écologiques et une conscience plus vive de l'environnement, les religions pourront au XXIᵉ siècle réviser leurs symboles et offrir à leurs associés d'ici d'autres formes de piété aussi authentiques mais plus populaires. Au lieu d'un alignement statistique sur la pratique, au lieu d'une seule vie sacramentelle de significations mesurables, pourquoi ne pas avoir plus de liturgies libres et festives ? De même qu'on aurait substitué l'humanisme aristocratique à base d'imprimés à un humanisme expérimental moins sélect et plus personnalisé, ainsi nous aurions une religion davantage incarnée dans les saisons et l'univers mental québécois. « Tout est possible à celui qui croit. » Le retour à la vérification du langage religieux est une autre avenue de l'an 2000 à ne pas oublier dans une culture où la langue restera toujours une question de vie ou de mort.

6. Éclectiques ou cohérents?

À beaucoup d'égards, nous sommes déjà — et à quel rythme — dans un monde éclectique et interplanétaire. Notre vie sera-t-elle facile? L'a-t-elle été jamais? Telle est pourtant la condition humaine. Pour vivre individuellement et survivre comme peuple, il nous faudra, d'une part, un minimum de cohésion et une harmonie de plus en plus vérifiable autour des biens qui durent ct qui font l'être civilisé : les biens culturels. D'autre part, l'avantage de l'éclectisme culturel inévitable sera de nous faire prendre conscience, une fois de plus, que nous ne sommes ni uniques ni parfaits, et que les limites sont aussi propres à la connaissance individuelle que le sont les frontières à l'identification des collectivités nationales. Comment éviter de devenir las ou superficiels? Non, il ne faut pas nous perdre dans la confusion universelle de ceux qui ne savent plus aimer ni connaître. Sans idéal, sans utopies, pas d'avenir pour un peuple, à moins qu'il ne se contente d'une petite vie d'instants à répétitions : ce qu'à l'unanimité, au fond du cœur, nous refusons.

Entre temps...

Entre temps, pour les années qui nous séparent de l'an 2000, il nous faut vivre, travailler, espérer. Langue, foi, culture! Non plus un duo mais le trio! Au lieu du binaire qui jette les hommes dans la dualité, préférons le ternaire qui les force à dialoguer.

Bref, habitants, marins, voyageurs et coureurs de bois enfin arrivés en ville, il nous faut absolument inventer, d'ici l'an 2000, de nouvelles fiertés pour de nouveaux comportements humanistes face au RÉEL. Des comportements qui soient à la fois matérialistes et spiritualistes. On ne réussit pas l'un sans l'autre. L'histoire québécoise sera toujours inachevée. Il nous appartient cependant d'enchaîner le passé vers l'avenir à travers le présent, privilégiant d'abord la jeunesse et les étudiants. Que vivent tout de suite l'utopie et l'espérance exagérée pour tous ceux et toutes celles qui croient encore à l'amour, aux fleurs, au printemps, aux racines!

TABLE DES RÉFÉRENCES

À cause du folklore de Noël (*Prêtre et pasteur: l'Enfant que nous faisons naître*, 84, 11 (décembre 1981): 678–686).

À cause d'une conscience québécoise (*Maintenant*, nouvelle série, cahier 2 (juin 1975): 9).

À propos des jurons: préface (Jean-Pierre PICHETTE, *Le guide raisonné des jurons: langue, littérature, histoire et dictionnaire des jurons*, coll. «Mémoires d'homme» (Montréal, Les Quinze, 1980): 7-11).

À propos du cycle de Pâques: préface (Denise RODRIGUE, *Le Cycle de Pâques au Québec et dans l'Ouest de la France*, coll. «Les Archives de folklore», n° 24 (Québec, Les Presses de l'Université Laval, 1983): [vii]–x).

Communication et religion populaire (*Actes du XVe Congrès des Sociétés de philosophie de langue française*, 1 (Montréal, Éditions Montmorency, 1971): 278–282).

Dévotions: hier — aujourd'hui (*Bulletin national de liturgie*, 17, 88 (janvier-février 1983): 14–18).

Dieu dans la religion populaire franco-québécoise (*Communauté chrétienne*, 10, 58-59 (juillet–octobre 1971): 236–247).

Le «Dieu merveilleux» des Québécois (*Le Merveilleux. Deuxième colloque sur les religions populaires 1971*, Fernand DUMONT, Jean-Paul MONTMINY et Michel STEIN, dir., coll. «Histoire et sociologie de la culture», n° 4 (Québec, Les Presses de l'Université Laval, 1973): 67–81).

La fête religieuse au Québec (*Que la fête commence*, Diane PINARD, dir., (Montréal, La Société des Festivals Populaires du Québec, 1982): p. 49–60).

Histoire et religion traditionnelle des Québécois (1534–1980) (*Culture populaire et littérature au Québec*, René BOUCHARD, dir., coll. «Stanford French and Italian Studies», 19 (Saratoga, Calif. Anma Libri, 1980): 19–41).

Imaginaire, merveilleux et sacré avec J.-C. Falardeau (*Recherches sociographiques: imaginaire social et représentations collectives*, 23, 1-2 (janvier-août 1982): 109–124).

Je veux voir Dieu (*Communauté chrétienne*, 18, 107 (septembre-octobre 1979) : 465-468).

La langue, gardienne de la foi ? (*Le statut culturel du français au Québec : actes du congrès Langue et société au Québec, tome II*, Michel AMYOT, dir. (Québec, Éditeur officiel du Québec, c1984) : 103-106).

Lionel Groulx et ses croyances (*Hommage à Lionel Groulx*, Maurice FILION, dir. (Montréal, Leméac, 1978) : 95-118).

La mer comme espace sacré : un cas d'ethnologie religieuse (*Traditions maritimes au Québec* [Québec, 1 Gouvernement du Québec, 1985] : 585-605.

Mort et survie des religions (*Le Devoir*, 73, 59 (12 mars 1982) : 19 et 27. Sous le titre : « Le sort de la culture »).

La mythologie religieuse traditionnelle des Canadiens français (*Revue de l'Université d'Ottawa*, 55, 2 (avril–juin 1985) : 63-75).

Noëls d'autrefois et de demain (*Communauté chrétienne*, 15, 78 (nov.-déc. 1974) : 573-590.

L'Oratoire Saint-Joseph (1904–1979), fait religieux populaire (*Cahiers de Joséphologie*, 27, 2 (juillet–décembre 1979) : 255-265).

Que racontaient les anciens ? (*Écologie et environnement*, coll. « Cahiers de recherche éthique », n° 9, Montréal, Fides, 1983, p. 141-150).

La religion de mon père (*Communauté chrétienne (Religion populaire des Québécois)*, 16, 96 (novembre-décembre 1977) : 553-578).

La religion populaire des Québécois en résumé (*Informations, Église de Hull*, 9, 15 (15 avril 1978) : 1-2).

La religion populaire : opium du peuple ou facteur de civilisation ? (*Critère*, 31 (automne 1981) : 123-127).

Religion traditionnelle et les chansons de coureurs de bois (*Revue de l'Université laurentienne (Religion populaire et travail. Popular Religion...)*, 12, 1 (novembre 1979) : 11-42).

Utopies pour l'an 2000 (*Le Devoir*, 73, 23 (4 février 1982) : 23. Sous le titre : « Québec, aujourd'hui »).

TABLE DES ILLUSTRATIONS

INDEX THÉMATIQUE

L'index retient ce qui a trait surtout à la religion traditionnelle.

TABLE DES MATIÈRES

COMPOSÉ AUX ATELIERS
GRAPHITI BARBEAU, TREMBLAY INC.
À SAINT-GEORGES-DE-BEAUCE

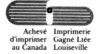

Achevé   Imprimerie
d'imprimer Gagné Ltée
au Canada Louiseville